Amor Sem Barreiras

Leonie Linssen
Stephan Wik

Amor Sem Barreiras

As Alegrias e os Desafios dos Relacionamentos
Abertos e Poliamorosos nos Dias de Hoje

Tradução:
EUCLIDES LUIZ CALLONI
CLEUSA MARGÔ WOSGRAU

Prefácio:
REGINA NAVARRO LINS

Editora
Pensamento
SÃO PAULO

Título do original: *Love Unlimited.*

Copyright © 2010 Leonie Linssen e Stephan Wik.

Copyright da edição brasileira © 2012 Editora Pensamento-Cultrix Ltda.

Publicado originalmente em inglês por Findhorn Press, Escócia, 2010.

Prefácio à edição brasileira © 2012 Regina Navarro Lins.

Texto de acordo com as novas regras ortográficas da língua portuguesa.

1ª edição 2012.

Todos os direitos reservados. Nenhuma parte desta obra pode ser reproduzida ou usada de qualquer forma ou por qualquer meio, eletrônico ou mecânico, inclusive fotocópias, gravações ou sistema de armazenamento em banco de dados, sem permissão por escrito, exceto nos casos de trechos curtos citados em resenhas críticas ou artigos de revistas.

A Editora Pensamento não se responsabiliza por eventuais mudanças ocorridas nos endereços convencionais ou eletrônicos citados neste livro.

Coordenação editorial: Denise de C. Rocha Delela e Roseli de S. Ferraz

Preparação de originais: Marta Almeida de Sá

Diagramação: Join Bureau

Dados Internacionais de Catalogação na Publicação (CIP)
(Câmara Brasileira do Livro, SP, Brasil)

Linssen, Leonie
    Amor sem barreiras : as alegrias e os desafios dos relacionamentos abertos e poliamorosos nos dias de hoje / Leonie Linssen, Stephan Wik ; tradução Euclides Luiz Calloni, Cleusa Margô Wosgrau ; prefácio Regina Navarro Lins. – São Paulo : Pensamento, 2012.

    Título original: Love unlimited.
    ISBN 978-85-315-0428-0

    1. Casamento aberto 2. Poligamia 3. Relacionamentos não monogâmicos I. Wik, Stephan. II. Lins, Regina Navarro. III. Título.

12-05661   CDD-306.8423

Índices para catálogo sistemático:
1. Relacionamentos não monogâmicos : Sociologia   306.8423

Direitos de tradução para a língua portuguesa
adquiridos com exclusividade pela
EDITORA PENSAMENTO-CULTRIX LTDA.
Rua Dr. Mário Vicente, 368 — 04270-000 — São Paulo, SP
Fone: (11) 2066-9000 — Fax: (11) 2066-9008
E-mail: atendimento@editorapensamento.com.br
http://www.editorapensamento.com.br
que se reserva a propriedade literária desta tradução.
Foi feito o depósito legal.

Sumário

Introdução – Leonie 11

Introdução – Stephan.. 15

Prefácio à edição brasileira – Regina Navarro Lins....................... 19

1 Amores Múltiplos – Evelyn 25
   Fobia de compromisso 27
   Relações interpessoais 30
   Intimidade e fobia de compromisso.. 34
   Poliamor e amigos com benefícios... 35
   Perguntas que você pode fazer a si mesmo 38
   Sugestões para lidar com relacionamentos múltiplos 38

2 Um Amor Impossível – Christine... 41
   Apaixonando-se por outra pessoa 44
   Compreendendo os sentimentos de culpa e vergonha 45
   Aceitação 47
   Autocompaixão 48
   Examinando o estado de apaixonado....................................... 49
   Responsabilidade pessoal.. 51
   Fazendo escolhas 52
   Liberar energia para induzir decisões...................................... 52

Perguntas que você pode fazer a si mesmo caso
se apaixone por outra pessoa 54
Sugestões para o caso de se apaixonar por alguém
além do seu companheiro 55

**3 Não Consegui Evitar: Recuperando-se de um
Caso Amoroso – John e Maria** 57
As consequências da traição 60
Lidando com as consequências – nem todo conselho é útil... 62
Dê um tempo 63
Esclarecendo os objetivos da relação 64
A "pergunta fantasia" 65
Comunicação eficaz 66
Escuta ativa 67
Reconhecimento do parceiro 67
Fala honesta 68
Relações sexuais e o passar do tempo 71
Desejo sexual em descompasso 72
Sexo e amor 74
Perguntas que você pode fazer a si mesmo 77
Sugestões para uma vida em comum depois
de um ato de traição 77

4 Um Relacionamento Secreto – Ellie e Mary 79
O estado de apaixonado e a Energia de um
Novo Relacionamento (ENR) 83
Lidando com a ENR 84
Cinco atitudes que ajudam a resistir à paixão 85
Quebra de confiança 86
Perdão 87
Sugestões para perdoar 88
Exercício: "Veja através dos meus olhos" 88
Reconhecimento e compaixão 89
Vingança e revide 91
Relacionamentos codependentes 93
A lei da elasticidade 94
Encontrando o nosso próprio caminho 96

Perguntas que você pode fazer a si mesmo de
tempos em tempos 98

Sugestões para desenvolver a autonomia 99

5   Amor no Local de Trabalho – Mônica 101

Quando os relacionamentos mudam 105

Poder e dependência 107

Limites e igualdade 111

Liberdade e igualdade 111

Sentimentos negativos, mensageiros das
nossas necessidades 113

Perguntas que você pode fazer a si mesmo 116

Sugestões para estabelecer limites 116

6   Uma Solução Bissexual – Bridget, Arthur e Rose 117

Acordos e expectativas 121

Mitos bissexuais 124

Identidade bissexual 125

Atenção positiva 128

Desejos e experiências bissexuais 130

Fazendo acordos claros 132

A transição de um parceiro a outro 134

Perguntas que você pode fazer a si mesmo 136

Sugestões para um relacionamento aberto em uma
situação de bissexualidade 137

7   Abrindo o Relacionamento – Esther e Peter 139

Uma base sólida 141

Abrindo um relacionamento 142

Estratégias de sucesso para relacionamentos sustentáveis ... 144

Hábitos e "normalidade" 145

Invista no seu relacionamento 147

Sondagens da comunicação 148

Melhorando a comunicação 150

Lidando com o ciúme 152

Perguntas que você pode fazer a si mesmo 160

Sugestões para expandir os limites do relacionamento 160

8   A Prática do *Swing*: Ampliando os Limites
Sexuais – Karen e George 163
Resultados inesperados 164
Swing: ainda é um tabu 166
Como apreciar o sexo num clube de *swing* 169
Reduzindo expectativas 171
Identifique os limites ultrapassando-os 173
Perguntas que você pode fazer a si mesmo e um
   ao outro 177
Sugestões para o caso de você estar pensando
   em aderir à prática do *swing* 177

9   Separação Amorosa: Quando os Caminhos
Divergem – Marilyn e William 179
Descobrindo-se poliamoroso 182
O relacionamento mono/poli 185
Olhando no espelho 189
Estratégias de fuga 189
Aceitando a realidade 191
Exercício: A minha vida de sete em sete anos 193
Aceitando que somos diferentes uns dos outros 195
O processo de separação 196
Separando-se conscientemente 197
Rituais de separação 197
Perguntas que você pode fazer a si mesmo 201
Sugestões para separar-se amorosamente 201

10 Fim do Sexo, ou Talvez Não? – David e Sue 203
A ausência de relações sexuais 205
Os efeitos colaterais das necessidades não atendidas 209
O caminho para a solução desejada 211
Descobrindo por meio da experiência 213
Namoro e encontro pela internet 214
Privacidade 216
O que dizer para os filhos? 218
Perguntas que você pode fazer a si mesmo 221
Sugestões para um relacionamento
   sexual complementar 221

11   Quando Mundos se Chocam: Relacionamentos Abertos *versus* Relacionamentos Secretos – Henry 223

Relacionamentos secretos e relacionamentos abertos 225

A influência dos nossos valores e de nossas crenças 226

Descobrindo valores e crenças pessoais................................. 228

O equilíbrio da roda da vida 230

Perguntas que você pode fazer a si mesmo 231

Sugestões para relacionamentos complementares................. 231

12   A Tríade – Mark, Yvonne e Lisa................................ 233

Alguns gostam de amor, alguns gostam de sexo.................... 235

Acordos de relacionamento.. 236

Vivendo a nossa autenticidade 239

As alegrias e os desafios de uma tríade 242

As diferentes relações numa tríade 244

Padrões de relacionamento e interações numa tríade 251

Perguntas que você pode fazer a si mesmo 256

Sugestões para tríades... 256

Posfácio – Vivendo de Amor 259

Agradecimentos – Stephan.. 261

Agradecimentos – Leonie 263

Fontes de Inspiração e Outros Recursos................................ 267

Website de *Amor sem Barreiras*.................................... 267

Websites dos autores 267

Websites úteis.. 267

Fóruns de poliamor 268

Jogos de treinamento.. 268

Livros... 268

Introdução – Leonie

Em 2005, comecei a minha prática de coach, Verander je Wereld (Mude o seu Mundo), com a missão de ensinar as pessoas a viverem uma vida autêntica e assim construírem relacionamentos bem-sucedidos com base na paixão e no poder. Quase na mesma época, participei de um seminário conduzido por Pim van Lommel, que havia desenvolvido uma pesquisa científica sobre experiências de quase-morte. As histórias das pessoas que viveram esses momentos me afetaram profundamente, pois todas haviam vislumbrado um mundo de total amor e plena compaixão por outros – sem julgamentos. As experiências descritas correspondiam inteiramente aos pressupostos básicos do meu trabalho de aconselhamento e da minha vida pessoal.

Eu havia acabado de descobrir o quanto é saudável criar um relacionamento baseado na aceitação total. Pouco depois de nos conhecermos, minha companheira me propôs o desafio de eu aceitar totalmente a mim mesma. Isso significava aceitar todas as facetas do meu ser, inclusive nas áreas do relacionamento e da sexualidade. Assim, o seminário de fato reuniu os dois aspectos – o profissional e o pessoal – e eu percebi, *com certeza*, que é isso que tenho a oferecer ao mundo. A palestra de Pim foi para mim uma confirmação clara de que fiz a escolha certa quando decidi começar a trabalhar como *coach* de relacionamento para pessoas que viviam relacionamentos íntimos complexos. Essa certificação foi realmente importante para mim, pois sou pioneira nessa área de orientação na Holanda.

Cresci num vilarejo holandês e recebi uma educação baseada na monogamia, em normas rígidas e na fé católica. Na infância, os meus conceitos de amor e relacionamento eram românticos e não tinham nenhuma relação com quem eu era realmente. Por exemplo, aos 14 anos, eu já sabia que não sentia atração apenas por garotos, mas também por meninas. Definitivamente, essa constatação não combinava com a imagem do meu mundo encantado! Aos 19 anos, descobri que estava apaixonada por três pessoas ao mesmo tempo, algo totalmente incompatível com o modo "correto" de ser. Infelizmente, eu não conhecia mais ninguém que admitisse esse tipo de sentimento e não conseguia encontrar uma maneira de me adequar a quem eu era. Durante anos e anos, reprimi os meus desejos até que, subitamente, aos 40 anos, eles tornaram a emergir como uma espécie de desforra e fui obrigada a voltar-me para mim mesma, com muita seriedade e firmeza.

A pressão social para a adaptação é enorme. Alguém que queira viver uma vida baseada em verdadeira autenticidade pessoal precisa, antes de tudo, ter coragem de ser quem realmente é. Para muitos, esse é um processo minucioso que implica, em primeiro lugar, descobrir como entrar em contato com a nossa fonte interior da verdade, o nosso ser mais íntimo. Depois desse olhar interior honesto, começamos a tomar consciência do modo como fomos ensinados a nos comportar, das nossas crenças herdadas e muitas vezes indiscriminadas, dos nossos bloqueios mentais e emocionais, dos valores e das normas que consideramos verdadeiros e certamente do papel do ego.

A minha jornada de descoberta pessoal seguinte na área dos relacionamentos e da sexualidade foi um intenso e algumas vezes difícil processo de transformação. Ele produziu uma impressão tão forte em mim, que me levou a tomar a decisão de comunicar as minhas experiências e, se possível, dispor-me a ajudar quem estivesse se debatendo com os mesmos problemas. Imaginei como seria maravilhoso ajudar outras pessoas. Em particular, eu estava interessada em ajudar as pessoas a descobrir o que exatamente produz bons resultados para elas, pois eu via a diferença que faz estar numa forma de relacionamento que se harmoniza com as nossas necessidades individuais. Assim, voltei para a universidade, obtive habilitação em aconselhamento e, depois de muitos e muitos cursos e seminários, achei-me em condições de iniciar a minha prática. Desde então, tenho orientado centenas de pessoas sobre seus relacionamentos. A maior parte delas debate-se com o fato de nutrir sentimentos românticos ou de se sentir sexualmente atraída por outra pessoa além do companheiro. Elas estão buscando maneiras de aceitar e de lidar com seus sentimentos numa sociedade em que a grande maioria tem como norma a monogamia e a heterossexualidade. Muitos clientes meus se julgam severamente pelo que sentem ou pelo que fizeram, enquanto outros se debatem com as necessidades de mais liberdade por parte dos parceiros no contexto dos seus relacionamentos íntimos.

Depois de algum tempo, percebi claramente que algo precisava ser feito para quebrar o tabu que existe em torno de formas alternativas de relacionamentos íntimos e, no mínimo, eu queria participar do esforço de possibilitar que se falasse livre e honestamente sobre relacionamentos abertos e poliamor. Até conhecer o escritor sueco-americano Stephan Wik, eu não imaginava como fazer isso. No entanto, ele havia lido sobre o meu trabalho num *website* holandês e ficou bastante animado. Depois de muitas e detalhadas conversas, tudo ficou muito claro para nós dois: iríamos escrever um livro (este!) juntos. Ou como disse Stephan: "Esse livro precisa ser escrito, e acho que somos nós que temos de fazer isso!".

Amor Sem Barreiras é uma compilação de doze estudos de caso. As pessoas retratadas enfrentaram desafios resultantes de sentimentos românticos ou sexuais que viveram e que não se enquadram nos modelos monogâmicos. As histórias se baseiam nas experiências de um grande número de pessoas reais. Criamos as histórias a partir do material obtido em centenas de sessões de aconselhamento, de discussões com especialistas no campo do amor e dos relacionamentos, de publicações e fóruns especializados na internet, de conversas com amigos e das nossas próprias experiências.

As histórias em *Amor Sem Barreiras* acompanham as pessoas desde o momento em que chegam a um impasse, e daí, por meio dos seus processos de treinamento, até estarem prontas para prosseguir sem ajuda.

Descrevemos o treinamento e os períodos entre as sessões e oferecemos informações básicas sobre os temas abordados em cada história. Além disso, Stephan acrescenta outra dimensão a *Amor Sem Barreiras*: o seu vasto conhecimento de outras práticas culturais antigas, como a sexualidade sagrada taoista, em que a energia sexual é usada como fonte de energia para a cura física e o desenvolvimento espiritual. Suas contribuições estimulam o leitor a perceber que existem outras maneiras de interpretar tanto os relacionamentos como a sexualidade e a dar-se conta de que o nosso paradigma ocidental não é exclusivo. Cada capítulo termina com sugestões e reflexões sobre os assuntos tratados. Com delicadeza, elas desafiam o leitor a integrar as ideias e ferramentas à própria vida.

Participei recentemente de um fim de semana de meditação (Satsang) em que vivi uma expansão de consciência, o que me possibilitou ver o mundo "a partir do outro lado". Basicamente, ficou muito claro para mim que estamos todos interligados pelo amor. O amor é tudo com que ficamos quando nos libertamos dos julgamentos que temos a respeito de nós mesmos e dos outros. Essa foi a experiência mais maravilhosa da minha vida e deixou absolutamente claro para mim por que *Amor Sem Barreiras* precisava ser escrito. Como pessoas que vivem neste planeta, todos nós temos pensamentos negativos que nos restringem e impedem de alcançar o que queremos: uma vida feliz com espaço para a individualidade, para a paixão e para relacionamentos íntimos sustentáveis. As ideias desenvolvidas em *Amor Sem Barreiras* podem nos ajudar a seguir nessa direção, pois oferecem o vislumbre de um mundo novo desafiador onde há lugar para mais amor e mais crescimento pessoal.

Introdução – Stephan

*O mais suave
vence o mais forte.*
– LAO-TSÉ

Este livro começou quando eu fazia pesquisas para o que imaginava que seria meu próximo livro. Meu livro anterior, escrito com minha esposa Mieke, trata da sexualidade sagrada taoista e narra como descobrimos a antiga tradição taoista de cura, que consiste em trabalhar conscientemente com a energia sexual. Pouco depois da publicação do livro, nossos amigos nos incentivaram a oferecer seminários para interessados nessas informações. Assim, resolvemos aceitar o desafio e passamos dezoito meses ministrando cursos e reunindo-nos com pessoas que queriam saber mais sobre o trabalho consciente com energia sexual.

Em pouco tempo, comecei a perceber um padrão interessante surgindo dos participantes, em geral, casais que conhecemos nesse período. O contato inicial com os casais normalmente se baseava no interesse que demonstravam por nosso livro, e especificamente pelo tema do trabalho consciente com a energia sexual. Entretanto, logo vimos que o assunto de fato sobre o qual as pessoas queriam conversar não era tanto o trabalho com a energia sexual, mas como conversar umas com as outras. Elas queriam aprender a se comunicar aberta e honestamente sobre questões íntimas, sem medo ou vergonha e sem culpa ou censura. Estávamos espantados com a quantidade de pessoas que diziam que éramos os primeiros com quem conseguiam falar sobre esses assuntos. Estávamos muito sensibilizados com a franqueza das pessoas e sua confiança em nós, especialmente porque não somos conselheiros ou orientadores. O fato de estarmos preparados para conversar aberta e honestamente sobre as nossas próprias experiências parecia fazer com que outras pessoas se abrissem e falassem conosco e entre si.

E foi assim que encontrei Leonie. Eu estava à procura de recursos para uma comunicação clara, na internet, quando me deparei com o artigo de uma *coach* e conselheira que escrevia num estilo notavelmente claro e sucinto. Fiquei curioso e resolvi entrar em contato com ela. Encontramo-nos alguns meses depois e decidimos escrever este livro em parceria.

Considerando a minha formação em trabalho com Energia Taoista, por que eu me interessaria em escrever um livro com uma especialista em relacionamentos não tradicionais e poliamor? Que relação existe entre uma coisa e outra? Em uma palavra, "suavização". No trabalho de Cura Taoista existe um entendimento comum segundo o qual a nossa vida depende de um fluxo saudável da Energia Vital por todo o nosso sistema físico, mental e espiritual. A rigidez, seja ela física, emocional ou intelectual, pode criar bloqueios a esse fluxo vivificador de energia vital. Diante de muitos bloqueios e considerável rigidez, a energia vital pode ter seu movimento obstruído, produzindo efeitos negativos sobre a nossa saúde e o nosso bem-estar.

Conversando com Leonie, verifiquei que as interpretações e as técnicas para um relacionamento saudável com que ela trabalha baseiam-se exatamente no mesmo princípio. Se você é tenso e rígido em seu relacionamento, a saúde da relação fica debilitada e, mais cedo ou mais tarde, ele provavelmente terminará. Assim, aprender a ser flexível, aberto, solto e livre em um relacionamento é realmente fundamental para que ele não só sobreviva, mas também cresça e chegue a um estado de bem-estar. Leonie ajuda pessoas, solteiras ou comprometidas, a aprender a relaxar, a distanciar-se e observar, e então percorrer etapas com consciência para criar um fluxo de energia saudável entre todos os envolvidos. As ferramentas e técnicas desenvolvidas para ajudar as pessoas a lidar com questões que surgem em relacionamentos abertos e poliamorosos são valiosas para todos nós, quaisquer que sejam as formas que os nossos relacionamentos pessoais assumam.

Quando conheci Leonie também ouvi a palavra "poliamor" pela primeira vez, e então comecei a ler artigos de pessoas que se consideram "poliamorosas", até finalmente reunir-me com elas. Surpreende-me constatar que as pessoas que estão descobrindo essa área são em geral muito criteriosas e transparentes no que se refere ao desenvolvimento de novas formas de lidar com os altos e baixos dos relacionamentos. É particularmente fascinante perceber que muitas pessoas que conheci e com quem conversei longamente na verdade mantêm relações monogâmicas e estão apenas explorando os limites dessas relações. Elas não estão envolvidas ativamente com pessoas fora dessas relações, e muitas delas nunca estiveram. Entretanto, a experiência de comunicar-se honestamente sobre a possibilidade de abrir o relacionamento tem produzido níveis novos e mais elevados de honestidade, comunicação e intercâmbio em suas vidas. Vejo isso acontecendo mais e mais no dia a dia.

Uma das principais habilidades que essas pessoas aprenderam também faz parte dos ensinamentos taoistas – perceber, reconhecer, aceitar e por fim abrandar emoções fortes. Por exemplo, elas aprenderam a aceitar que provavelmente sentirão algum ciúme quando seus parceiros falarem sobre outras pessoas ou ficarem algum tempo com elas. Mas elas não precisam culpar-se ou tentar reprimir seus sentimentos; elas precisam simplesmente aprender a aceitar e a cuidar de si mesmas quando isso acontece, por exemplo, fazendo alguma coisa que gostam. Depois de algum tempo, elas observam que suas reações não são mais tão fortes e que as tempestades emocionais estão longe de ser tão violentas. Elas começam a aprender a lidar com as questões de relacionamento de maneira mais calma, mais racional. Ao mesmo tempo, aprendem a ficar mais atentas ao próprio centro. O que dá certo para elas? Quais são suas crenças e seus valores nucleares? Podem comunicar essa informação pessoal de forma aberta e tranquila? Tenho visto e vivido pessoalmente as reações verdadeiras e honestas que outros nos oferecem (em vez de explosões emocionais) quando conseguimos nos comunicar a partir do nosso eu verdadeiro.

Esse processo de aprendizado e de crescimento, seja individualmente, seja como casal, é realmente o aspecto que inspira a perscrutar toda a área dos relacionamentos alternativos. A verdadeira dádiva do trabalho consciente com relacionamentos íntimos é que ele permite crescer em um grau intenso, profundo, e acima de tudo inteiramente recompensador. Por isso, espero que este livro seja útil e inspirador para todos os que estão interessados em construir relacionamentos conscientes, sustentáveis e gratificantes.

Prefácio à Edição Brasileira – Regina Navarro Lins

A obra de Leonie Linssen e Stephan Wik pertence à categoria dos livros impossíveis de se tomar contato impunemente. Trata de relações amorosas em diversas perspectivas. Envolve temas que a maioria absoluta dos seres humanos elabora para si no dia a dia e toca nas questões que muitos de nós jamais ousamos expor para os seus mais íntimos parceiros. Isso porque o amor permanece envolto nas sombras da cultura do pecado. Mas podemos dar um desconto. As mentalidades estão mudando, graças a obras como esta.

Os autores distribuem as suas observações ao longo de doze capítulos. São casos que eles vivenciaram com pessoas a quem atenderam. As sociedades onde os fatos se passam estão entre as mais avançadas do mundo – Holanda e Estados Unidos –, mas as soluções apresentadas pelos autores podem ser apontadas como tendências em todo o Ocidente.

A abertura, com a história de Evelyn, exemplifica um comportamento que recebe tanto críticas leigas quanto especializadas. Ela tem vários namorados que são amigos sinceros e é amante de todos. Para alguns, talvez seja considerada uma mulher insaciável. Mas um de seus parceiros colocou-a no centro de sua vida e quer se casar com ela; ao ouvir um não, ele a classifica como "fóbica a compromissos". O leitor vai compreender e julgar esse rótulo.

Bem mais centrado, mas tão complexo quanto o primeiro, é o caso de Christine. Dentro de um casamento estável e sólido, ela sucumbe a uma paixão. Alguém ousa ser mais completo, mais compreensível, melhor do que o homem que a espera no lar. Como escolher sem espatifar-se contra o real, sem perder as referências, sem sentir-se culpada?

O caso seguinte nos põe no polo oposto da questão. Ao saber que o companheiro John manteve uma relação extraconjugal, Mary perde o chão. Estar convencido de que o outro mentiu durante um longo período estremece qualquer relação. Como esquecer os aspectos positivos da união?

Alimentamos a tendência, um tanto mitológica, de crer que os homossexuais se inclinam a tolerar amores paralelos de seus parceiros. A história de Ellie e Mary, que estavam juntas fazia um longo tempo, é abalada pelo surgimento de uma paixão devastadora para uma delas. Ela será um teste dessa tolerância. "Do ponto de vista biológico, o ato de apaixonar-se produz efeitos consideráveis em nosso corpo. O puro e simples volume de hormônios liberados tem efeitos poderosos sobre os nossos sentimentos e o nosso comportamento, tornando muito difícil não sermos afetados", explicam os autores. É um momento em que o equilíbrio entre físico e psíquico entra em xeque.

Há um consenso, cheio de exemplos, de como não é um bom caminho o envolvimento no local de trabalho, mas quem pode excluir as suas emoções? A atração de Mônica por seu chefe, Victor, ultrapassou esses conselhos preventivos. Os autores listam pontos que devem ser levados em consideração em casos assim. A questão envolve caráter, normas sociais, valores dos parceiros de cada um, nossos próprios valores e as consequências no curto e longo prazos. Há ainda, como eles ressaltam, o aspecto do poder: "Num relacionamento, só podemos ter poder sobre o outro se ele nos delega esse poder e nos permite exercê-lo. Poder e dependência estão, portanto, indissociavelmente ligados. Se uma pessoa lidera e a outra automaticamente a segue, significa que o seguidor deu poder ao líder e assumiu uma posição de dependência".

Bridget, Arthur e Rose vivem relação bissexual, talvez a mais complexa orientação sexual. Os mitos em torno são muitos e variados. Os que transam com os dois sexos sempre foram acusados de indecisos, de estar em cima do muro, de não conseguir se definir. Os heterossexuais, costumam ver a bissexualidade como um *estágio*, e não como uma condição alcançada na vida. Muitos gays e lésbicas desprezam os bissexuais, acusando-os de insistir em manter os "privilégios heterossexuais" e de não ter coragem de se assumir.

Esther e Peter resolveram abrir o relacionamento. Mas o que é mesmo isso? Em primeiro lugar, a capacidade de administrar o ciúme: "Podemos ver-nos com amor e respeito, mesmo quando o ciúme ameaça tomar conta de nós. Lembre-se de que *temos* sentimentos, mas não somos nossos sentimentos".

Quando Karen e George resolvem conhecer o mundo do *swing*, essa decisão torna-se um desafio especial, embora essa prática seja muito antiga: "Fazer sexo com mais de uma pessoa, seja consecutiva ou simultaneamente, não é nenhuma novidade e, na verdade, nós seres humanos fazemos isso desde o início dos tempos (se os nossos registros históricos merecem crédito). Todos os nossos ancestrais tinham múltiplos parceiros sexuais de uma forma ou de outra."

As divergências que levam à separação de alguém por quem temos carinho e respeito é um dos maiores desafios nos relacionamentos. O rompimento explosivo e rancoroso geralmente omite a análise equilibrada. Os autores lembram que entre pessoas que se gostam essa é "a hora para deter-se ante a passagem de uma fase da vida para outra. Optando por lamentar juntos, lidando melhor com a tristeza. Que tal tirar um tempo juntos para rever todos os períodos em que se amaram, riram, se divertiram? Optar por uma separação consciente, amorosa..." Marilyn e William trocam impressões para que cada um sirva de esteio ao outro em um momento que, mais do que nunca, necessitam apoiar-se.

David e Sue vivem outro tipo de separação: continuando na mesma casa, criando os filhos, dividindo bons e maus momentos, mas não fazem mais sexo. Problemas psíquicos dele inviabilizam as relações amorosas físicas. Eles se gostam e desejam continuar juntos, mas é necessário um novo pacto. Os autores colocam o centro do problema: "Em casos de relacionamento sem sexo, não há uma solução pronta para o parceiro que precisa de sexo para satisfazer suas necessidades. Afinal, quase todos nós fomos educados com o conceito de que fazemos sexo com nosso parceiro ou não fazemos com mais ninguém". Mas a vida precisa continuar. O que fazer?

Yvone e Mark tentam se entender entre as opções de: relacionamentos paralelos abertos ou secretos. Há uma enorme variável entre os dois formatos – na verdade, são quase antagônicos: "As bases dos relacionamentos abertos contrastam com as bases dos relacionamentos secretos. Respeito, franqueza, honestidade e aceitação são valores importantes aqui. Na verdade, quase sempre, um relacionamento aberto, sustentável, só pode existir quando tem esses valores como fundamento".

O 12º e último "*case*" exposto pelos autores é um dos que mais desafia as concepções clássicas e tradicionais de relação: trata-se da tríade de Mark, Yvonne e Lisa. É o formato que rompe com duas instituições milenares: o casal e a monogamia. Leonie e Stephan observam: "Curiosamente, ao participar de uma tríade, muitos descobrem que se sentem mais independentes e livres do que quando formam um casal. Isso acontece tanto no nível prático quanto no nível mais sutil".

Amor sem Barreiras consegue trazer exemplos de novos comportamentos dentro de uma larga faixa de práticas amorosas. Gostaria de grifar um trecho que julgo paradigmático do mundo contemporâneo: "Muitos de nós, tenhamos ou não consciência do fato, não nos sentimos realmente feitos para uma relação monogâmica. Isso não surpreende, pois, sem dúvida, nem todos nós *somos* monógamos. Quase todos nós fazemos parte de uma sociedade que ainda defende a ideia de que a monogamia é a única opção para o casamento e para parcerias, e que o casamento é a única maneira de formar relacionamentos estáveis...".

Muitos reagem às novas possibilidades porque é comum se pensar no amor como se ele nunca mudasse. Entretanto, o amor é uma construção social, e em cada época da História ele se apresentou de uma maneira. O amor romântico, pelo qual a maioria de homens e mulheres do Ocidente tanto anseia, prega a ideia de que os dois se completam. Mas a busca da individualidade caracteriza a época em que vivemos; nunca homens e mulheres se aventuraram com tanta coragem em busca de novas descobertas, só que, desta vez, para dentro de si mesmos. Cada um quer saber quais são suas possibilidades, desenvolver seu potencial.

A proposta de fusão do amor romântico começa a deixar de ser atraente. Esse tipo de amor começa a sair de cena levando com ele a sua principal característica: a exigência de exclusividade. Sem a ideia de encontrar alguém que lhe complete, abre-se um espaço para novas formas de relacionamento amoroso, com a possibilidade de se amar e de se relacionar sexualmente com mais de uma pessoa ao mesmo tempo. Afinal, a fantasia de fusão faz ambos perderem, de alguma forma, a identidade própria e, portanto, os próprios limites.

Mas ainda é consenso que as relações de amor fora do modelo romântico podem ser frustrantes. O vício nesse tipo de amor torna difícil encontrar parceiros libertos dele. Para nos livrarmos do amor romântico, precisamos ter coragem para abrir mão das nossas antigas expectativas amorosas, torcendo para que mais pessoas façam o mesmo. Descobrindo outras formas de amar, podemos experimentar sensações até agora desconhecidas, mas não menos excitantes. Acredito que seja apenas uma questão de tempo. As mudanças são lentas e graduais, e este livro que você tem em mãos é uma importante contribuição para se viver com mais liberdade e prazer. Boa leitura!

1

Amores Múltiplos – Evelyn

Você é jovem, solteira, tem vários namorados e parece que simplesmente não consegue tomar a decisão de sossegar e formar um relacionamento estável com nenhum deles. A ideia de "casamento, dois filhos e uma casa no bairro" é algo que você não consegue imaginar sem sentir certo desalento. Algum dia, talvez, ou então, talvez não. De qualquer modo, no momento, você está aproveitando uma vida de liberdade. Você está concentrada no seu sucesso profissional, sente-se bem consigo mesma e tem uma vida social e amorosa ativa. À medida que o tempo passa, porém, você se dá conta de que os seus amigos, um a um, estão tomando a decisão de assumir um relacionamento comprometido ou estão começando uma família. Nas festas, muitas vezes, você é a única pessoa solteira e, no período de férias, fica difícil encontrar outras pessoas com quem partilhar o mesmo estilo de vida. A pressão de outros para sossegar ou dar início a uma família aumenta a cada dia.

Evelyn compreende muito bem o que isso significa.

Evelyn é uma mulher de 29 anos, com formação universitária, que atua em vários países como representante de uma grande empresa multinacional. Ela viaja frequentemente para o exterior e desfruta a diversidade cultural que seu emprego lhe proporciona. Evelyn é inteligente, autoconfiante e independente. Ela gosta de conhecer pessoas e logo se põe à vontade em situações novas. Na época de estudante, sua vida sexual era variada e estimulante. Embora esse aspecto específico da sua vida esteja um pouco mais calmo no momento, ela ainda preza sua liberdade.

Evelyn convive com pessoas em um amplo círculo social e gosta de passar o tempo com diferentes amantes. Um deles é Martin, 34 anos de idade, guitarrista de uma banda de rock, com quem ela cantava. Martin é um amigo íntimo. Ele a visita frequentemente, com a guitarra na mão, e depois de saborearem uma apetitosa refeição, tocam algumas músicas e passam a noite juntos. Estar com Martin é sempre uma diversão, porque ambos têm o mesmo senso de humor e muitas vezes quase morrem de tanto rir. Fazer amor com ele também é garantia de diversão, criatividade e prazer. Depois de passar a noite com Martin, eles se deliciam com um café da manhã tranquilo e se despedem. Martin é intensamente independente, o que é perfeito para Evelyn, porque, além de Martin, também Frank está na área.

Quando Evelyn está com Frank, ela se sente tranquila. Sua relação com Frank é mais profunda do que a relação que tem com Martin. Frank divide com ela a paixão pela espiritualidade; eles meditam juntos regularmente. Frank trabalha para uma entidade beneficente, e o impulso, a energia e a objetividade de Evelyn lhe servem de inspiração. Frank e Evelyn mantêm igualmente um relacionamento sexual e às vezes passam fins de semana juntos. Frequentemente saem a passeio na mata e se envolvem em conversas demoradas e profundas antes de passar a noite na intimidade. Ambos têm consciência da importância de cada um na vida do outro.

Recentemente, um dos amigos de Frank cometeu suicídio, fato que afetou Frank profundamente. Evelyn foi seu ombro amigo durante esse período difícil. Às vezes, ela apenas permanecia junto dele em silêncio solidário; outras vezes, eles conversavam sobre os sentimentos dele. Com isso tudo, Frank se sentiu mais próximo de Evelyn e, certo dia, há pouco tempo, sugeriu que morassem juntos.

A reação de Evelyn não foi a esperada. Ela não demonstrou nenhum entusiasmo pela ideia de uma vida em comum. Na verdade, ela deixou claro que talvez nunca se interessaria por isso. Disse-lhe que se sentia muito feliz com a vida de solteira, morando em seu próprio apartamento na cidade, e que gostava do nível de contato que mantinham no momento. Evelyn amava Frank de verdade e gostava de estar com ele, mas não queria renunciar à sua vida de solteira e, especialmente, aos seus outros amantes. Ademais, além de Martin, há Robert e Peter, que ela vê de vez em quando. Ela também não queria excluir a possibilidade de conhecer outras pessoas interessantes. Frank ficou profundamente decepcionado. Ele esperava que mais cedo ou mais tarde Evelyn fosse querer se acomodar. Disse-lhe que, na opinião dele, ela tinha medo de se comprometer e que provavelmente tinha "fobia de compromisso".

Ao ouvir a expressão "fobia de compromisso", Evelyn começou a se sentir insegura. Frank estaria certo? Ela pensava só em si mesma? Será que era exageradamente egoísta? Por que, a exemplo de tantas outras pessoas, não conseguia decidir-se por um compromisso estável? Frank é especial e maravilhoso, e ela realmente o ama. Será que ela é normal? Talvez seja exigente e egoísta demais? Ela se sentia culpada e confusa. Não seria melhor simplesmente tentar um relacionamento estável com Frank? Com todas essas perguntas, Evelyn resolveu telefonar para Leonie, a *coach* de relacionamento.

Fobia de compromisso

À primeira vista, pode parecer perfeitamente lógico pensar que alguém que "quer tudo", mas não tem intenção de se comprometer com apenas um parceiro, esteja sofrendo de medo de comprometer-se ou de "fobia de compromisso". O que é exatamente fobia de compromisso?

Fobia de compromisso é uma expressão relativamente nova para uma condição psicológica em que a pessoa tem um medo irracional de assumir um relacionamento estável. Se as pessoas que apresentam essa condição já estão em relacionamentos estáveis, em geral se perguntam se o parceiro escolhido é "o certo". Elas mostram sinais de atração e repulsão: às vezes, estão convencidas de que encontraram o parceiro certo e querem passar a vida com ele; outras vezes, a confusão e a dúvida se instalam e elas hesitam. A pessoa não consegue ficar na companhia do parceiro por muito tempo, e até um período de férias juntos pode se tornar insuportável. Às vezes, a convivência com amigos se dá à custa da pessoa amada. Essas pessoas formam relacionamentos geralmente casuais, evitam a intimidade verdadeira e não deixam os amigos se aproximarem demais. Os que sofrem de fobia de compromisso frequentemente têm medo de se "misturar" com outras pessoas. Acham difícil abrir-se totalmente com outros e fazem de tudo para não expor seus pontos fracos. Eles temem que sua identidade não seja forte o bastante, e receiam perder-se ou perder o controle caso se aproximem demais de alguém. As causas da incapacidade de se comprometer normalmente encontram-se no passado, em um período em que o indivíduo não teve segurança suficiente para permitir que a capacidade de relacionar-se emocionalmente com outros se desenvolvesse.

Durante as sessões de aconselhamento com Evelyn, primeiro, procuramos os sinais indicativos da incapacidade de se comprometer. Compusemos um quadro retrospectivo – esquemático – da sua vida e examinamos os diferentes aspectos que o constituíam. Em uma folha de papel, Evelyn traçou quatro linhas verticais, formando quatro colunas. Cada coluna representava um período de sete anos da sua vida, desde o nascimento até o presente (abrangendo as idades de 1 a 7; 8 a 14; 15 a 21; 22 até o presente). Em seguida, criamos quatro fileiras que nos ajudariam a observar as seguintes linhas da sua vida nos diferentes períodos:

LINHA BIOLÓGICA – a saúde e o bem-estar de Evelyn;
LINHA DO DESENVOLVIMENTO – seu desenvolvimento educacional e pessoal;
LINHA EMOCIONAL – seus sentimentos e as emoções predominantes;
LINHA AMOROSA – detalhes de sua vida amorosa, seus namorados e amantes, com desenhos de corações de cores diferentes.

Enquanto preenchia o quadro, Evelyn notou que não havia sofrido nenhum trauma especialmente significativo em sua vida. Pais amorosos a criaram num ambiente acolhedor e seguro, em que estimulavam a criatividade e a independência. Havia um incidente a destacar, porém: quando era criança, Evelyn precisou ser hospitalizada depois de quebrar a perna num parque de diversões. As seis semanas em que esteve engessada haviam sido uma grande provação para ela, pois a paciência nunca fora seu traço mais forte. Vários projetos e visitantes a ajudaram durante o tempo de hospitalização, e ela aprendeu a ser paciente; mas essa era, definitivamente, uma das lembranças mais difíceis da sua infância.

Evelyn também percebeu que é curiosa e que gosta de aprender. Ela lembrou que sempre terminava as tarefas de aula rapidamente e que gostava de receber mais exercícios ainda. A linha do desenvolvimento indicava que ela está sempre evoluindo de um modo ou de outro, tanto na infância como na idade adulta. Evelyn sempre busca novos desafios. Ela tem lembranças afetuosas de uma infância despreocupada cercada de amigos e notou que era quase sempre ela quem organizava as atividades. Esse aspecto continuou a se manifestar durante os tempos de escola, época em que foi escolhida para ser líder de turma. Quando saiu de casa, aos 19 anos, e se mudou para uma república, ela aproveitou a oportunidade para explorar sua sexualidade. Lembrou-se de como era maravilhoso experimentar e conhecer as diferenças entre os amantes.

A linha amorosa de Evelyn continha uma quantidade considerável de detalhes. Ela ria enquanto desenhava os muitos corações que representavam todos os homens com quem se envolvera durante os anos de faculdade. Não conseguia se lembrar de quantos eram; ela era simplesmente louca por sexo e aproveitava mesmo. Mais adiante, ela desenhou bem maiores do que os outros os corações que representavam Frank e Martin, e esses corações realmente se destacavam. Quando falou sobre eles, sua expressão mudou. Martin continuou aparecendo em sua vida. Não que ela estivesse esperando por ele, mas o simples fato de ele telefonar-lhe fazia seu coração palpitar. Ela disse que gosta de estar com Martin porque ele a faz feliz. Quando tocavam na banda juntos, estavam muito próximos. Na verdade, ela percebia agora que estivera apaixonada por ele. A ligação entre eles mudou quando ela mudou de emprego. Sua função exigia muitas viagens ao exterior, e ela não pôde mais cantar na banda. Entretanto, Martin nunca saiu da sua vida. Eles sempre estão em contato um com o outro, e o vínculo é profundo e intenso quando se encontram. Todavia, depois de cada encontro, cada um segue o próprio caminho. Não existe "deve" ou "poderia" na relação deles; eles simplesmente desfrutam cada encontro. Martin e Evelyn estão totalmente satisfeitos com seu relacionamento da forma como ele é.

Frank é outra história, totalmente diferente. Evelyn conheceu Frank há quatro anos num curso de meditação de fim de semana. Eles entraram em sintonia no mesmo instante em que se conheceram. Ela disse que Frank lhe passa uma sensação de segurança e que se sente em paz e tranquila quando está com ele. Frank projeta uma disposição calma e descontraída que age como um equilíbrio saudável para o entusiasmo e a energia de Evelyn. Frank é muito mais sério do que Martin.

O ponto crucial, porém, é que Evelyn não quer nem pensar em uma vida sem os dois. Ela os conhece faz tanto tempo que parece que eles fazem parte da vida dela. Ela se sente ligada a eles – emocional e fisicamente.

Além do relacionamento com Martin e Frank e dos encontros amorosos menos frequentes, mas absolutamente prazerosos, com Robert e Peter, às vezes, Evelyn gosta de sair sozinha à noite; se encontra um homem por quem se sente atraída, ela o convida para ir ao seu apartamento. Ela gosta de viver a emoção causada pelo encontro com um homem diferente e pela experiência sexual que às vezes resulta desse contato. Nossas sessões deixaram muito claro que Evelyn prefere múltiplos parceiros e, o que é mais importante, diferentes formas de relacionar-se com cada um deles.

Examinando o quadro, descobrimos que Evelyn não tem nenhum problema com o fato de ser totalmente aberta e honesta com seus parceiros. Sua opção é passar um tempo de qualidade com cada um deles e dedicar a cada um sua total atenção na ocasião em que se encontram.

Relações interpessoais

Um modo de termos mais clareza sobre um relacionamento entre duas pessoas é examinar as relações que elas mantêm. Uma das primeiras coisas que as pessoas fazem quando se conhecem é descobrir o que têm em comum. Havendo áreas de interesses ou experiências comuns, podem surgir amizades, romances e parcerias. Podemos dividir as relações interpessoais em pelo menos dez categorias diferentes:

1. Relações **EMOCIONAIS**: expressam-se como aspectos de confiança, segurança, respeito mútuo, valores, intimidade, abertura, prazer, cuidado, humor e senso de cumplicidade.
2. Relações **FÍSICAS**: são especificamente corporais e/ou sexuais. Essas relações podem assumir a forma de toque, afago, contato suave, carícia, beijo, toque íntimo e relação sexual.

3. Relações **RECREATIVAS**: passatempos ou atividades comuns agradáveis de se fazer juntos. Por exemplo, esporte, teatro, jogos de cartas, música, etc.

4. Relações **ECONÔMICAS**: são os recursos econômicos compartilhados. Por exemplo, dividir as receitas e despesas de uma vida em comum.

5. Relações **FAMILIARES**: pessoas com laços consanguíneos ou conjugais ou que resolveram adotar ou ter filhos.

6. Relações **ESPIRITUAIS**: muitas pessoas as sentem como uma experiência de percepção energética. Pode ser uma compreensão puramente pessoal de conexão com o próprio ser interior, com os outros, com a natureza ou com um poder ou uma consciência superior.

7. Relações **INTELECTUAIS**: ocorrem quando as pessoas comungam interesses conceituais semelhantes, especialmente quando aprendem umas com as outras ou quando, com criatividade, propõem desafios umas às outras.

8. Relações **PASSIONAIS**: criam-se entre pessoas que demonstram entusiasmo por um objetivo, um produto ou uma criação comum. Muitas vezes, cada pessoa inspira e estimula a outra a perseguir esses objetivos ou a concretizar o produto ou a criação. Relações passionais encontram-se em geral entre pessoas que apoiam causas humanitárias, como a descoberta da cura do câncer ou a preservação ambiental.

9. Relações **CULTURAIS**: ocorrem entre pessoas que fazem parte do mesmo grupo ou de grupos semelhantes. Pessoas que estabelecem relações culturais normalmente têm crenças comuns e se sentem à vontade para ter um conjunto de tradições e comportamentos em comum.

10. Relações **ESTÉTICAS**: acontecem quando as pessoas sentem prazer em partilhar sentimentos de beleza e forma em áreas como arte e *design*.

Muitos relacionamentos íntimos baseiam-se principalmente em relações emocionais e físicas. Quando as pessoas moram junto, em geral, existem também relações econômicas. Às vezes, ocorre uma relação adicional entre duas pessoas baseada em traços de personalidade ou de caráter específicos, e essa característica torna o relacionamento ainda mais especial.

As relações adicionais são as que normalmente nos levam a nos apaixonar. Uma determinada pessoa pode ter certas qualidades ou aspectos que são importantes para nós num momento crucial da nossa vida. Por exemplo, podemos sentir um forte desejo de expressar o nosso lado artístico, e de repente encontramos um artista que nos inspira profundamente. Uma relação intensamente passional ou estética pode resultar desse encontro, especialmente se estão presentes outras relações, como uma atração física ou emocional.

As qualidades e os aspectos que são importantes num determinado momento, porém, não dependem apenas da personalidade e do caráter, mas também do nosso desenvolvimento e crescimento como indivíduos. O que é importante para uma pessoa enquanto estudante pode perder relevância quando ela se torna pai ou mãe, e assim por diante. Os tipos de relação de que precisamos não são constantes e mudam com o tempo. Os relacionamentos também mudam, refletindo essa realidade.

As conexões que podemos encontrar entre duas pessoas em qualquer tipo de relacionamento, íntimo ou não, são diversas e variadas. A maioria das pessoas distingue claramente entre relacionamento íntimo e amizade platônica e adota o critério da intimidade física para determinar isso. Entretanto, há pessoas que se sentem atraídas fisicamente e que gostam da companhia do outro, mas não têm muitas outras relações fortes com essa pessoa, se é que têm alguma. Por outro lado, há pessoas que têm um relacionamento amoroso e profundo sem nenhuma relação física, apesar de se amarem muito. Assim, nem todos fazem distinção clara entre um relacionamento íntimo e uma amizade, e nem todas as pessoas têm o mesmo entendimento dos limites entre amizade e relações mais profundas. Isso significa que algumas pessoas se sentem muito ameaçadas se os seus companheiros estabelecem relações emocionais com terceiros, ao passo que para outras são as relações físicas que inflamam o ciúme. Existem também pessoas que não têm um senso claro dos próprios limites. Um dos fatores decisivos para o sucesso de um relacionamento é perceber como nos sentimos a respeito das definições e dos limites desse relacionamento e também descobrir como o(s) nosso(s) companheiro(s) se sente(m) com relação a esses aspectos.

Evelyn e eu examinamos as diferentes relações que ela mantém com cada um dos seus parceiros. Primeiro, fizemos uma lista das relações importantes para ela, tanto no passado como no presente. Concluímos que eram as seguintes:

PASSIONAIS
FÍSICAS
EMOCIONAIS
RECREATIVAS
INTELECTUAIS
ESTÉTICAS

Em seguida, examinamos suas relações com cada um dos homens. Fizemos isso criando algumas "rodas de relação" no papel. Para criar uma roda de relação, desenhamos um círculo e o dividimos em seções. Cada seção representa um tipo de relação e a importância relativa de cada tipo. Quando desenhou e falou sobre essas rodas, Evelyn se sentiu muito mais segura. Ao perceber que se relaciona de maneiras diferentes com cada homem, entendeu que na verdade está totalmente em contato consigo mesma e com as suas necessidades. Compreendeu que, criando relações

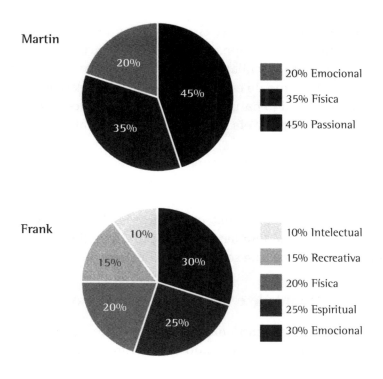

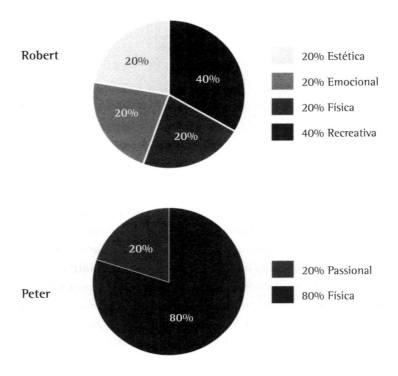

variadas, ela está otimizando as circunstâncias favoráveis ao próprio desenvolvimento e crescimento. É ótimo que cada um dos homens a desafie à sua maneira peculiar. Ela também valoriza cada relacionamento pela singularidade de cada um. Para ela, a relação física que tem com cada um deles é algo natural que simplesmente acontece por si só. Seria muito estranho para ela negar ou reprimir a atração física que sente por todos.

Martin, Robert e Peter não veem problemas nesse arranjo, mas Frank começa a se sentir inseguro. Quanto mais ela e Frank se conhecem e mais intenso se torna o contato, mais Frank sente dificuldade para aceitar o fato de que Evelyn gosta de fazer sexo com outros homens. Frank está pensando em constituir uma família, e uma esposa que divida a cama com outros homens não é algo que se encaixe na sua imagem de vida familiar.

Intimidade e fobia de compromisso

Quem sofre de fobia de compromisso às vezes enfrenta problemas com a intimidade. Há intimidade quando nos abrimos para outra pessoa, tornando-nos assim vulneráveis. Para nos abrir para o outro precisamos nos sentir seguros e capazes de confiar. A capacidade de receber é essencial quando se quer dar espaço à intimidade. Para sermos íntimos de alguém, precisamos ser capazes de observar a nós mesmos e de refletir sobre nós mesmos. Quando conseguimos nos aceitar plenamente, fica mais fácil nos expressar para outra pessoa.

A intimidade envolve a capacidade de amar a outra pessoa e a capacidade de sentir que ela também nos ama – mesmo quando deixamos que essa pessoa veja quem somos realmente. Ser íntimo significa estar aberto o suficiente para criar um vínculo. Quem sofre de fobia de compromisso não tem a confiança, a segurança e a convicção de que precisa para ser realmente íntimo.

Evelyn tem muita facilidade para criar intimidade em seus relacionamentos. Ela tem uma imagem aberta e honesta de si mesma, inclusive de suas expectativas e seus limites. Ela foi totalmente capaz de oferecer apoio emocional a Frank quando o amigo dele faleceu. Ela não foge de situações difíceis. Evelyn não tem fobia de compromisso; ao contrário, ela é capaz de se comprometer com muitas pessoas e pode amar muitas pessoas ao mesmo tempo, cada uma de maneira diferente. Ela ama Frank e ama Martin. Ela também valoriza muito seu relacionamento com Robert e com Peter.

Poliamor e amigos com benefícios

Para ter a vida que deseja,
você precisa se libertar de todas
as ideias que o detêm.
– ANNEMARIE POSTMA

"Poliamor" e "amigos com benefícios" são termos novos cunhados nas últimas décadas. Eles são muito úteis quando falamos sobre relacionamentos modernos, íntimos e amorosos. Poliamor (muitos amores) refere-se à capacidade de amar mais de uma pessoa ao mesmo tempo e, no mesmo nível de importância, à capacidade de manter mais do que um relacionamento íntimo. Esses relacionamentos íntimos podem ser de natureza sexual, mas não necessariamente.

A maioria das pessoas dificilmente usa a palavra "amigo" para se referir a alguém com quem faz sexo. Há pessoas, porém, como Evelyn, por exemplo, que têm amigos com os quais também gostam de fazer sexo de vez em quando, os "amigos com benefícios".

A criação desses termos, ou a redefinição de outros mais antigos, reflete mudanças na nossa sociedade. Por exemplo, "monogamia" significava "até que a morte nos separe" com um só companheiro. Hoje, significa simplesmente um parceiro de cada vez. Com efeito, muitos termos que usamos para falar sobre relacionamentos interpessoais estão passando por redefinições semelhantes. Pode ser bem difícil traçar uma linha nítida entre os conceitos de conhecidos, companheiros, amigos e parceiros. Cada relacionamento é único e cada um comporta o seu próprio conjunto de relações. Muitos relacionamentos simplesmente desafiam definições superficiais.

Assim, os termos que usamos para definir relacionamentos estão mudando, podendo significar coisas diferentes para pessoas diferentes. Por isso, para evitar confusões e facilitar a comunicação, pode ser muito útil conversar com nossos parceiros sobre o modo como vemos os nossos relacionamentos e sobre as diferentes pessoas que fazem parte da nossa vida. Dessa maneira, seremos claros e transparentes, o que ajudará muito a gerar confiança.

O exame das diferentes relações com seus vários parceiros foi uma verdadeira revelação para Evelyn. Ela compreendeu como estrutura os seus relacionamentos e se deu conta de que não há nada de errado com ela. Entendeu por que não quer morar com nenhum deles. O estilo de vida de Evelyn trabalha a favor dela.

Durante as nossas conversas, Evelyn descobriu que é poliamorosa. Ela ama dois homens que lhe são extremamente importantes. Além disso, ama alguns amigos íntimos. Ela já havia lido sobre poliamor antes, mas esse conceito sempre lhe parecera irrelevante para sua própria situação. Quando falou sobre isso, eu lhe fiz uma das minhas perguntas preferidas, a minha "pergunta fantasia". Eu lhe disse: "Imagine que um mágico aparecesse subitamente diante de você e criasse o mundo ideal dos seus sonhos – um lugar onde as pessoas se relacionassem como você gostaria que o fizessem. Como seria esse mundo? Como as pessoas interagiriam? Como seria o amor e a amizade nesse seu mundo?". Evelyn realizaria a tarefa de fantasiar sobre seu mundo ideal no período anterior à nossa sessão seguinte.

Ao retornar, duas semanas depois, tudo estava claro para Evelyn: em seu mundo ideal, haveria mais pessoas como ela, sem tantos casais e famílias. Haveria comunidades nas quais cada pessoa teria seu lugar, onde se recolher, mas também espaços comuns em que todos se reuniriam. Em seu mundo ideal, as pessoas não criariam problemas com relação ao sexo, mas seriam livres para desfrutar encontros sexuais sem se sentir culpadas. Os parceiros seriam acolhedores, incentivadores e felizes. No seu mundo ideal, as pessoas se tratariam com amor e ao mesmo tempo apresentariam desafios moderados umas às outras.

Fantasiando, Evelyn compreendeu que é importante para ela conhecer outras pessoas que tenham ideias semelhantes sobre relacionamento. Até terminar a sessão, ela identificou três objetivos. Primeiro, teria uma conversa com Frank sobre seus ideais de relacionamento e sobre o seu modo de ver e de conduzir a sua vida. Segundo, ambos analisariam a possibilidade de ter um futuro juntos. Terceiro, fez planos para conhecer outras pessoas que pensassem da mesma maneira que ela, não apenas para receber apoio, mas também para comunicar seus pontos de vista.

Como homens e mulheres podem conciliar as discrepâncias que existem entre o que têm como verdadeiro para si mesmos e o que os "outros" pensam que é certo? Como lidamos com situações como as de Evelyn, em que a sociedade pede que nos comportemos de modos que simplesmente não correspondem ao que para nós é o correto? Podemos encontrar pelo menos parte da resposta a esse enigma quando compreendemos que os ideais da sociedade para relacionamentos corretos variam de cultura para cultura, às vezes, de forma extrema.

OS NA E OS RELACIONAMENTOS ÍNTIMOS

Os Na, conhecidos em chinês como "Mosou", vivem às margens do belo Lago Lugu, no sopé do Himalaia. Eles constituem uma sociedade matrilinear, em que a mãe é o centro da família. Os Na adotam um sistema de "casamentos de visita" em que os homens saem de casa para visitar a casa da(s) parceira(s). Tradicionalmente, tanto homens como mulheres podem ter múltiplos parceiros.

O interessante é que não existe no idioma Na uma palavra para "ciúme" (e tampouco para "estupro"). Os relacionamentos se baseiam no afeto mútuo, e quando um dos parceiros (ou ambos) perde o interesse, o relacionamento termina amigavelmente.

Um estudioso americano que visitou recentemente os Na comentou que "os Na inegavelmente preservam uma cultura mais afetuosa do que a nossa. O suicídio é raro e não se ouve falar em assassinatos".

Vale a pena refletir sobre o fato de que uma sociedade em que mulheres (e homens) são livres para ter múltiplos parceiros, sem sentir vergonha ou reprovação, abriga uma população mais generosa e afável.

Perguntas que você pode fazer a si mesmo

- Até que ponto eu tenho intimidade e abertura ao me relacionar com outras pessoas?
- Que relações eu acredito ter com meu(s) parceiro(s); com meus amigos?
- Como eu me vejo?
- O que é importante para mim?
- Sou livre para ter sentimentos e pensamentos? Ouso expressá-los?
- No meu mundo ideal, como seriam os relacionamentos e como as pessoas se tratariam?

Sugestões para lidar com relacionamentos múltiplos

- Reserve algum tempo para você mesmo regularmente. É importante fazer uma pausa de vez em quando e religar-se consigo mesmo. Assim será mais fácil unir-se inteiramente a outra pessoa.
- Mais do que a quantidade, valorize a qualidade do tempo. Em outras palavras, não sobrecarregue a sua agenda e procure respeitar os seus limites. Você só consegue usar o seu tempo uma única vez.
- Seja honesto a respeito das suas expectativas e dos seus objetivos em cada relacionamento. É melhor que se mostrem e avaliem com objetividade as expectativas um do outro.
- Prepare-se para assumir riscos. Saiba que é arriscado iniciar um relacionamento: você flerta com a possibilidade de se magoar. Você pode se apaixonar ou o relacionamento pode mudar – ou

acabar. Mantendo mais de um relacionamento, você aumenta as probabilidades de ter de dizer adeus à pessoa que você ama – ou de que ela dê adeus a você.

- Ouse ser você mesmo. As pessoas sentem quando você está inseguro em relação a si mesmo e em relação a quem você se permite ser. Em geral, elas reagem a essa insegurança de forma negativa. É muito melhor para você – e para os outros – simplesmente não alimentar as suas incertezas, e em vez disso concentrar-se em quem você é. Assim as coisas ficam mais simples.

- Dê atenção ao(s) seu(s) parceiro(s) e diga-lhe(s) o quanto ele(s) é(são) importante(s) para você. Dediquem tempo um ao outro. Sejam eficientes e administrem o seu tempo.

- Façam acordos claros e explícitos uns com os outros e cumpram esses acordos. Reavaliem-nos regularmente e vejam se ainda são úteis para ambos ou se precisam ser modificados. Todo indivíduo – e todo relacionamento – evolui e precisa mudar com o passar do tempo. Com uma reavaliação regular, você pode evitar problemas.

2

Um amor impossível – Christine

Você é casada, tem filhos e está apaixonada por outra pessoa que não é o seu marido. Quando ouvia falar de situações assim, você sempre achava um horror, por isso nunca imaginou que isso poderia acontecer com você. Até que um dia... você se dá conta... está apaixonada! Os sinais são claros: ansiedade, devaneios, uma nova onda de energia em sua vida e encontros indescritíveis com o seu novo amor. O seu sofrimento, porém, cresce na mesma medida em que os seus sentimentos de culpa e de vergonha aumentam a cada dia, até que de repente... pânico! O que fazer, então? Como lidar com esses sentimentos? Você não quer decidir, não pode decidir e tem medo de perder tudo.

Esse é o estado devastador em que Christine se encontrou certo dia.

Christine, 32 anos, é casada com Jerry, que tem 42 anos, e eles têm dois filhos pequenos. Christine e Jerry se conheceram numa reunião do centro comunitário local. Jerry passara por um divórcio conturbado na época e abrira o seu coração para uma Christine simpática e atenciosa. Jerry é um homem de poucas palavras, quieto e introvertido. É um trabalhador incansável, absolutamente honesto e confiável. Ele recebeu uma educação protestante conservadora, muito evidente em sua atitude com relação ao papel de pai na vida familiar. Ele e Christine se dão bem e têm uma família maravilhosa.

Christine ama muito Jerry, e sabe que fez, e continua a fazer, uma escolha consciente de ficar com ele. Jerry é correto, honesto e fiel e sempre transmitiu a Christine uma sensação de segurança e proteção, à qual ela dá muito valor. Ela tem dificuldade para tomar decisões, e Jerry lhe proporciona a base compensadora.

Mesmo assim, ela acha difícil conversar com Jerry sobre assuntos de real importância para ela, especialmente quando se trata dos próprios sentimentos. Ela tentou falar com o marido em vários momentos ao longo dos anos, mas em geral ele reage de uma forma que a desestimula, pois demonstra pouco interesse verdadeiro. Jerry parece não entender por que ela faz tanto estardalhaço com as coisas. Tudo está bem em suas vidas, não? Ambos estão empregados, a família está com saúde e feliz, o que há para discutir? Na opinião de Christine, Jerry simplesmente não a compreende. A consequência disso é que, ao longo dos anos, aos poucos, ela desistiu de falar com ele sobre si mesma. Os filhos necessitam de mais atenção à medida que crescem e tudo indica que a melhor coisa a fazer é concentrar as conversas em torno deles. A verdade é que, como Jerry, Christine nunca aprendeu realmente a falar sobre seus sentimentos, por isso é muito fácil simplesmente evitar o assunto. Essa situação parecia funcionar para os dois – até o dia em que Christine conheceu Eric.

Eric é aberto, extrovertido e comunicativo; e, quando se conheceram no trabalho, os dois se sentiram imediatamente atraídos um pelo outro. Eric é curioso e inquisitivo, e queria saber tudo sobre Christine logo que se conheceram. Eles saíam a passear frequentemente e conversavam horas a fio. Eric tem uma facilidade enorme para falar, bem ao contrário de Jerry. Quando Eric pergunta, ele não desiste até chegar ao cerne da questão, e está preparado para realmente ouvir. Depois de muitas caminhadas e conversas, Christine se deu conta de que estava se revelando cada vez mais a Eric. Em pouco tempo ela percebeu que nutria alguns sentimentos por ele. Eric já havia admitido que havia achado Christine maravilhosa, acrescentando que, se ela não estivesse casada com Jerry, ele teria muito interesse em aprofundar a relação entre eles.

Christine percebeu que é cada vez mais difícil ignorar seus sentimentos por Eric. Ela aguarda com verdadeira ansiedade pelo momento em que almoçam juntos e constantemente se surpreende pensando nele. Ela conseguiu guardar esses sentimentos para si mesma até que, certo dia, pouco tempo atrás, uma de suas colegas comentou que ela parecia excepcionalmente feliz. De repente, Christine compreendeu o que estava acontecendo: estava apaixonada! Ela ficou chocada quando a realidade finalmente desabou dentro dela. Ela tentou evitá-la, mas seus sentimentos e os pensamentos sobre Eric voltavam.

Christine não se arriscou a dizer nada a Jerry sobre o que estava acontecendo. A ex-esposa de Jerry o traiu durante meses, e quando ele finalmente descobriu... bem... era fato consumado. Não houve discussão nem tentativa de salvar o casamento. Para Jerry, traição é uma questão inegociável. Ele ainda continua muito irritado com sua ex e tem pouco contato com ela. Ele é categórico: jamais permitirá que isso aconteça novamente. A convicção de Jerry é de que você escolhe um parceiro para a vida toda e se compromete com ele. Na visão dele, apaixonar-se por outra pessoa é algo que destrói famílias. Christine se sente arrasada, pois tem a impressão de que está criando exatamente a mesma situação gerada pela ex-esposa de Jerry. Christine sabe que falar a Jerry sobre Eric significaria o fim do seu casamento, e ela não quer isso. Portanto, ela simplesmente não sabe o que fazer.

De vez em quando, ela sonha em ter uma família com Eric. Às vezes, quando está com Eric, nem mesmo reconhece a si mesma; ele é tão diferente de Jerry. Ao mesmo tempo, isso a preocupa. Seus maiores medos giram em torno das consequências para os filhos. Ela não quer submetê-los ao trauma de um divórcio. Ela já sentiu as sequelas do divórcio de Jerry; para o filho do seu casamento anterior, a vida não é fácil. Na verdade, Christine nunca conseguiu entender como a ex de Jerry pôde traí-lo. Honestamente, ela acha que a ex-esposa de Jerry é egocêntrica e egoísta. Como essa mulher pode ter arriscado sua família para satisfazer as suas próprias necessidades egoístas?

Agora ela enfrenta os seus fortes sentimentos de culpa e se sente uma pessoa horrível por estar fazendo isso. Seus conflitos emocionais internos estão se exacerbando, e ela está perdendo muito peso e dormindo mal. Parece não haver saída. Ao chegar a esse ponto, Christine telefonou para Leonie, a *coach* de relacionamento, para ver se ela podia ajudá-la.

Apaixonando-se por outra pessoa

Na minha prática de orientadora, deparo-me com centenas de situações em que um cliente se apaixona por alguém que não é seu parceiro ou parceira e fica totalmente confuso. Parte dessa confusão tem origem nas fortes emoções que acompanham o amor. A maior fonte de turbulência, no entanto, é em geral o fato de que muitas pessoas têm medo das próprias reações ao que está acontecendo. Elas reagem de forma diferente do que imaginavam. Em resumo, a imagem que têm de outras pessoas que traem não corresponde à imagem que têm de si mesmas. De repente, descobrem que têm os mesmos anseios e às vezes até agem do mesmo modo que outras pessoas que vivem casos amorosos – exatamente as pessoas que elas podem ter julgado com toda severidade. Esse é um conflito interno enorme e quase sempre produz grande perturbação.

Muitas vezes, as pessoas se apaixonam e não percebem de imediato o que aconteceu, o que dificulta tomar decisões racionais e ponderadas sobre como proceder. Quando estão apaixonadas, sua visão é distorcida por uma nebulosidade causada pelos hormônios, e talvez não consigam compreender plenamente as consequências de suas ações e decisões. Somente quando o fluxo bioquímico do estado passional diminui, e um senso interno de discernimento se sobrepõe, é que surge a percepção de que uma autoavaliação é necessária. Foi exatamente isso que aconteceu com Christine. Ela reprimiu seus sentimentos e se convenceu de que não falar sobre o caso o tornava menos real. Só quando a colega comentou que ela havia mudado foi que percebeu o que estava acontecendo – que estava apaixonada. Socorro!

As pessoas em nossa sociedade tendem a criticar quem se apaixona por "outra pessoa". A monogamia ainda é a norma e é um estado que a maioria da população ocidental endossa, quase sempre sem pensar sobre o assunto. Quando perguntadas sobre o relacionamento ideal, as pessoas geralmente respondem: "duas pessoas numa parceria monogâmica estável e comprometida". Apesar disso, para muitos, não é bem assim. Na Holanda, 40% da população trai ou foi traída, e 35% dos casamentos terminam em divórcio. Na proporção de aproximadamente um terço desses divórcios, a infidelidade conjugal é citada como causa da ruptura. Nos Estados Unidos, entre 40% e 50% de todos os casamentos terminam em divórcio; e 17% de todos os divórcios são declaradamente devidos à infidelidade de um ou de ambos os parceiros. É provável que essa cifra seja maior porque muitos estados não reconhecem a infidelidade como justificativa para divórcio, de modo que, embora a traição possa ser o motivo real da separação, ela não é documentada. Estudos realizados por Atwood & Schwartz em 2002 mostram que 45% das mulheres casadas e 48% dos homens casados envolvem-se em relações extraconjugais em algum momento ou outro. Está claro que a infidelidade acontece e está acontecendo. No entanto, mais de 90% dos adultos inquiridos nos dois países ainda consideram a infidelidade algo ruim. Assim, muitas pessoas estão fazendo coisas que a grande maioria da população julga inaceitável, e a consequência é que há muito julgamento em curso.

Christine sabia tudo sobre julgar os que traem o cônjuge; ela mesma fez isso. Ela viu a tristeza e a dor que a infidelidade causa; ela viu famílias se separarem e observou as dificuldades para todos os envolvidos; ela julgou a ex de Jerry de forma particularmente severa. E, no entanto, aqui está ela, apaixonada por outra pessoa! Ela está sentindo na pele como é difícil controlar as emoções, enquanto julga a si mesma. Como ainda poderá olhar o marido nos olhos? O que aconteceu com ela?

Compreendendo os sentimentos de culpa e vergonha

Para muitas pessoas, o primeiro passo no esforço de entender uma situação difícil é tentar pensar com clareza. Mas em uma situação como a de Christine, isso é complicado, pois existem emoções negativas fortes que dificultam um pensamento imparcial – a culpa e a vergonha. Entender esses sentimentos, e de onde eles vêm, pode ajudar a lidar com eles.

Por que nos sentimos culpados? Na maioria das vezes, vivemos situações em que acreditamos não poder atender às nossas expectativas nem às expectativas dos outros a nosso respeito. As nossas expectativas estão baseadas nas normas (comportamentos) que consideramos corretas. Essas normas estão ligadas a certos valores que respeitamos e que normalmente assimilamos na infância. Nessa situação específica, Christine valoriza a honestidade, e a norma de relacionamento ligada à honestidade é a fidelidade. Ela acredita em parcerias para a vida toda. Não há espaço para mais ninguém. Sentimentos de culpa surgem, então, quando descobrimos por meio de novas circunstâncias ou de novas situações que os nossos desejos internos, ou mesmo as nossas ações, não estão mais em sintonia com as nossas normas. Já não estamos mais à altura das nossas próprias expectativas. Christine acredita firmemente em ser fiel, e seus sentimentos de amor por Eric parecem opor-se diretamente a essa crença. Não é de se admirar que ela se sinta culpada.

Sentimentos de culpa geralmente são acompanhados de raiva, quase sempre porque sentimos que não somos fortes o suficiente para assumir o nosso próprio conjunto de normas internalizadas. Quando sentimos raiva, normalmente é sinal de que ultrapassamos algum limite interno. Alguma coisa que não deveria ter acontecido aconteceu.

No caso de Christine, a raiva dirigida contra si mesma provavelmente indica que ela precisa deixar que seus desejos internos entrem em sincronia com as suas normas. Em outras palavras, Christine precisa encontrar uma maneira de permitir que seu sentimento de amor por outra pessoa se harmonize com a sua necessidade de ser fiel.

A sincronização pode acontecer de duas maneiras: podemos mudar o nosso comportamento para adequá-lo às nossas expectativas pessoais ou podemos reexaminar nossas normas. Por exemplo, Christine apaixonou-se por outra pessoa. Ela poderia simplesmente interromper esse sentimento. Infelizmente, ela acha que já tentou isso e não conseguiu.

Uma forma de chegar à outra alternativa, o reexame das nossas normas, é fazer-nos algumas perguntas. Com base nas nossas experiências atuais, como se apresentam no momento as normas que aceitamos no passado? Gostaríamos de modificá-las? Poderíamos perceber a necessidade de fazer isso e inclusive de verificar que as normas do passado foram formuladas com demasiada rigidez. Para Christine, poderia significar que o seu conceito de fidelidade talvez devesse ser alterado para permitir um relacionamento complementar, se Jerry pudesse ficar sabendo do caso e se estivesse disposto a aceitá-lo. Considerando-se os valores de Jerry, esse "se" deveria ser escrito em letras garrafais.

Assim, podemos sentir a necessidade de modificar as nossas normas, mas modificá-las não nos ajudará a lidar com as expectativas do nosso parceiro, ou de outras pessoas, como a nossa família e os nossos amigos. No caso de Christine, ela percebe que se identifica com as normas de Jerry no que se refere a companheirismo para toda a vida e a nutrir sentimentos fortes por outra pessoa fora do casamento. Ela entende agora que o seu sentimento de culpa também deriva do fato de achar que não está vivendo de acordo com as normas de Jerry, e isso gera a consequente sensação de fracasso.

Sentimentos de vergonha se manifestam, portanto, quando nos julgamos não só por nossos próprios desejos, mas também pelo que pensamos do modo como os outros nos percebem. Muitas vezes, esse julgamento é despertado por terceiros, mas em última análise é nosso. Sentindo vergonha, é muito difícil observar com imparcialidade o que aconteceu e examinar com atenção quais são os nossos papéis individuais. Quando sentimos vergonha, em geral, tendemos a fechar-nos em nós mesmos. Sendo assim, sentimentos de vergonha podem levar à passividade. É então que sentimentos de pânico podem aflorar, pois nos debatemos entre o desejo de agir e ao mesmo tempo de nos manter inertes, ou de nos esconder. Então, o que fazer? Parece não haver saída para esse dilema, e é exatamente assim que Christine se sente – presa.

Aceitação

Perdoe-se por não estar em paz.
Quando você aceita totalmente a sua falta de paz,
essa falta se transforma em paz.
Tudo o que você aceita totalmente o conduz para lá,
o leva para a paz.
Esse é o milagre da entrega.
– ECKHART TOLLE

Estar apaixonado, sentir amor ou mesmo afeição é natural e, em princípio, é uma coisa boa. Nós admiramos e nos atrai no outro aquilo que ele é, e não há nada de errado nisso. É apenas um sentimento. Uma maneira importante de lidar com sentimentos de amor por alguém é simplesmente aceitá-los. Eles são o que são, e nós sentimos o que sentimos. A tentativa de negar certos sentimentos não resolve nada. Pior: quanto mais tentamos reprimir nossos sentimentos, mais fortes eles se tornam. Se alguma coisa não é permitida... Maravilha! Ela se torna instigante! Assim, quanto mais repetimos a nós mesmos que somos loucos por nos apaixonar, que está tudo errado e que isso não é permitido, mais a nossa atenção é atraída por esses sentimentos proibidos. Por outro lado, se relaxamos e aceitamos os sentimentos, eles normalmente se acalmam. Enfim, nem tudo é negativo. Quando nos apaixonamos, mesmo por alguém que não faça parte do nosso círculo de parceiros, essa experiência pode trazer movimento e crescimento tanto para esse círculo quanto para nós. Se bem conduzido, o fato de nos apaixonar, seja por quem for, pode ser uma força positiva formidável em nossa vida.

Autocompaixão

A autocompaixão – a capacidade de aceitar-nos como somos – também pode ser uma maneira eficaz de aceitar os nossos sentimentos.

Compaixão, como sabemos, significa que compreendemos que uma pessoa está passando por um momento difícil. Sentimos, por assim dizer, o sofrimento que ela sente e queremos ajudá-la ou apoiá-la. Somos brandos e compreensivos com relação a ela e às suas imperfeições. Entendemos que ela pode errar, pois é humana e, portanto, imperfeita. Entendemos também que o que aconteceu com ela poderia acontecer conosco. Nós nos sentimos afáveis e solícitos, e nos prontificamos a evitar todo possível julgamento.

Autocompaixão não é outra coisa senão sentir compaixão por nós mesmos. É a capacidade de olhar para nós mesmos com amor e respeito, especialmente quando fracassamos ou cometemos erros. Em vez de criticar-nos ou julgar-nos, em geral a nossa primeira reação, nós nos vemos com brandura e delicadeza. Nós nos damos todo o apoio de que necessitamos. Aceitamos que somos como qualquer outra pessoa, com deficiências e áreas que precisamos desenvolver e aperfeiçoar. Aceitamo-nos totalmente pelo que somos, mesmo quando não correspondemos às nossas próprias expectativas ou à imagem ideal que fazemos de nós mesmos. Erros acontecem, do mesmo modo que surgem sentimentos de frustração, perda, dor e a consciência de termos ultrapassado os nossos limites. Tudo isso faz parte da nossa condição humana.

Esperemos ou não, também é possível apaixonar-nos. Precisamos nos permitir desfrutar os nossos sentimentos, em vez de nos sentirmos culpados. O melhor que pode acontecer é deixar que sentimentos de amor e afeição simplesmente fluam através de nós, quer os expressemos ou não de forma concreta.

Podemos optar por fazer alguma coisa com esses sentimentos, mas em termos ideais fazemos as nossas escolhas levando conscientemente em consideração os desejos dos nossos parceiros e respeitando possíveis acordos que façamos com eles. Pode ser proveitoso rever esses acordos de vez em quando e verbalizá-los, para sempre deixar tudo muito claro. Isso só pode acontecer se tivermos coragem de falar sobre as nossas expectativas, nossas promessas e nossos contratos com franqueza. Naturalmente, é possível que não saibamos o que queremos fazer – ou não fazer – com os nossos sentimentos. Nesses casos, podemos conceder-nos o tempo e o espaço necessários para examiná-los e compreendê-los antes de tomar qualquer decisão precipitada.

Examinando o estado de apaixonado

Estejamos ou não conscientes do fato, todos nós procuramos a plenitude interior. Um relacionamento íntimo oferece uma forma ideal de nos levar a alcançar esse objetivo. O estado de apaixonado pode oferecer a mesma oportunidade.

O estado de apaixonado diz muito sobre nós mesmos e mostra em que ponto nos encontramos em nosso caminho para o desenvolvimento. Quando conhecemos alguém com uma qualidade que falta em nós, normalmente nos sentimos atraídos por essa pessoa. Outras vezes, sentimos atração por alguém que contém em si algo com que nos identificamos ou alguém que nos percebe. Sentimo-nos apreciados porque a pessoa nos compreende realmente por termos qualidades semelhantes. Todos esses aspectos fazem parte de uma verdade subjacente: muitas vezes, estamos verdadeiramente apaixonados por nosso eu ideal ou por nossos traços de caráter que ainda não foram totalmente expressos.

Todos nós crescemos e nos desenvolvemos com o passar dos anos, e é normal que ocasionalmente conheçamos pessoas que despertam em nós a consciência de aspectos nossos pouco desenvolvidos. Podemos ver isso no caso de Christine. Não é fácil para ela expressar os próprios sentimentos. Ser mais comunicativa e ser mais objetiva são características que ela sempre quis desenvolver. Mas essa é uma atitude que Jerry não necessariamente estimulou no decorrer dos anos, porque ele tem tendências semelhantes, e assim Christine aos poucos se retraiu até finalmente desistir de tentar. No entanto, quando conheceu Eric, esse desejo interior de se expressar livre e abertamente tomou novo vigor. De muitas maneiras, Eric agiu como um mensageiro que provocou a manifestação de uma necessidade não satisfeita de Christine. Por exemplo, ela gosta muito quando Eric lhe faz perguntas e não aceita um "não sei" como resposta. A sensação é de que ele se interessa realmente pelo mundo interior dela.

Entretanto, em casa, Christine se tornou cada vez mais silenciosa. Jerry percebeu isso, mas não insiste com suas perguntas, pois não é da sua natureza agir assim. Ele faz o melhor que pode para o bem-estar de Christine, dando-lhe um abraço a mais de vez em quando ou servindo-lhe uma xícara de chá. Christine gosta que Jerry a deixe em paz, mas intimamente está um pouco decepcionada. Será que Jerry não vê que alguma coisa está acontecendo? Eric continuaria perguntando...

Durante uma das sessões de orientação com Christine, abordamos as necessidades de relacionamento dela usando *O Jogo do Relacionamento*, de Peter Gerrickens. Identificamos as dez necessidades mais importantes dela para seus relacionamentos. *O Jogo do Relacionamento* é composto de cinquenta cartas, cada uma impressa com um ideal de relacionamento. Pedi a Christine que imaginasse como seria o seu relacionamento mais perfeito e que escolhesse as cartas que refletissem as características correspondentes. Em seguida, separamos as cartas em três grupos: um grupo para as necessidades atendidas por Jerry, um grupo para as necessidades satisfeitas por Eric e um grupo para as necessidades satisfeitas por ambos. Quando analisamos as "Cartas de Relacionamento" escolhidas por Christine, ficou evidente que as suas necessidades essenciais estavam distribuídas de maneira bem uniforme entre os dois relacionamentos. O relacionamento com Jerry atende ao seu desejo de cuidar e educar juntos os filhos, oferecendo assistência prática, mantendo um relacionamento sexual e demonstrando amor e carinho um pelo outro. Ambas as relações preenchem o seu desejo de entreter-se com alguém. O relacionamento com Eric satisfaz as suas necessidades de apoio emocional recíproco, um incentivando e desafiando o outro, um elogiando e valorizando o outro, confidenciando sentimentos sobre questões pessoais e surpreendendo um ao outro. Christine logo disse: "Ah, se eu pudesse colar esses dois homens! Ambos oferecem coisas que considero importantes numa relação".

Responsabilidade pessoal

*A vida normal pode ser uma prisão,
até você assumir responsabilidade por si mesmo.*
– ANNEMARIE POSTMA

Em seu coração, Christine recriminava Jerry por ser tão fechado, por não falar com ela e não demonstrar seus sentimentos. Ela sentia que Eric a fazia muito mais feliz porque ele era curioso, estava interessado nela e a estimulava a se expressar. Perguntei a Christine como ela sabia que suas necessidades de relacionamento eram satisfeitas no casamento. Ela descobriu que, nesse aspecto, não estava sendo franca com Jerry. Ela percebeu que, "pensando nisso", não sabia "absolutamente o que se passava na cabeça ou no coração de Jerry". Isso significa que, de sua parte, ela não conseguia oferecer-lhe nenhum apoio emocional porque, muito francamente, eles realmente não falavam muito um com o outro. Christine também descobriu que não expressava as suas necessidades claramente a Jerry e nunca havia lhe perguntado sobre as necessidades dele. Durante a conversa, Christine começou a se dar conta do papel que ela desempenhava nos padrões de comportamento que eles criaram em seu relacionamento.

Para Christine, porém, um ponto ficou absolutamente claro: embora adorasse demonstrar os seus sentimentos para Eric, ela não queria trair o marido. Além disso, queria se livrar de todas as fantasias e dos devaneios com relação a Eric e a um futuro com ele. Durante as nossas conversas, examinamos o seu dilema em profundidade discutindo todas as possibilidades que se lhe apresentavam, incluindo as consequências positivas e negativas de cada uma delas. Como seria se ela decidisse ficar com Eric? Como seria continuar com Jerry? Seria possível falar com Jerry sobre o fato de que estava apaixonada por outra pessoa e abrir espaço em seu casamento para um relacionamento com Eric?

Fazendo escolhas

A incerteza é uma cola fantástica.
Ela o deixa grudado onde você está.
– OLAF HOENSON

A opção por fazer uma coisa está inextricavelmente ligada à opção por não fazer outra coisa. Por isso, é importante aceitar que quando fazemos escolhas, às vezes elas podem acarretar consequências negativas para nós mesmos e para os outros. Em outras palavras, alguém ficará desapontado. Examinar as emoções negativas, reconhecê-las e aceitá-las são esforços que muitas pessoas preferem não fazer, mas que pode ser um processo muito esclarecedor. É necessária muita energia emocional para resistir aos aspectos negativos de uma escolha. Podemos liberar energia se nos permitirmos aceitar e sentir o sofrimento e a tristeza que acompanham uma escolha e deixarmos que essas emoções simplesmente tomem conta de nós. No momento em que aceitamos verdadeiramente um sentimento, ele se torna mais leve. Podemos proporcionar-nos o tempo necessário para processar os nossos sentimentos e em seguida concentrar-nos nas possibilidades que nos estão disponíveis.

Liberar energia para induzir decisões

Quando precisamos tomar grandes decisões, decisões que implicam mudança de vida, pode ser muito proveitoso encontrar alguém que nos ouça sem julgar. Alguém que não esteja pessoalmente interessado em nossas escolhas pode observar a situação de forma imparcial. Às vezes, é recomendável afastar-nos, literalmente, da situação, reservando alguns dias para participar de um retiro, tirar férias ou fazer longas caminhadas na natureza. Caminhar sozinho, conversar com pessoas que não nos conhecem ou mesmo ler textos inspiradores muitas vezes podem trazer clareza e novas ideias.

Durante as nossas sessões, Christine compreendeu que precisava tomar uma decisão. Embora, emocionalmente, quisesse criar espaço no casamento para um relacionamento complementar com Eric, ela sabia que esse era um tema sobre o qual jamais conseguiria falar com Jerry. Se realmente optasse por ficar com Eric, ela temia que pudesse ser uma verdadeira batalha manter um bom relacionamento com Jerry e os filhos.

Ela simplesmente não queria correr esse risco. Ela havia feito uma escolha consciente pela maternidade, pelo relacionamento com Jerry e pretendia continuar nesse caminho. Ela sempre amou e ainda ama Jerry e, em muitos aspectos, eles vivem bem juntos. Ela entendeu que precisa aprender a falar com Jerry sobre seus sentimentos, como também sobre os dele, e de qualquer modo quer compartilhar com ele algumas das suas recentes descobertas.

Com orientação, Christine começou a aprender a se expor e se expressar com mais clareza a Jerry. Ela aprendeu a dar respostas construtivas e a falar mais diretamente usando "eu" com assertividade. Descobriu que, quando procurava usar essas técnicas, Jerry reagia muito menos defensivamente. Isso melhorou a comunicação entre eles. Ao mesmo tempo, Christine, ao compreender que não queria trair Jerry, mudou-se para outro setor no seu local de trabalho e interrompeu os contatos com Eric. Embora essa decisão lhe tenha sido difícil, ela se sente melhor e, além disso, acha que Eric merece uma mulher que possa se dedicar inteiramente a ele e com quem ele possa começar uma família. Ela não pode ser essa mulher, pois seu lugar é com Jerry e seus filhos. Christine também frequentou um curso de assertividade no qual aprendeu a ser mais fiel a si mesma. Ela nunca contou a Jerry sobre o fato de ter se apaixonado por Eric. O verdadeiro presente da experiência, a despeito da inevitável tristeza e da dor que ela sente pela perda da sua relação com Eric, é que aprendeu a investir mais plenamente a sua energia na relação que, finalmente, escolheu.

AS TRÊS DEUSAS

Para muitas mulheres, o senso de quem e do que são constitui elemento essencial em suas escolhas de vida. No Ocidente, é comum as mulheres usarem termos como aluna, empregada, filha, esposa e mãe para se definir. Muitas tradições ao redor do mundo, no entanto, têm conceitos diferentes da mulher, baseados na ideia das Três Deusas. Essas deusas, sejam elas celtas, hindus ou gregas, têm associações com as fases da lua, com as estações agrícolas e, mais importante, com as etapas da vida da mulher. Os termos mais comuns para esses estágios são Donzela, Mãe e Anciã.

A Donzela é uma jovem em todo o seu encanto e beleza. A Mãe cuida e alimenta. A Anciã é uma mulher que conquistou o seu poder, sua sabedoria e graça, que domina plenamente e expressa a sua sexualidade. Em tese, todas as mulheres têm esses elementos das três Deusas o tempo todo, mas, em geral, um ou outro se destaca durante um determinado período.

A nossa cultura ocidental enaltece a Donzela e aceita a necessidade da Mãe, mas raramente, se tanto, valoriza a Anciã. Um exemplo disso pode ser visto diariamente nas imagens veiculadas na mídia que mostram mulheres sexualmente atraentes como "donzelas" jovens, esbeltas e de proporções impossíveis. Onde se situam as belas mulheres maduras em tudo isso? Antigos manuscritos taoístas revelam que, no passado, as mais respeitadas guardiãs, transmissoras e professoras das ancestrais tradições Sexuais Sagradas, eram mulheres de 80 e 90 anos! Quase todas as culturas pré-patriarcais fazem referências a mulheres mais velhas e experientes, que eram profundamente respeitadas por sua sabedoria e erudição.

Apesar das imagens contemporâneas negativas, mulheres maduras estão optando por assumir o seu poder de Anciã, e em nenhum lugar isso é mais evidente do que nos relacionamentos. Para muitas mulheres, servir e cuidar, seja no ambiente familiar ou em outro lugar, não lhes bastam. A necessidade de ser uma pessoa integral e o desejo de continuar a aprender, criar e se expressar não podem ser ignorados. Às vezes, essa necessidade de crescimento e integração, infelizmente, entra em conflito com a rigidez que as sociedades ocidentais criam no âmbito das relações interpessoais.

O que dizer da mulher que quer explorar a totalidade do seu ser dentro de um relacionamento estável e sustentável? Nem todos os relacionamentos podem acomodar essa necessidade, especialmente quando se baseiam em papéis e limites rígidos e inegociáveis que tendem a satisfazer ao volúvel arrebatamento de um novo amor que a Donzela pode experimentar, ou a solidez, a estabilidade e a segurança que a Mãe oferece. Relacionamentos que negam flexibilidade, abertura e compromisso com o crescimento mútuo podem às vezes levar a mulher a tomar decisões dolorosas. A boa notícia é que pessoas em número cada vez maior estão avaliando alternativas aos tradicionais relacionamentos baseados em papéis – alternativas essas que realmente abrem espaço para a experimentação, a descoberta e a autenticidade – características que também distinguem a deusa Anciã.

Perguntas que você pode fazer a si mesmo caso se apaixone por outra pessoa

- Como me vejo quando estou apaixonado? Que julgamentos eu faço (se é que os faço)?
- O que o fato de estar apaixonado me diz sobre as minhas necessidades de relacionamento? Quais são essas necessidades?

- Como assumo responsabilidade pessoal por meu(s) relacionamento(s)?
- Como faço escolhas para o futuro?
- Quais são as repercussões das minhas diferentes escolhas?
- As minhas decisões criam novos problemas? Quais são as consequências em longo prazo?
- Como a minha família será afetada por minhas escolhas?
- O que eu mais temo?
- O que o fato de estar apaixonado significa para mim e para o meu relacionamento?
- Qual é a situação do meu relacionamento atual?
- Posso falar com meu parceiro sobre o fato de estar apaixonado por outra pessoa?
- Existem coisas que faltam no meu relacionamento atual que não consigo obter do meu parceiro? O que a pessoa por quem estou apaixonado me oferece que o meu parceiro não pode oferecer?
- Esta é a primeira vez que me sinto atraído por alguém que não seja o meu parceiro?
- Posso me permitir observar aberta e honestamente os meus sentimentos por essa pessoa e o que esses sentimentos significam?
- O que torna essa pessoa diferente? O que ela tem a oferecer? Por que ela é tão especial? Como posso desenvolver essa qualidade especial em mim?

Sugestões para o caso de se apaixonar por alguém além do seu companheiro

- **ACEITAÇÃO** – Aceite o fato de que está apaixonado e os sentimentos que acompanham esse estado. Não há nada do que se envergonhar. Não resista. Se aceitar os seus sentimentos, eles jamais se intensificarão como o fariam caso você tente reprimi-los. Em vez disso, desfrute-os.
- **MANTENHA O EQUILÍBRIO** – Apaixonar-se por alguém é um excelente momento para se certificar de que o(s) seu(s) relacionamento(s) existente(s) está(ão) em equilíbrio. Seja honesto consigo mesmo e com o(s) seu(s) parceiro(s).

- **EXAMINE OS SEUS VALORES E AS SUAS NORMAS** – Observe os seus valores e as suas normas no que diz respeito a relacionamentos íntimos. Se eles mudam quando você se apaixona por alguém que não seja o seu parceiro, reavalie as expectativas com relação a si mesmo. Analise se está sendo sincero consigo mesmo.
- **FAÇA ESCOLHAS CONSCIENTES** – Pense claramente sobre o que quer fazer. Evite ser seduzido por um pensamento imediatista, como "é apenas uma vez, tenho certeza de que está tudo bem". Considere as consequências de longo prazo e equilibre suas escolhas com cuidado.
- **DISCUTA ABERTAMENTE** – Se guarda todos os seus pensamentos para si mesmo, você cria distância entre você e seu parceiro. Arrisque-se a falar sobre os seus sentimentos, mas tenha cuidado com a maneira como se descreve. Às vezes, é importante falar antes com um amigo para deixar que emoções fortes se aquietem.
- **NÃO ADIE** – Se você tomou uma decisão, aja. Quanto mais esperar, mais difícil será. É claro que você precisa considerar antecipadamente as reações das outras pessoas, mas não deixe que isso o paralise.
- **DÊ UM TEMPO** – Dê tempo a todas as pessoas envolvidas para que elas se acostumem com a nova situação. Evite tomar decisões com base em reações emocionais fortes. Se as emoções são muito intensas, afaste-se da situação ou converse sobre ela com uma terceira pessoa que não esteja envolvida.

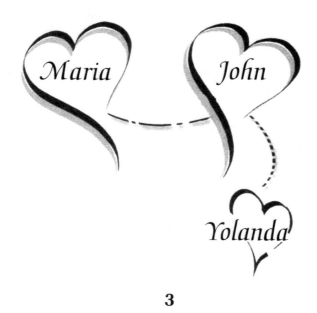

3

Não Consegui Evitar: Recuperando-se de um Caso Amoroso – John e Maria

Ela é jovem, solteira e cheia de vida quando você a conhece; e você a acha incrível. Ela também se interessa muito por você, e vocês começam a flertar desvairadamente. Você adora isso; sente-se notado outra vez. Ela também aprecia toda a atenção e emoção envolvidas, e o flerte se intensifica. Os e-mails e as mensagens de texto que você escreve acrescentam uma nova dimensão aos seus dias. Em pouco tempo, ela o convida a ir à casa dela depois do trabalho. Esse novo compromisso exige alguma atenção a mais. Você resolve arriscar e telefona para sua esposa, avisando-a de que chegará em casa mais tarde. Você vai ao apartamento da colega e, claro, uma coisa leva rapidamente a outra. No fundo, você sabe que não está sendo correto com sua esposa, mas deseja tanto essa mulher... Você a quer toda imediatamente... Assim

começa um período de enorme satisfação, de prazeres sexuais e luxúria...
e de traição.

Após 13 anos de casamento, Maria descobriu que John a estava traindo, e o relacionamento deles ficou seriamente ameaçado.

John e Maria se conheceram há 14 anos, quando John estava com 36 anos e Maria com 35. Ambos eram namoradores contumazes, mas logo perceberam que dessa vez não se tratava de um flerte rápido, mas de algo especial e mais sério. O início desse relacionamento assinalou o começo de uma nova fase na vida de ambos. Eles foram morar juntos pouco depois que se conheceram, e seus filhos nasceram logo em seguida. Antes de tomar a decisão de formar uma família, eles fizeram alguns acordos. Um deles era que sempre comunicariam ao parceiro caso algum deles se sentisse atraído sexualmente por outra pessoa. Porém, nem um nem outro acreditavam que isso pudesse realmente acontecer, pois já haviam vivido sua justa cota de experiências sexuais e nenhum deles sentia necessidade de futuras explorações.

Durante os primeiros anos de casados, John mal se lembrava de que existiam outras mulheres. Toda a sua atenção estava voltada para o seu relacionamento, a sua carreira, a nova casa e os filhos. Isso mudou, inesperadamente, no dia em que Yolanda apareceu.

Yolanda é uma colega atraente, inteligente e dinâmica que entrou no departamento de John há seis meses. John respondeu com grande entusiasmo quando ela demonstrou interesse sexual por ele assim que se conheceram. Em algum lugar do seu íntimo, John sabia que alguma coisa não estava certa, mas a atração entre eles era muito forte. De repente, o acordo de John de informar Maria sobre essa eventualidade parecia ter sido feito em outra vida. John tinha grande dificuldade em controlar seus sentimentos e, para ser honesto, nem desejava isso. Ele queria aproveitar o encantamento que havia surgido entre ele e Yolanda. Ele já sentia muita falta dessa emoção!

Quando Maria e John decidiram viver juntos, ele era muito exigido no trabalho e precisava fazer horas extras. Nas noites livres, ele frequentava a academia ou ficava no computador. Assim, Maria assumiu a responsabilidade pelas tarefas familiares. Depois do nascimento do primeiro filho, ela reduziu a sua jornada de trabalho para meio expediente – mudança fácil de ser feita, em virtude de ela ser enfermeira. Por outro lado, John estava realmente envolvido com a sua carreira, não havia nenhuma possibilidade de trabalhar em tempo parcial sem comprometer sua posição. Resolveram, então, que ele continuaria a trabalhar em tempo integral e ela assumiria a responsabilidade pelo cuidado dos filhos.

No início do relacionamento, John e Maria tiveram uma vida sexual estimulante e gratificante. Com o nascimento dos filhos, porém, esse aspecto da relação foi aos poucos mudando. Eles faziam amor com frequência cada vez menor e, quando faziam, não se dedicavam muito tempo. Isso não era problema para Maria. Ela estava realmente envolvida com o seu papel de mãe e, a bem da verdade, não podia preocupar-se com sexo, até porque não tinha interesse nem energia para isso. Muitas vezes, ela simplesmente deixava John satisfazer-se, mesmo não estando muito interessada. No seu modo de ver, ele pelo menos ficaria sossegado. Infelizmente, não era isso que acontecia.

Foi por puro acaso que Maria descobriu que John a enganava. Certa manhã de sexta-feira, ela passou pelo computador de John, que ele deixara ligado ao sair apressado para o trabalho, e leu um e-mail de Yolanda. A mensagem mostrava claramente que algo estava acontecendo entre John e Yolanda. Ela ficou perplexa. Achava que eles eram felizes um com o outro e com a sua vida familiar, mas agora parecia que, pelo menos para John, não era esse o caso. De qualquer modo, eles não tinham concordado em discutir coisas desse tipo? É claro que a infidelidade pode acontecer em qualquer casamento, mas eles haviam prometido conversar sobre possíveis ocorrências nesse sentido para chegar à melhor saída possível. Mas acontecera o contrário! Aparentemente, John tem um caso com essa mulher, Yolanda, e não fez sequer um comentário a respeito. Maria sentiu-se enganada e furiosa. A vida cuidadosamente construída em que tanto investira estava prestes a desabar.

À noite, Maria interpelou John a respeito do e-mail. Para começar, John ficou furioso. Então ela ousou ler seu e-mail particular! Ele não tinha direito a alguma privacidade? Mas por fim a verdade veio à tona: ele e Yolanda estavam tendo um caso, fazia mais de dois meses. Tratava-se de um relacionamento puramente sexual, não havia nada além disso. Maria era a mulher da sua vida, eles tiveram filhos juntos e ele queria ficar com ela; mas ela simplesmente não estava presente no que dizia respeito à sua necessidade de uma vida sexual satisfatória. Ele era um homem saudável, francamente, e precisava de um pouco de sexo em sua vida. Yolanda lhe oferecia isso com a melhor das disposições e, para ser sincero, também se sentia muito feliz. Ele não podia dizer a mesma coisa a respeito de Maria!

Maria sentiu-se traída. Ficou muito decepcionada e totalmente desnorteada. Seu companheiro a havia traído, e ela estava sendo responsabilizada por isso! A indignação tomou conta dela. Durante todo o final de semana, mal se falaram, e na semana seguinte Maria concentrou toda a sua atenção nas crianças. Ela contou o que havia acontecido a alguns amigos solidários, enquanto John mergulhou no trabalho e deu tudo de si na academia. Na hora de dormir, eles se evitavam e cada um se encolhia no seu lado da cama.

Mais de uma semana foi necessária para John e Maria criarem o clima para conversar e resolver o que fazer com a situação. John pediu mil desculpas e disse que tinha contado imediatamente a Yolanda o que havia acontecido. Explicou a Yolanda que o caso entre eles precisava terminar, pois as coisas estavam completamente fora de controle e ele corria o risco de perder sua família. Maria estava hesitante. Ela não sabia como continuar com o casamento. Como ainda poderia confiar em John? Yolanda continuava trabalhando no mesmo setor de John, não era verdade? Ele não a veria todos os dias? Como Maria poderia ter certeza de que haviam terminado? O que havia acontecido, afinal? Quantas vezes eles tinham se encontrado, e onde? Ela queria realmente saber de todos os detalhes? Maria sabia que queria continuar casada com John, mas não tinha ideia de como fazer isso. Acima de tudo, sentia-se incrivelmente confusa e desconfiada de John. Nesse meio-tempo, John confirmou que ele e Yolanda haviam concordado em terminar definitivamente o caso e que Yolanda prometera não tentar reatá-lo. Isso não foi suficiente para tranquilizar Maria, que continuava profundamente chateada com a traição do marido. Eles persistiram nesse estado angustiante durante algumas semanas, até que Maria concluiu que precisavam de ajuda externa e telefonou para Leonie.

As consequências da traição

Traição, infidelidade, casos amorosos, ligações secretas... Seja qual for o nome que lhe dermos, ao longo da História as pessoas vêm se envolvendo com sexo às escondidas dos seus parceiros. Para os propósitos deste livro, usamos uma definição bem específica de traição: há traição quando alguém quebra um acordo de relacionamento com seu parceiro e tem contato sexual ou fisicamente íntimo com outra pessoa. Às vezes, os acordos rompidos não foram feitos de modo claro e explícito entre os parceiros, e com frequência baseiam-se em suposições implícitas e praticamente desconsideradas. A pressuposição mais comum é esta: para ser sério, um relacionamento precisa ser monogâmico. Por bem ou por mal, a monogamia ainda é a norma para relacionamentos estáveis na maioria das culturas ocidentais. Além disso, a crença de que sério equivale a monogâmico é fortemente reforçada quando duas pessoas se apaixonam e concentram toda a sua atenção uma na outra.

Essa crença na monogamia não se reflete em nosso comportamento, porém. Pesquisas de opinião recentes confirmam que, em culturas ocidentais, algo entre 20% e 60% de todos os adultos envolvidos em supostos relacionamentos monogâmicos já traíram ou foram traídos pelo menos uma vez. Em outras palavras, pelo menos um em cada cinco e possivelmente três em cada cinco adultos consensuais já viveram a experiência da infidelidade. Assim, não há dúvida de que as pessoas sentem atração sexual fora das suas relações formais; no entanto, é grande a dificuldade que temos de falar sobre esse tema. Na verdade, a maioria das pessoas evita admitir que sente atração extraconjugal, porque teme as consequências. Quando admitem, em geral, tentam manter a fachada da monogamia, com grande custo para sua integridade.

Muitas vezes, a traição é um sinal de que algo no relacionamento precisa de atenção. Neste caso, John tem certas necessidades que não estão sendo adequadamente atendidas em sua relação com Maria. A vida sexual deles, como frequentemente acontece, foi colocada em segundo plano com o nascimento dos filhos. Eles nunca reservaram realmente um tempo para sentar e falar sobre essa mudança radical na sua relação e agora foram atropelados pelos acontecimentos.

Na minha prática, vejo seguidamente as consequências da quebra de acordo num relacionamento. A traição corrói a confiança, e restaurá-la não é tarefa simples. Quando somos enganados por nosso parceiro, é comum considerarmos a mentira e o comportamento desonesto como muito mais dolorosos do que a infidelidade em si ou mesmo o fato de que o nosso parceiro nutre sentimentos por uma terceira pessoa. Pode ser ainda mais doloroso se nos depararmos com respostas negativas sistemáticas ao fazermos perguntas que se baseiam em fortes suspeitas. De fato, quem trai muitas vezes reage devolvendo essas perguntas para o parceiro e acusando-o de desconfiança ou de estar criando dificuldades.

Para quem foi traído, essa atitude aumenta o sofrimento posteriormente, quando descobre que estava certo o tempo todo.

Geralmente, sentimos ou intuímos que o nosso parceiro está tendo um caso, e frequentemente notamos que algo está acontecendo muito antes de termos alguma prova concreta. Percebemos os pequenos detalhes e, vez ou outra, há uma sensação incômoda de que alguma coisa não está bem. Às vezes, não damos ouvidos aos nossos pressentimentos por causa das consequências desagradáveis que podem surgir quando a verdade finalmente se revela. Outras vezes, parece mais seguro simplesmente deixar as suspeitas de lado e continuar como se nada tivesse acontecido. Pelo menos a vida pode continuar como de costume... até o momento em que não podemos mais ignorar a verdade. Então todas as peças do quebra-cabeça se encaixam e a imagem verdadeira se revela.

Lidando com as consequências – nem todo conselho é útil

Temos um grande choque quando descobrimos que o nosso parceiro esteve mentindo durante um bom tempo. Para algumas pessoas, descobrir um caso significa terminar o relacionamento. O sofrimento é tão grande e a confiança fica tão abalada que a separação parece ser a única opção. Muitas vezes, essa é a primeira reação, baseada em emoções fortes, devastadoras e aparentemente incontroláveis. De repente, a vida vira de cabeça para baixo. Tudo que criamos juntos ao longo dos anos parece ter sido construído sobre uma ilusão. Nada mais é o que era; o nosso mundo se desagrega. O nosso parceiro não é mais a pessoa que imaginávamos que era. E aí está o problema. Tudo se transforma em insegurança: podemos voltar a confiar nele? A honestidade e a segurança sobre as quais acreditávamos ter construído a nossa relação foram destruídas.

Às vezes, pode ser proveitoso falar com amigos próximos, embora nem sempre. Pode acontecer que não tenham muito a oferecer além de solidariedade. Amigos e familiares terão reações baseados em suas próprias respostas e experiências emocionais e podem nos dar conselhos bem-intencionados, mas distorcidos. Apesar de procederem de um lugar de amor e solicitude, esses conselhos podem não levar a uma solução que realmente nos convenha.

Dê um tempo

Uma das coisas mais importantes que podemos fazer quando descobrimos que nosso parceiro nos enganou é dar-nos um tempo. Aguarde até que as emoções mais fortes abrandem e procure não tomar decisões precipitadas. As pessoas podem seguir caminhos separados a qualquer momento – não há necessidade de pressa. Se um casal tem filhos, é importante que os pais continuem ligados. Para o bem das crianças, se não por outra razão, é importante manter um bom relacionamento mútuo. Seja o que for que esteja acontecendo, os pais precisam garantir que a necessidade que os filhos têm de amor, segurança, apoio, apreço e valorização seja atendida.

Se emoções negativas, como raiva, tristeza e dor, nos dominam, fica muito difícil acomodar as coisas de maneira satisfatória para os filhos. Em outras palavras, precisamos tentar distinguir entre o papel de companheiro e o papel de pai ou mãe. Se nós pudermos aprender a fazer isso, especialmente quando as crianças estiverem na nossa presença, a diferença poderá ser enorme. Todas as crianças, especialmente as menores, precisam saber que não fizeram nada de errado quando a mãe e o pai estão infelizes ou com raiva. Às vezes, é oportuno dizer aos filhos que precisamos de um tempo para resolver algumas situações difíceis que nada têm a ver com eles.

É perfeitamente normal ter sentimentos de descrença, raiva, amargura, aflição e solidão quando descobrimos que nosso parceiro nos traiu. Às vezes, pode até ser impossível concentrar-nos em outra coisa porque nossa energia é totalmente consumida pelo que aconteceu. Lidar com sentimentos de traição, na maioria dos casos, é um processo demorado, por isso pode ser conveniente conceder-nos espaço para deixar que as nossas emoções sigam seu curso. Fazendo isso, também criamos condições para decidir o que realmente queremos e como queremos enfrentar a situação.

Por outro lado, se fomos *nós* que traímos, é interessante tirar um tempo para de fato dar-nos conta das consequências do que fizemos e compreendê-las. Muitas vezes, tomamos a decisão de trair muito rapidamente, talvez em uma fração de segundo, quando somos influenciados por hormônios robustos secretados em nosso corpo. Quando nosso parceiro descobre o que aconteceu, inesperadamente nos deparamos com toda a sua angústia e a sua tristeza. Normalmente, essa constatação é muito difícil e desconcertante. Os nossos sentimentos de culpa podem ser tão fortes a ponto de inibir a nossa capacidade de admitir e compreender o que aconteceu e de entender plenamente como pudemos deixar esse deslize ir tão longe. Também pode ser muito difícil imaginar o que exatamente queremos fazer, depois que tudo foi pelos ares.

Ambos os parceiros podem tirar proveito se derem ouvidos às suas necessidades internas e as expressarem um ao outro durante esse período. Por exemplo, se emoções fortes predominam e não achamos um jeito de falar com o parceiro, pode ser útil dar certo tempo para que essas emoções se atenuem. Podemos visitar um amigo durante alguns dias ou passar uma semana em um ambiente de recolhimento.

Mais cedo ou mais tarde, o ressentido casal terá de resolver se quer ou não continuar com a relação e, em caso afirmativo, como ela será desse momento em diante. Afinal, não há como evitar essa conversa. Pode ser proveitoso tratarem do assunto durante uma longa caminhada ao ar livre ou em um lugar público, onde outras pessoas estejam presentes, como um restaurante ou um bar. Também é possível que simplesmente não consigamos ter essa conversa. Nesse caso, é recomendável falar com outra pessoa, talvez um orientador, que não tenha nenhum vínculo conosco e que possa ver a situação de forma imparcial.

Esclarecendo os objetivos da relação

Quando Maria e John vieram me ver, logo ficou evidente que ambos estavam muito interessados em continuar o relacionamento, mas que lhes faltavam as ferramentas e a capacidade para resolver a situação. Eles simplesmente andavam em círculos, não chegavam a lugar algum. Conversas com amigos haviam produzido alguma clareza e consolo, mas não perspectivas suficientes para que prosseguissem numa direção favorável. Na minha experiência, seu desejo declarado de ficar juntos era um bom ponto de partida. Se os parceiros estão realmente comprometidos um com o outro e com sua relação, a possibilidade de sucesso aumenta significativamente.

Quando os parceiros resolvem que querem continuar o relacionamento, também precisam chegar a um acordo sobre como vão fazer isso e sobre a direção a seguir. Em outras palavras, precisam ter propósitos comuns no que se refere tanto ao processo quanto ao objetivo. Na minha prática, vejo inúmeros parceiros com objetivos de relacionamento muito diferentes. Às vezes, ambos dizem que querem permanecer juntos, mas um dos dois não ousa dizer o que pensa no seu íntimo: que está tudo acabado entre eles. Isso normalmente acontece quando um deles acha que fez tudo o que podia para salvar a relação. Para eles, consultar um orientador de relacionamento muitas vezes significa um frágil último esforço. Por experiência, sei que o resultado de uma consulta a um orientador é praticamente nulo se uma das partes envolvidas não está sinceramente comprometida com o relacionamento. A consequência mais comum é o parceiro hesitante deixar de comparecer depois de uma ou duas sessões, até finalmente terminar a relação.

Comprometer-se explicitamente a permanecer juntos é quase sempre um bom início. Apresentei a "pergunta fantasia" a John e Maria para que fizessem exatamente isso.

A "pergunta fantasia"

A "pergunta fantasia" é uma técnica que adoto muito na minha atividade de treinamento. Ela funciona assim: imagine por um momento que uma fada boa (você pode imaginar alguém como Glinda, a Bruxa Boa do Norte, de O Mágico de Oz) aparece na sua frente com uma varinha mágica. Não é uma varinha mágica comum, mas uma versão especial de luxo que pode realmente materializar tudo o que você deseja: por exemplo, a sua fantasia mais ousada, mudanças positivas radicais na sua vida ou a realização dos seus planos mais extraordinários. Em outras palavras, nada é impossível para a sua fada boa. O método da pergunta fantasia é bom para trazer à tona desejos reprimidos e falar sobre eles.

Pedi a John e Maria que usassem a pergunta fantasia para imaginar suas respostas às seguintes questões: Se você pudesse resolver a sua situação de forma mágica, o que faria? Como seria a sua relação daqui a um ano? Como seria todo o resto da sua vida? O que teria mudado? O que você estaria fazendo de modo diferente? Feche os olhos, concentre--se nas perguntas e pense de que forma gostaria de mudar a sua vida com mágica se a fada boa pudesse transformar tudo. Deixe dissipar-se todo pensamento que surja para obstruir ou bloquear, como "é claro que na realidade isso não pode acontecer" ou "o meu parceiro jamais aceitaria isso". Imagine que a fada boa pode realizar qualquer coisa, até mesmo o impossível.

Depois de refletir sobre as perguntas durante alguns minutos, Maria me disse que no seu futuro ainda estaria com John e os filhos. Ele voltaria para casa com mais frequência, trabalharia menos e estaria mais envolvido com a família. Ela voltaria a confiar nele e a vida sexual deles tornaria a ser excitante.

John disse que em seu cenário futuro ele ainda estaria com Maria e com os filhos. Maria reclamaria menos e eles teriam mais tempo para fazer coisas juntos. A vida sexual deles seria como era antes de terem filhos. Eles passariam mais tempo juntos na intimidade e Maria desfrutaria desses momentos como no passado. John também se imagina adotando outras práticas sexualmente estimulantes com Maria. Imagina que poderiam fazer amor ao ar livre ou tentar outros jogos de natureza sexual.

Ouvindo os desejos um do outro, John e Maria perceberam, por um lado, a vontade comum de continuar com o relacionamento e, por outro, uma lacuna a superar. John culpa Maria por ter perdido o interesse por sexo; Maria culpa John por não ter sido honesto. Eles continuam amarrados.

Comunicação eficaz

Em vez de maldizer a escuridão, acenda uma vela.
– CONFÚCIO

Muito provavelmente, a acusação é o método de comunicação mais ineficaz de todos. Normalmente, a única coisa que ela faz é provocar mais separação. A tentativa de apontar o culpado dificulta muito encontrar uma solução ou identificar as mudanças necessárias. É melhor concentrar-se no processo de aceitação – a começar pelo sofrimento e pela tristeza envolvidos. Depois de aceitar, podemos voltar a atenção para as exigências ocultas sob essas emoções, como a necessidade de consolo, a paciência, a honestidade e a confiança. Fazendo isso, concentramo-nos no presente e no futuro. Não podemos mudar o passado, mas podemos aprender com ele.

Num relacionamento, um dos fatores de sucesso mais importantes é uma boa comunicação. Como podemos nos comunicar bem? Nos relacionamentos íntimos, três habilidades importantes e inter-relacionadas podem ajudar: escutar ativamente, reconhecer o parceiro e falar honestamente.

Escuta ativa

Parece simples ouvir o outro com atenção. Tudo o que temos a fazer é sentar e ficar quietos enquanto ele fala. Fácil, não? Na realidade, nada está mais longe da verdade. Escutar – escutar *realmente* – é um dos elementos mais difíceis da boa comunicação. Na maioria das vezes, ainda enquanto ouvimos alguém, já elaboramos mentalmente respostas e reações ao que está sendo dito. No momento em que isso começa a acontecer, perdemos a capacidade de ouvir com atenção o que o interlocutor está dizendo e assim deixamos de escutar de fato. Antes mesmo de perceber, começamos a nos defender, explicando que não foi desse modo que tudo aconteceu, mas de outro. Tentamos imputar o erro à outra pessoa, convencê-la de que estamos certos, ou passamos a aconselhá-la. Todas essas são reações muito humanas, mas definitivamente também muito contraproducentes.

Escutar ativamente envolve mais do que simplesmente ouvir as palavras de quem fala. Implica atenção total ao outro, procurando assimilar inteiramente e compreendendo de preferência o ponto de vista dele. Por assim dizer, tentamos ver o mundo através dos olhos da outra pessoa e sentir o que ela sente. Quando praticamos a escuta ativa, deixamos os nossos pensamentos de lado e nos dispomos a ficar abertos à experiência do outro – quer gostemos ou não, concordemos ou não, saibamos mais ou não etc. Então absorvemos o que ouvimos, sem interpretar ou comentar. Não respondemos nem dialogamos; simplesmente damos ao outro a oportunidade de perceber que o ouvimos com atenção. Se não entendemos alguma coisa corretamente, ele pode esclarecer ou repetir o que disse até que nós (e ele) estejamos seguros de ter de fato ouvido sem deixar dúvidas.

A maioria das pessoas não está habituada a escutar ativamente, mas trata-se de algo que todos podemos aprender. A prática leva à perfeição, e para aprender a escutar ativamente é preciso praticar.

Reconhecimento do parceiro

Quando aprendemos a ouvir com atenção e tornamos nosso parceiro ciente de que o ouvimos corretamente, um resultado importante pode ocorrer: a pessoa se sente reconhecida. Reconhecimento é o que acontece quando o parceiro sabe e, no mesmo grau de importância, sente que está realmente sendo ouvido. Esse reconhecimento é mais do que apenas dizer-lhe que escutamos o que ele disse; é deixá-lo consciente de que aceitamos o fato de ele ter seus próprios pontos de vista. O que ele diz não precisa ser certo ou errado; é simplesmente o que ele diz, e nós aceitamos que ele tenha dito.

John se empenhou em fazer o exercício da escuta ativa com Maria. Ele sentou em silêncio e ouviu atentamente quando ela descreveu o que sentiu quando descobriu que ele estava tendo um caso com Yolanda. Ele não interrompeu, mas prestou atenção às palavras exatas que ela usou. Quando chegou a sua vez de falar, ele disse: "Compreendo que você tenha ficado muito chocada quando descobriu sobre mim e Yolanda, com muita raiva e irritação. Você ficou profundamente magoada porque não fui honesto com você, e tem medo de que não conseguirá mais confiar em mim". A forma como ele disse isso, sem se defender, fez com que Maria se sentisse totalmente reconhecida. Ela podia ter seus próprios sentimentos – sua solidão e sua tristeza puderam ocupar seu lugar.

Depois de ouvir com toda a atenção, Maria respondeu: "Ouvi você dizer que está muito aborrecido por não ter sido honesto comigo. Você assume a culpa e acha que não há nada que possa fazer para melhorar as coisas. Você está fazendo o melhor que pode para dar a mim e à nossa relação uma atenção positiva e vê como uma situação muito difícil o fato de eu reagir de modo tão instável. Às vezes, tudo parece estar bem comigo, mas de repente fico irritada e chateada. É como se você nunca soubesse com qual Maria vai ter de lidar num dado momento. Com isso, você fica inseguro. Você gostaria de ir em frente, mas simplesmente não sabe como, e não gosta da ideia de ter de dizer 'Desculpe' pelo resto da sua vida".

À medida que John e Maria foram aprendendo a ouvir um ao outro com honestidade, atenção e disponibilidade, começaram a se entender muito melhor. A dor que cada um deles sentia começou a abrandar e diminuir, ainda que lentamente.

Fala honesta

A terceira habilidade que torna a comunicação eficaz é falar com honestidade. Ou seja, estar aberto ao outro; não apenas com relação a como nos sentimos e como vivemos os fatos, mas também com relação aos nossos desejos e às nossas expectativas. Para falar honestamente são necessárias duas coisas: coragem e vulnerabilidade. Em geral, temos dificuldade de expressar o que realmente queremos e desejamos. Ficamos com medo das reações das outras pessoas e às vezes o orgulho atrapalha.

Muitos desses medos têm por base um medo fundamental: o medo da rejeição, e por consequência o medo da solidão. Se deixarmos os nossos medos ditarem o nosso comportamento, não conseguiremos dar-nos a oportunidade de manifestar o que realmente queremos. Em vez disso, sabotamos a nós mesmos. Se formos sinceros na tentativa de melhorar o desenvolvimento de nossos relacionamentos (e na verdade de nós mesmos), precisaremos reunir coragem para aceitar as nossas vulnerabilidades e comunicar-nos honestamente com nosso companheiro. Aprendendo a ouvir atentamente e a reconhecer o nosso parceiro, criamos condições seguras para ser francos e honestos.

Assim, como descobrir quais são os nossos desejos e as nossas aspirações? Uma das maneiras é simplesmente pensar um pouco sobre eles. Na minha prática, uso para isso *O Jogo do Relacionamento*.

Quando John e Maria fizeram *O Jogo do Relacionamento* juntos, ao escolher as cartas, descobriram que têm algumas necessidades de relacionamento em comum: amor e afeto; cuidado recíproco e ações de apoio; desfrutar coisas juntos; levar em consideração desejos e necessidades um do outro. Ao examinar as cartas, percebemos que as cartas Cuidado Recíproco e Ações de Apoio têm significados muito diferentes para John e Maria. Maria quer que as tarefas domésticas sejam feitas do jeito dela. Ela critica John frequentemente e tende a censurá-lo por manter a casa de um modo diferente do dela. São coisas aparentemente insignificantes, como a forma como ele dobra roupas ou toalhas. Além disso, por um lado, ela o critica por ele não se envolver o suficiente com os filhos; por outro, raramente lhe dá oportunidade para isso. Ele não gosta disso, evidentemente, pois tem necessidade de ser valorizado e elogiado em vez de acusado de ser inadequado. Como consequência, John se afasta, vai para a academia com mais frequência e volta para casa cada vez mais tarde. Maria então acha que é ela quem tem de fazer tudo e culpa John ainda mais. Cada um deles desempenha um papel na criação desse círculo de resposta negativa.

Ao apontar um dedo para alguém,
observe a sua mão:
três dedos apontam para você!
– ANÔNIMO

A coisa mais importante a fazer quando queremos quebrar um padrão de relacionamento indesejado é encontrar a resposta para esta pergunta: "O que *eu* posso fazer para quebrar esse círculo?". É sempre muito mais fácil esperar que o parceiro se responsabilize por fazer as mudanças em nossas relações. No entanto, quando damos o controle para o nosso parceiro, entregamos o nosso poder e nos tornamos dependentes dele. Por isso, é muito mais construtivo assumir a responsabilidade por nossas próprias ações e examinar atentamente o que *nós* podemos fazer de modo diferente. Pode ser interessante questionar se também queremos levar em consideração as necessidades das outras pessoas. Fazendo isso, podemos estar certos de que mudanças construtivas ocorrerão em nosso comportamento.

Quando John viu o círculo negativo em que ele e Maria estavam presos, admitiu que, de preferência, gostaria de não se aborrecer quando Maria comentasse sobre o que ele faz ou deixa de fazer. Além disso, ele quer tomar mais iniciativas na convivência com os filhos, não fazendo mais tantas concessões sempre que Maria tenta intervir e assumir o controle. De sua parte, Maria realmente gostaria de fazer menos críticas a John e ao modo como ele faz as coisas da casa, e ficaria feliz em deixá--lo fazer as coisas do jeito dele. Ela gostaria de aprender a ser um pouco menos controladora. Acontece que isso faz parte da natureza dela, presente antes mesmo de conhecer John – uma revelação que o deixa mais tranquilo. Maria também gostaria de fazer mais elogios a John e demonstrar seu apreço por ele com mais frequência. Por meio desse exercício, John e Maria descobriram que têm as mesmas intenções e que essas intenções são importantes para ambos.

Outras cartas que analisamos em profundidade foram: Ser Fiel Um ao Outro e Manter um Relacionamento Sexual. John e Maria já haviam percebido que, quando os filhos nasceram, Maria praticamente se tornara mãe à custa de todo o resto. John gosta do fato de Maria sentir-se feliz dedicando-se às atividades com as crianças, mas sente falta da intimidade que compartilhavam. Ele expressou isso, mas Maria o contestou. "As crianças precisam de tempo e energia, e sempre há um amanhã" é sua resposta recorrente. A verdade é que, no final de um longo dia, ela não tem energia nem desejo de se envolver em uma relação amorosa séria. Ela sugere que, caso ele se sinta realmente frustrado, deve cuidar de si mesmo. Para ela, isso encerra a conversa sobre a vida sexual deles.

Não era o fim da conversa para John, no entanto. Ele destacou que não queria que Maria fizesse algo que não quisesse fazer, por isso não insistiu no assunto. Mas ele se sente rejeitado e frustrado. Maria se mostra cada vez menos acessível a ele. Se John quer abraçá-la ou beijá-la, ela o afasta, porque tem medo de que, se corresponder, tudo acabe em sexo. O que resta, então, não é apenas menos sexo, mas também menos abraços e menos contato físico, o que significa, de modo geral, que estão cada vez menos íntimos.

Relações sexuais
e o passar do tempo

À medida que o relacionamento amadurece, é muito comum haver mudanças no modo como fazemos sexo e na importância que ele tem em nossa vida. Uma antiga história holandesa diz que nos primeiros anos de convivência o casal deveria depositar uma moeda num cofrinho cada vez que faz sexo. Mais tarde, depois do convívio de alguns anos e do arrefecimento da vida sexual, as pessoas deveriam alterar o procedimento e retirar uma moeda cada vez que fazem sexo. Ao fim de uma longa vida juntos, haverá um equilíbrio, pois os depósitos são muito mais rápidos do que as retiradas. Essa história mostra que é normal que a frequência das relações sexuais diminua ao longo dos anos. Há uma explicação biológica para isso: depois de um tempo, a secreção dos hormônios da "paixão" no corpo diminui e é substituída pela produção do "hormônio da ligação". Os nossos relacionamentos mudam emocional e intelectualmente. Depois de vivermos com alguém por um tempo, a vida começa a se acomodar. Começamos a entender como o outro funciona, começamos a conhecer as manias um do outro, e outras áreas da vida passam a exigir atenção, como amigos, relações sociais e entretenimentos. A chegada dos filhos é sempre um momento decisivo em um relacionamento. Embora tenhamos nove meses para nos preparar para o nascimento, não é realmente possível prever totalmente as mudanças.

Crianças precisam de amor e atenção, o que requer certo tempo para que nos habituemos e nos obriga a fazer ajustes. Para muitos homens, é difícil ver sua parceira mudar para se tornar, acima de tudo, mãe. A atenção e o amor que um parceiro dedica ao outro de repente são divididos. Normalmente, a mãe já criou vínculos com o filho durante a gravidez e sente uma forte ligação com o bebê quando ele nasce. Não é nada incomum o pai se sentir um pouco excluído durante esse período, mesmo quando se acha preparado para o nascimento do bebê e ama seu filho esperado.

Além disso, um relacionamento pode parecer evidente por si mesmo, ou considerado como algo normal e corriqueiro, especialmente quando há filhos que são vistos como uma "cola" que mantém a família unida. Aí reside o perigo, pois a nossa relação se deteriora quando achamos que ela está sólida e garantida. É importante não só dedicar tempo à maternidade/paternidade, mas também investir tempo e energia na intimidade enquanto parceiros.

John e Maria sentiram os efeitos da pouca atenção dedicada ao seu relacionamento. John compreende o papel de Maria como mãe, mas tem necessidades reais como parceiro em um relacionamento, e espera que Maria supra essas necessidades. Maria gosta da intimidade com John, mas muitas vezes esse sentimento é seguido de um "mas...". Ela percebe agora que essa atitude está causando problemas no relacionamento e está se esforçando para aceitar mais e controlar menos. Ela está trabalhando no sentido de abrandar o seu perfeccionismo e incentiva John a assumir alguns encargos familiares.

Eles contrataram uma pessoa para cuidar das crianças uma noite por mês, para que possam sair juntos. De sua parte, John está dando mais ouvidos e atenção à Maria e deixou de retrucar com suas próprias soluções quando ela fala. Eles estão se empenhando ao máximo para ficar mais presentes um para o outro, e como Maria já não está tão cansada, começaram a dedicar mais tempo para a intimidade. Eles sentiram o impacto que essas mudanças conscientes tiveram em seu relacionamento, e agora está sendo mais fácil falar sobre sua vida sexual e o que podem fazer para enriquecê-la.

Desejo sexual em descompasso

Não se assa pão em forno frio.
– ANTIGO DITADO CHINÊS

Em geral, a maioria das mulheres precisa de bem mais tempo do que os homens para estimular-se para o ato sexual, especialmente se essas mulheres mantêm um relacionamento durante muito tempo. Para os homens, normalmente bastam alguns minutos para chegar à excitação total, ao passo que para a maioria das mulheres o tempo médio de estimulação está entre quinze e vinte minutos. É surpreendente observar como são poucos os casais que levam isso em conta ao fazer amor. Outra diferença importante entre os sexos é que os homens de maneira geral gostam do contato genital direto durante as preliminares, enquanto muitas mulheres preferem carícias e massagem em outras partes do corpo. Por isso, uma forma pela qual o homem pode aumentar a satisfação da sua parceira é aprender a ter paciência! Quanto mais o homem conseguir se dedicar a um contato suave, relaxante e não genital, maior será a possibilidade de o casal desfrutar um encontro sexual mutuamente prazeroso. Para muitas pessoas, o toque não genital é muito importante, pois cria uma sensação de segurança e conexão, e Maria não é exceção nesse aspecto.

Há muitas maneiras de assegurar que ambos os parceiros tenham o clima de que precisam para estarem totalmente presentes durante as atividades sexuais. Uma das coisas mais simples a fazer – e, todavia, surpreendentemente difícil para muitos casais – é reservar tempo e espaço para o ato amoroso. Pode ser muito gratificante planejar primeiro uma atividade não sexual – como uma massagem. A ideia é criar um espaço tranquilo onde a energia sexual possa fluir naturalmente num ambiente que a estimule. Dois mitos sexuais dizem: "se as pessoas se amam, o sexo acontecerá naturalmente", e "o desejo está sempre presente". Não é bem assim. Precisamos trabalhar nisso.

John e Maria decidiram reservar algum tempo, uma vez por semana, na ausência das crianças, para ter momentos de intimidade, uma decisão que melhorou sua vida sexual de modo extraordinário. Ainda assim, John às vezes anseia pela excitação que sentiu com Yolanda. A essa altura, John e Maria melhoraram sua capacidade de comunicação e seu grau de confiança, a ponto de conseguirem falar sobre esse assunto de forma descontraída e aberta.

Uma sessão de troca de ideias pode ser uma ótima maneira de chegar a formas possíveis de alimentar a nossa vida sexual com nova energia. Para ter sucesso, precisamos acatar algumas regras dessa técnica:

- Pense apenas em termos de possibilidades. Ambos os parceiros podem dizer o que lhes vier à mente. Nenhuma ideia é errada, mesmo que pareça louca, bizarra, estranha ou impraticável.

- À medida que as várias possibilidades surgirem, liste-as numa folha de papel. Essa é uma boa maneira de revelar fantasias secretas e de sugerir ideias novas.

O processo de análise em profundidade das ideias viáveis não começa somente quando todas as possibilidades foram levantadas e registradas. Uma sessão de troca de ideias é também uma excelente forma de eliminar – de modo leve e descontraído – coisas em que alguém possa não estar pessoalmente interessado.

Durante a sessão de troca de ideias, John e Maria sugeriram algumas ideias que poderiam apimentar sua vida sexual:

- tomar coragem e viver uma aventura, mas não falar ao parceiro sobre isso;
- aceitar que o parceiro tem um amigo com benefícios;
- frequentar juntos um clube de *swing*;
- participar juntos de um curso de intimidade.

Terminada a sessão, John e Maria analisaram os prós e contras de cada ideia. Concluíram que a ideia com que se sentiam mais à vontade era a de investir primeiro em sua própria relação sexual nos doze meses seguintes. Para começar, concordaram em participar juntos de um curso de massagem tântrica, em que podem aprender técnicas para aumentar a intimidade. Também combinaram fazer uma reavaliação em seis meses e verificar se o acordo está dando bons resultados para ambos.

Sexo e amor

Muitas tradições enfatizam que sexo e amor são dois conceitos muito diferentes. No Ocidente, tendemos a juntá-los, e para muitos de nós os dois estão inextricavelmente interligados. No caso de John, está muito claro que o fato de se sentir sexualmente atraído por Yolanda não significa que não ame Maria. Para Maria, é muito importante ouvir e entender isso.

De acordo com alguns ensinamentos espirituais, é de suma importância criar situações conscientes e respeitosas para trabalhar com a energia sexual. Quando John e Yolanda se encontraram, sua energia sexual estava elevada. Ambos sabiam que Maria não estava ciente do que acontecia, e isso significa que era muito mais difícil para eles expressarem de forma consciente e plena sua energia sexual. Uma parte deles precisava reprimir ou ignorar o fato de que Maria ficaria profundamente magoada se soubesse o que eles estavam fazendo, e assim precisavam bloquear sua consciência desse fato para continuar a relação. Não há juízo moral envolvido nessa afirmação; trata-se simplesmente de uma observação: se precisarmos bloquear parte da nossa consciência, será impossível estarmos plenamente conscientes.

Durante as nossas sessões, John e Maria aprenderam a ter clareza sobre essas duas áreas. Eles perceberam que ainda se amam e que o sexo é importante para ambos. Também constataram que é fundamental ser capaz de falar clara e abertamente sobre isso sem culpa ou julgamento e aprender a ouvir o que é importante para cada um deles. Aprendendo a se comunicar franca e honestamente sobre sexualidade, podem reconstruir a confiança. Desse modo, encontram formas de criar espaço para uma energia sexual consciente no seu relacionamento.

ENERGIA SEXUAL E AMOR
NAS TRADIÇÕES ESPIRITUALISTAS

Segundo muitas tradições espiritualistas antigas, a energia sexual é a energia mais poderosa que temos à nossa disposição. Afinal, ela é a razão da nossa existência. Ela é uma força motriz por trás de grande parte do nosso comportamento instintivo programado e dos sistemas bioquímicos que lhe dão suporte.

Muitas tradições espiritualistas ensinam que a energia sexual é perigosa e que é muito importante controlar a luxúria para sermos uma pessoa boa. É interessante observar, porém, que muitos representantes dessas mesmas tradições mantiveram relacionamentos sexuais ao mesmo tempo que pregavam a abstinência e o controle. Sem dúvida, a energia sexual é realmente muito poderosa.

Existem, porém, tradições espiritualistas e culturais, tanto orientais como ocidentais, que aceitam a energia sexual e que desenvolveram métodos para trabalhar de modo consciente e livre de preconceitos com essa poderosa força natural. Muitas foram implacavelmente reprimidas, mas outras sobreviveram e estão passando por um novo ressurgimento. As mais conhecidas são as tradições tântricas da Índia e as práticas do Yoga Sexual Taoista, da China.

A tradição do Sexo Tântrico Sagrado, muitas vezes conhecido simplesmente como Tantra, teve origem na Índia, mas abrange práticas adotadas em todo o Sudeste Asiático. O Tantra implica uma visão de mundo completa em que o uso consciente da energia sexual tem um papel essencial como ferramenta para o desenvolvimento espiritual. Aliás, quando começamos a explorar o mundo do Tantra no Ocidente, logo descobrimos que a grande maioria dos professores e autores tem algum tipo de ligação com os ensinamentos de um autodenominado guru indiano chamado Osho, também conhecido como Bhagwan Shree Rajneesh (1931-1990). Uma das dificuldades com o termo Tantra é que muitas vezes ele se identifica (no Ocidente) com as ideias de Osho sobre o Tantra. Há diferentes interpretações do Tantra na Índia e no Tibete, mesmo entre tradicionalistas. Isso posto, há um grande número de praticantes e professores realizando um excelente trabalho sob a bandeira do Tantra.

O Yoga Sexual Taoista foi até recentemente um ramo pouco conhecido dos ensinamentos taoistas. O Taoismo (Daoismo) é uma antiga filosofia chinesa que vem moldando e orientando a cultura chinesa há mais de cinco mil anos. Tao (ou "Dao") significa "caminho" ou "caminho da natureza". O Yoga Sexual Taoista era tradicionalmente considerado parte das práticas de autocultivo da Alquimia Interior (Nei Dan). As práticas da Alquimia Interior Taoista são utilizadas para promover o desenvolvimento espiritual e a saúde física. Esse duplo processo de desenvolvimento espiritual e físico também é conhecido como "cultivo da natureza e da vida originais". O Yoga Sexual Taoista destaca o uso consciente do Jing Qi (energia vital sexual) para a saúde e o desenvolvimento espiritual.

Essas duas tradições, imbuídas de uma visão positiva do sexo, diferem radicalmente da visão judeu-cristã predominante, para a qual o sexo é considerado algo a ser temido, reprimido, ou então é fonte de vergonha. Enquanto um número cada vez maior de pessoas rejeita paradigmas negativos do sexo, as tradições de outras culturas se revelam uma rica fonte de inspiração. A ideia de que a energia sexual pode ser usada como ferramenta poderosa para o desenvolvimento pessoal e espiritual está encontrando ressonâncias profundas entre muitos ocidentais. Ver a sexualidade sem sua carga de vergonha é um passo fundamental para recuperar a nossa capacidade de fazer escolhas esclarecidas nos relacionamentos íntimos.

Perguntas que você pode fazer a si mesmo

- Como lido com as emoções negativas?
- Que objetivos tenho no meu relacionamento atual ou em outro que eu gostaria de ter?
- De que forma escuto o meu parceiro?
- Como reconheço os sentimentos do meu parceiro?
- Que papel desempenho em problemas que possam surgir em meu relacionamento e o que faço para romper círculos negativos?
- Quais são as minhas necessidades, minhas expectativas, os meus desejos e as minhas fantasias sexuais? Já falei com o meu parceiro sobre isso?

Sugestões para uma vida em comum
depois de um ato de traição

- Deixe passar um tempo para que a situação se acalme.
- Defina com seu parceiro objetivos de relacionamento comuns. Cheguem a um acordo sobre novos objetivos de relacionamento, em curto e em longo prazo, que vocês gostariam de estabelecer.
- Esteja preparado para ouvir.
- Reconheça os sentimentos do seu parceiro.
- Tenha paciência. É necessário algum tempo para lidar com a tristeza, a raiva e a dor.
- Esteja preparado para aprender com o passado e para analisar os padrões de relacionamento que você criou.
- Observe que papel você exerce nesses padrões, em termos de comportamentos e atitudes tanto individuais quanto comuns.
- Tenha coragem de perdoar a si mesmo e a outras pessoas envolvidas.
- Esteja preparado para reinvestir em seu relacionamento.
- Trabalhe no sentido de deixar claras as suas necessidades e fale sobre elas com o companheiro.
- Juntos, reavaliem regularmente os acordos que fizeram.

4

Um Relacionamento Secreto – Ellie e Mary

À s vezes, do nada, ela surge como uma onda avassaladora. Você vive feliz com sua parceira há anos, e apesar dos altos e baixos de sempre, a vida em comum ainda é boa. Então, um dia, você conhece alguém que lhe causa uma impressão tão intensa, que você simplesmente não tem como não se apaixonar. O que começa com um simples bate-papo e um flerte inocente, rapidamente evolui para uma tensão inexorável que não deixa outra saída: dar um passo além. Você não quer perturbar as coisas em casa; de qualquer modo, sua parceira jamais compreenderia e, além disso, você não quer causar-lhe um sofrimento desnecessário. Assim, você guarda o sentimento para si. Logo acontece o primeiro beijo, seguido de abraços e mensagens de texto excitantes. Então, antes mesmo de perceber, vocês se envolvem num relacionamento sexual dos mais arrebatadores. O momento é tão maravilhoso que você quer continuar, é claro. Depois de algum tempo, você *de repente se dá conta: estou mantendo um relacionamento secreto. Você racionaliza ou reprime o seu sentimento de culpa até o momento em que a sua parceira descobre o seu segredo.*

Foi exatamente isso que aconteceu com Ellie e Mary.

Ellie, 47 anos, e Mary, 42, se conhecem há dezoito anos e moram juntas há quinze. Mary é a mãe biológica dos dois filhos delas. Ellie e Mary se amam muito. Como artista, Ellie é expressiva, adora surpresas e é cheia de vida e de iniciativa. Ela gosta de sair, passa o tempo com as pessoas de sua vasta rede de amigos e conhecidos e está sempre procurando novas maneiras de vender seus quadros. Mary trabalha como professora, proporciona uma renda regular para a família e cuida da casa. Ela é asseada, organizada, gosta de cozinhar e adora um lar aconchegante e confortável. O caráter de uma complementa o caráter da outra, apesar de serem muito diferentes, e sua vida tem sido maravilhosa ao longo dos anos. Uma nuvem, porém, se acumula no horizonte – o relacionamento íntimo que as uniu numa grande paixão quando se conheceram está agora abalado. Apesar de ainda se acariciarem bastante, quase não fazem mais amor. Mary sente pouca necessidade de sexo, e Ellie aceitou o fato de sua namorada ter menos desejo de intimidade do que ela. Apesar disso, Ellie jamais havia imaginado um relacionamento que envolvesse uma terceira pessoa. Ellie e Mary sempre tiveram uma relação estritamente monogâmica.

Algum tempo atrás, Ellie organizou uma exposição do seu trabalho e conheceu Anne, responsável pelo coquetel do evento. Anne tem 35 anos e é uma empresária dinâmica e apaixonada pelo setor de vinhos orgânicos. Ela é solteira e sentiu-se intensamente atraída por Ellie desde o momento em que a viu. Anne identificou esse mesmo impulso e essa paixão em Ellie quando essa lhe falou sobre sua arte. Depois da exposição, ambas permaneceram um pouco mais no local; Mary foi para casa a fim de liberar a babá. Ellie e Anne simplesmente não conseguiam parar de falar. Anne ficou muito impressionada com os quadros de Ellie e comentou que ela, Ellie, dava a impressão de não ter muito tino comercial. Anne parecia ter centenas de sugestões para a expansão da carreira artística de Ellie. As duas se entenderam tão bem que resolveram se ajudar em seus respectivos meios de subsistência. Ellie se ofereceu para apresentar os vinhos de Anne à sua rede de amigos e conhecidos, e Anne se propôs a ajudar Ellie a tornar sua arte mais visível ao mundo. Elas selaram o acordo com um beijo. Antes mesmo de perceber, outro beijo se seguiu, e depois outro. A adrenalina e a emoção dominaram Ellie, e antes de se dar conta ela estava perdida nos braços de Anne.

Ellie voltou para casa eufórica com aquele primeiro beijo trocado com Anne. Depois de chegar, porém, sentiu uma forte necessidade de ficar sozinha. Por sorte, Mary estava dormindo. Na manhã seguinte, agiu como se nada tivesse acontecido. Ela nunca imaginara que seria tão fácil esconder alguma coisa de Mary.

Ellie e Anne mantiveram contato. Anne continuava com o entusiasmo de sempre e passava frequentemente pelo estúdio de Ellie para conversar e sugerir novas ideias. Seus beijos e suas carícias se tornaram cada vez mais intensos até que finalmente, certa tarde, acabaram fazendo amor. Vendo agora, parece que não havia maneira de evitarem esse desfecho, pois tinham se tornado muito íntimas. Ellie absorvia muita energia desse contato com Anne. Não só a sua carreira artística progredia rapidamente agora, mas ela própria se sentia mais inspirada do que nunca havia se sentido durante anos seguidos. Também se deu conta do quanto perdera com a falta de uma vida sexual ativa e de como a sensualidade era importante para ela. Nesse período, ela não disse uma única palavra a Mary sobre a natureza da sua relação com Anne. Não gostaria de magoar Mary e tinha muito medo da reação dela. A última coisa que queria era pôr em perigo a sua situação familiar. Na realidade, porém, o contato com Anne era importante demais para ser interrompido. Seu relacionamento com Anne era um catalisador para sua nova jornada de autodescoberta. Anne era construtivamente crítica e desafiava Ellie a assumir uma atitude assertiva, especialmente em situações de negócios. Essa era uma postura totalmente diferente da de Mary, que achava as pinturas de Ellie bonitas, mas não parecia se importar muito com o fato de ela ser ou não bem-sucedida comercialmente. Além disso, Mary estava muito ocupada com seu próprio trabalho, com os filhos e com os afazeres domésticos.

Em casa, Ellie falava com entusiasmo cada vez maior sobre Anne. Mary desconfiou que a relação dela com Anne fosse mais do que simples amizade. Por fim, perguntou-lhe se havia algo mais nessa relação do que ela deixava transparecer. Ellie negou prontamente, dizendo que a única coisa que existia entre elas era intercâmbio comercial, que não havia absolutamente nenhum motivo para ciúmes. Mas de onde Mary havia tirado essas ideias? Depois dessa discussão, Mary ficou muito aborrecida consigo mesma e com remorsos por confiar tão pouco em Ellie. Disse a si mesma que deveria ficar feliz porque as coisas estavam melhorando para Ellie, que parecia muito mais contente ultimamente, coisa ótima de se ver. Ainda assim, continuava com o pressentimento de que algo não estava bem. Quando quis tocar no assunto novamente, Ellie reagiu com irritação... E então Mary não fez mais perguntas. Concluiu que era tudo coisa da sua cabeça – que estava imaginando coisas.

Quando Mary começou a fazer perguntas embaraçosas, Ellie percebeu que o passo da dissimulação para a mentira era muito pequeno. E surpreendeu-se novamente ao constatar como tinha facilidade para mentir para Mary. Ellie não queria magoar a companheira, e compreendeu que ela ficaria arrasada se soubesse o que estava de fato acontecendo. Ela amava Mary de verdade; não obstante, seus sentimentos por Anne eram mais fortes do que sua força de vontade, e assim, mesmo contra o seu melhor juízo, continuou a ver Anne em segredo.

Nada mais foi dito sobre o assunto – até a tarde em que Mary foi ao estúdio de Ellie inesperadamente. Ela entreabriu a porta e viu Ellie e Anne em uma situação que não deixava dúvidas do que estava acontecendo: estavam totalmente absortas uma na outra, a ponto de nem notarem que Mary havia entrado no estúdio. Mary fechou a porta bem devagar e saiu do prédio aos prantos. Depois de sair, a raiva explodiu. Então, estava mesmo acontecendo! Ela havia perguntado tantas vezes, e Ellie sempre negava. Não poderia mais negar agora. Quase como num filme, ela reviveu todos os acontecimentos dos meses anteriores. Tudo fazia sentido. Como pôde ser tão ingênua e ter acreditado em Ellie, e não na própria intuição?

Ao chegar em casa, Mary recolheu-se em si mesma, e quando Ellie chegou, não lhe disse nada. Esperava que Ellie dissesse alguma coisa, mas nada aconteceu. E então, quando Ellie disse algo bem trivial sobre Anne, Mary não conseguiu mais se conter... e explodiu. Como Ellie podia enganá-la daquele jeito? Será que não sabia o que aconteceria com o relacionamento delas? Elas tinham uma família! E agora? Como poderia confiar nela novamente? Ellie começou a chorar. Como poderia ter lhe contado? Ela não queria falar nada porque sabia que Mary ficaria muito magoada. É evidente que não queria ameaçar o relacionamento delas. Mas o contato com Anne era muito importante para ela e para sua carreira. Seus quadros estavam finalmente vendendo bem, graças a Anne!

Mary estava muito irritada e decepcionada para falar calmamente com Ellie. Quando as crianças se aproximavam, Mary fingia que estava tudo bem, mas é claro que as crianças sentiam a atmosfera pesada. Quando Ellie e Mary tentavam conversar, só giravam em círculos, culpando-se mutuamente. Depois de algumas semanas de frustração, concluíram que precisavam de ajuda profissional e entraram em contato com Leonie.

O estado de apaixonado e a Energia de um Novo Relacionamento (ENR)

Apaixonar-se é uma das realidades mais intensas e extraordinárias que podemos viver. Quando nos apaixonamos, toda a nossa visão de mundo se altera. A nossa capacidade de pensar claramente e de tomar decisões sensatas fica comprometida graças a uma combinação entre um coquetel bioquímico de hormônios liberados em nosso corpo e o tumulto emocional da Energia de um Novo Relacionamento (ENR). A ENR se forma no momento em que somos atraídos por outra pessoa e aumenta de intensidade à medida que nos apaixonamos e criamos relações íntimas. Entretanto, a ENR não dura para sempre; ela diminui lentamente ao longo dos meses e anos. Quando estamos repletos de ENR, a vida é totalmente diferente de quando vivemos um relacionamento estabilizado, permanente, em que os parceiros conhecem muito bem um ao outro. Muitas vezes, quando estamos em uma relação estável e prolongada, e nos apaixonamos por outra pessoa, vivemos esse momento como algo absolutamente extraordinário. É muito comum termos a sensação de que nunca vivemos algo assim com nosso parceiro ou nossa parceira, ou, se isso aconteceu, faz tanto tempo que da experiência resta apenas uma vaga lembrança. Ellie sentiu tudo isso quando se apaixonou loucamente por Anne. Assim, a forma como o relacionamento secreto entre Ellie e Anne começou não é incomum.

Quando nos encontramos numa situação como essa, muitos de nós não conseguimos encontrar forças para reagir racionalmente aos nossos sentimentos e ao que nos está acontecendo. Embora muitos que tiveram um caso amoroso digam que não poderiam tê-lo evitado, quase todos nós sabemos exatamente quando cruzamos a linha do que é certo e errado para nós. Isso não quer dizer que escolhemos conscientemente cruzar essa linha, mas que sabemos em retrospecto quando isso aconteceu. A decisão de continuar pode ser impulsiva, mas também pode ser porque em algum lugar dentro de nós concluímos que esse relacionamento é tão importante que não queremos deixá-lo passar. Mais ou menos conscientemente, decidimos continuar. No entanto, isso não significa que sempre avaliamos cuidadosamente as consequências para as nossas relações já existentes.

Do ponto de vista biológico, o ato de apaixonar-se produz efeitos consideráveis em nosso corpo. O puro e simples volume de hormônios liberados tem efeitos poderosos sobre os nossos sentimentos e o nosso comportamento, tornando muito difícil não sermos afetados. A antropóloga Helen Fisher realizou muitos estudos nessa área e compara o ato de apaixonar-se à dependência de substâncias químicas, pois ele afeta as mesmas partes do cérebro. A maioria das pessoas sabe como pode ser difícil interromper a ingestão de álcool, de analgésicos ou de outros medicamentos; lidar com a ENR não é mais fácil.

Lidando com a ENR

Pode parecer absurdo, mas uma das melhores coisas que podemos fazer quando a ENR nos prende em suas garras é dizer ao nosso parceiro o que está acontecendo. Isso porque ocultar e reprimir são duas coisas que ajudam a ENR a aumentar de intensidade. Com efeito, ao longo dos séculos, o amor proibido é um tema recorrente em dramas e tragédias. Lembre-se de *Romeu e Julieta* ou de *Tristão e Isolda*, em que os amantes morrem um nos braços do outro. Uma comunicação aberta e honesta com nosso parceiro pode nos livrar da turbulência e da fúria interna criadas pela ENR. De qualquer modo, em geral, o nosso parceiro sabe intuitivamente que alguma coisa está acontecendo. A transparência gera confiança e compreensão e também nos oferece boas oportunidades para expressar nossas emoções e nossos pensamentos. Isso pode nos ajudar a voltar aos pontos de equilíbrio e de paz e nos motivar a tomar decisões ponderadas. Quando é a paz interior que nos move à ação, fazemos escolhas que beneficiam a todos os envolvidos.

> *Compreender sem sentir não é humano.*
> *Sentir sem compreender não é sensato.*
> – EGON BAHR

Cinco atitudes que ajudam
a resistir à paixão

Às vezes, não queremos nos apaixonar, mas, apesar de todos os esforços que talvez façamos, descobrimos que é exatamente isso que está acontecendo. Seguem cinco atitudes que podem nos ajudar quando percebemos que estamos apaixonados:

1. **ASSUMIR RESPONSABILIDADE:** Reconhecer o nosso próprio papel na criação e na manutenção de novos relacionamentos.

2. **PÔR EM AÇÃO O NOSSO INTELECTO**: Usar a nossa capacidade de pensar racionalmente.

3. **PERMANECER CONSCIENTE**: Saber o que estamos fazendo – distanciar-nos e observar a situação como se estivéssemos do lado de fora.

4. **TER FORÇA DE VONTADE**: Identificar os nossos principais objetivos e persistir neles.

5. **TER DETERMINAÇÃO**: Depois de tomar a decisão de agir, agir.

Alguns de nós conhecemos muito bem as consequências de apaixonar--nos por alguém que não seja nosso parceiro, mas nos falta força de vontade e decisão para resistir a esses sentimentos. A resistência aos sentimentos depende em parte do nosso caráter e do nosso temperamento, mas é também afetada pela nossa capacidade de agir com independência. Se estivermos acostumados a tomar nossas próprias decisões, torna-se mais fácil evitar ceder aos sentimentos e desejos em momentos críticos. Assim, há relação direta entre autonomia e capacidade de lidar com a eventualidade de apaixonar-nos inesperadamente.

Em nossa primeira sessão, pedi a Ellie e Mary que me contassem, cada uma com suas palavras e sem interrupções, a própria versão do caso que as levou à minha prática. Enquanto eu ouvia Ellie, percebi que ela não havia desenvolvido totalmente algumas das competências e habilidades acima descritas. Ela simplesmente deixou-se levar durante a mostra de arte (depois de beber alguns copos de vinho "absolutamente excelente", misturados com a influência de uma boa dose de adrenalina que fora liberada com a emoção de conhecer Anne). Anne tomou a iniciativa de beijá-la, porém Ellie permitiu. Ellie estava totalmente ciente do que fazia, e sentiu um forte senso de responsabilidade com relação à Mary e sua família, mas faltou-lhe força de vontade e determinação para lidar com a situação de forma diferente. O fato de estar com Anne revelou a existência de sentimentos intensos que Ellie realmente esquecera e que eram muito mais fortes do que ela imaginava em sua relação com Mary. Ellie simplesmente não conseguiu pensar nas consequências em longo prazo do que estava fazendo. Seu bom senso a abandonou. Ela se sentia muito bem e permitiu que os sentimentos prevalecessem. Ellie descuidou de sua capacidade de pensar racionalmente, e assim sua força de vontade e sua determinação (o pouco que tinha) não foram chamadas a desempenhar sua função.

Quebra de confiança

A descoberta de que alguém traiu ou foi desonesto por um longo período de tempo produz uma ruptura quase irreparável nas relações de confiança entre dois parceiros. Stephen Covey, em seu livro *Os Sete Hábitos das Pessoas Altamente Eficazes,* fala de uma "conta bancária emocional" do relacionamento cujo lastro é a boa vontade, que por sua vez se constrói ao longo do tempo. Esse "equilíbrio de boa vontade" cai vertiginosamente quando a existência de um caso amoroso passa a ser conhecida. Recompor essa reserva de confiança depois de uma descoberta tão lamentável pode demandar uma quantidade enorme de tempo, esforço e investimento emocional.

Ellie e Mary têm certeza absoluta de que querem ficar juntas. Nenhuma delas pode sequer vislumbrar a ideia de uma vida sem a outra, e a família é extremamente importante para ambas. Para dar início ao processo de reconstrução do seu relacionamento, elas resolvem socorrer-se em um período de apaziguamento. Ellie concordou em, durante esse período, deixar sua relação física com Anne em banho-maria, desde que pudesse manter contato por e-mail e telefone. Isso foi difícil para Anne, mas ela demonstrou compreensão, paciência e disposição para apoiar Ellie e Mary durante esse penoso período. Mesmo assim, foi muito difícil para Ellie e Mary progredirem. Mary estava extremamente descontente com o fato de que Ellie mentira para ela durante tanto tempo e achava difícil pensar sobre um futuro juntas ou sobre como poderiam continuar. Como ela poderia voltar a confiar em Ellie? Mary achava muito difícil perdoar Ellie pelo que ela havia feito.

Perdoar significa esquecer o passado.
– GERALD JAMPOLSKY

Perdão

Podemos com facilidade, embora inadvertida e inesperadamente, surpreender-nos em situações semelhantes; e, a exemplo de Ellie e Mary, de um modo ou de outro, gostaríamos de desfazer o passado. Procedendo desse modo, resistimos à realidade do que aconteceu, e essa negação consome energia. Quando resistimos à realidade, não apenas perdemos energia, mas também nos tornamos dependentes. Quando nos prendemos ao passado, tornamo-nos vítimas dele e nunca assumimos responsabilidade plena por nós mesmos e pela situação.

Por mais que queiramos, *simplesmente não podemos mudar o passado*. O que podemos fazer é reconhecê-lo e aceitá-lo. Reconhecendo e aceitando o passado, liberamos toda a energia que estivemos usando para resistir a ele. Precisamos aceitar o que aconteceu antes de começar o processo de perdão ao nosso parceiro.

Perdoar é um passo difícil de dar, um passo que para muitos parece praticamente impossível. Achamos que perdoar significa de certo modo dizer que está tudo bem com o que o parceiro fez. Achamos que estamos dando ao outro permissão para fazer o que fez, que estamos relevando a situação e dizendo que o fato acontecido não tem mais importância. O perdão ao parceiro também pode sugerir certa incoerência com a dor que sentimos pelo que aconteceu. No entanto, perdoar não é absolutamente uma atitude que tomamos para fazer o nosso parceiro feliz ou para deixá-lo à vontade. Não se trata simplesmente de apagar o que aconteceu e seguir em frente. Quando perdoamos, não estamos dizendo ao nosso parceiro que concordamos com o que aconteceu e que de repente estamos dispostos a tolerar seu comportamento. Assim, se perdão *não* é nada disso, o que é, então?

Em última análise, perdão é uma afirmação para nós mesmos de que estamos tomando uma decisão consciente de não mais permitir que nossa vida seja definida pelo que aconteceu. Estamos optando por não mais deixar que o sofrimento e a tristeza causados por uma determinada situação governem a nossa vida. Quando definimos a nós mesmos em termos do nosso sofrimento, tornamo-nos dependentes dele. Em certo sentido, tornamo-nos vítimas da outra pessoa e entregamos a ela o nosso poder. O perdão é a escolha de retomar o controle da nossa vida encarando o futuro e concentrando-nos conscientemente em como podemos ter uma influência positiva sobre o hoje e o amanhã. Mas o perdão não acontece pura e simplesmente; ele requer alguns passos.

Sugestões para perdoar

- Esteja preparado para perdoar.
- Abandone toda a ideia de que o passado pode ou deve ser diferente.
- Reconheça a realidade e aceite-a.
- Tenha clareza sobre suas expectativas e decepções.
- Esteja preparado para adaptar ou modificar as suas expectativas.
- Examine e expresse os seus sentimentos de raiva e tristeza.
- Não alimente ideias de vingança ou de revide.
- Tenha compaixão do outro e veja o mundo através dos olhos dele.
- Desenvolva a autocompaixão.
- Receba e aceite o reconhecimento da outra pessoa pelo que ela fez.

Exercício: "Veja através dos meus olhos"

Não estava sendo fácil para Mary continuar seu relacionamento com Ellie. Durante minhas conversas com Mary, ficou claro que ela estava tendo problemas em aceitar que o seu conceito de "família" não era mais válido, agora que Ellie estava apaixonada por outra pessoa. Ela se perguntava o que havia restado de sua família, de "nós quatro juntos". Ela teria se enganado todo esse tempo? Afinal, o que Ellie estava pensando? Será que não levou em consideração o efeito de suas ações sobre a família? O que a família significava para Ellie? Mesmo estando fisicamente presente, Ellie não estaria pensando em Anne o tempo todo? Ela poderia perdoar Ellie realmente?

Quando perguntei a Mary o que ela precisava para seguir em frente, pareceu que, acima de tudo, ela teria de ser capaz de expressar seus sentimentos. Ellie vivia recomendando a Mary que parasse de olhar para o passado, o que deixava Mary com a sensação de que o obstáculo era ela. Ellie queria ir adiante, ao passo que Mary ainda precisa ter seus sentimentos reconhecidos. Havia uma clara diferença no ritmo com que

Ellie e Mary lidavam individualmente com o que tinha acontecido. Mary simplesmente não conseguia pensar em perdão enquanto seus sentimentos de raiva e tristeza não eram reconhecidos.

Cada um de nós precisa de quantidades de tempo diferentes para lidar com problemas, e esse fato se torna um dos maiores obstáculos na reconstrução de um relacionamento depois de uma traição. Muitas vezes, quem traiu tende a olhar para o futuro, enquanto quem foi traído precisa de mais tempo para lidar com sua dor. Aceitar que realmente causamos sofrimento ou que fomos magoados é um passo crucial para a recuperação. Uma maneira muito eficaz de aceitar a outra pessoa é ver as coisas do ponto de vista dela, ver o mundo através dos olhos dela.

Na sessão seguinte, dedicamos tempo aos sentimentos de Mary por meio do exercício "Veja através dos meus olhos". Primeiro, Mary dispunha de quinze minutos para dizer a Ellie tudo o que a estava incomodando, o que estava sendo difícil para ela, como se sentia e o que gostaria de mudar. A tarefa de Ellie durante esse tempo era ouvir, sem interromper e, sobretudo, tentar identificar-se totalmente com a perspectiva de Mary. Para isso, Ellie precisava deixar seus pensamentos de lado. Quando Mary terminou de dizer tudo o que precisava, elas trocaram de lugar e Ellie sentou-se na cadeira de Mary. Ellie imaginou ser Mary e contou a história novamente, como se fosse Mary falando. Para isso, as afirmações deviam começar com "Eu". Mary ouviu atentamente para verificar se Ellie havia captado corretamente o essencial da sua história. Esse exercício ajudou Mary a aprender a falar com honestidade e franqueza, e Ellie desenvolveu as habilidades da escuta ativa. Quando Mary ouviu suas próprias palavras na voz de Ellie, sentiu-se reconhecida. Esse foi um passo decisivo para ela, o que lhe possibilitou sentir-se preparada para entrever quais poderiam ser as etapas seguintes que ambas percorreriam. O exercício ajudou Ellie a entender que estivera avançando rápido demais; também ficou mais aliviada por compreender Mary melhor. Ela entendeu que precisava ser mais paciente com Mary.

Reconhecimento e compaixão

Muitas pessoas acham o exercício "Veja através dos meus olhos" embaraçoso e estranho. Apesar disso, trata-se de um exercício de comunicação importante. Em particular, a parte do exercício em que há troca de lugares permite à pessoa que contou sua história verificar se o parceiro ouviu tudo e lhe oferece a oportunidade de corrigir eventuais erros ou omissões. Às vezes, a coisa mais importante dita por alguém é exatamente a que o outro não ouviu ou reconheceu. O exercício também pode ajudar a esclarecer diferenças de nuances entre duas pessoas. Por exemplo, uma pessoa pode expressar um desejo que é interpretado pela outra como um pedido ou uma exigência.

O exercício também ajuda a desenvolver a autocompaixão, um elemento crucial quando se trata da capacidade de perdoar. Quando nos perdoamos e temos compaixão de nós mesmos, podemos também compreender que cometemos erros. Às vezes, os erros que cometemos causam sofrimento e então precisamos passar por um processo de provação. Ellie se culpa por não ter sido honesta e por ter magoado Mary profundamente. Será benéfico para ela, então, se puder sentir compaixão por si mesma. Além disso, o exercício favorece o desenvolvimento da capacidade de sentir compaixão pelos outros. Às vezes, culpamos os outros porque achamos que nunca faríamos o que eles fizeram.

AFIRMAÇÃO DE PERDÃO

Eu lhe perdoo por não ser como eu.
Eu lhe perdoo por não corresponder à minha imagem ideal.
Eu lhe perdoo por não ser perfeito.
Eu me perdoo pelas expectativas que tenho
para você, para mim, para o nosso relacionamento.
Eu me perdoo por não ser perfeito.

Eu lhe perdoo.
Eu me perdoo.
Eu esqueço tudo.

Por exemplo, Mary poderia pensar que se estivesse no lugar de Ellie teria feito escolhas diferentes. Pensando assim, ela parte da premissa de que Ellie entende, pensa e sente da mesma maneira que ela. Mas não é isso que acontece, absolutamente. Cada um de nós é único e pensa, age e sente de maneira diferente. Todos nós temos um caráter diferente uns dos outros, um caráter baseado em combinações únicas de qualidades, capacidades e pontos cegos. Equívocos assim acontecem o tempo todo. Costumamos tomar a nossa própria perspectiva como ponto de partida em nossos contatos com outras pessoas e não dispensamos a devida consideração às diferenças de personalidade. O exercício "Veja através dos meus olhos" pode levar-nos a ver as coisas do ponto de vista do nosso parceiro e, como resultado, a desenvolver a compaixão.

Vingança e revide

Muitas vezes, quando fomos enganados ou magoados, temos vontade de devolver a ofensa. Queremos que a outra pessoa sinta a dor que sentimos. De certo modo, queremos que haja uma igualdade de condições. Veja o termo "revidar". Se nós estamos sofrendo, queremos que a outra pessoa também sofra. Essa necessidade de justiça pode criar sentimentos de vingança. Todos nós temos diferentes formas de revidar, quer saibamos ou não.

Na sessão seguinte com Ellie e Mary, conversamos sobre vingança e acerto de contas. Que lugar esse sentimento ocupava no relacionamento? Mary observou que estava aborrecida não só porque Ellie a havia enganado, mas também porque não parecia triste. Ellie parecia ter mais facilidade para lidar com a situação. Mary se via andando de um lado para o outro, com um nó no estômago, lágrimas nos olhos e sentimentos fortes de tristeza e aflição. Ellie estava satisfeita a ponto de falar sobre outras coisas, e não chorava. Ela era positiva e dizia que poderiam resolver a situação juntas, bastando para isso que olhassem para o futuro. Mary achava que levava o relacionamento muito mais a sério do que Ellie. Ellie não deveria ficar mais chateada do que ela se realmente se preocupasse com o relacionamento? Em consequência do seu diálogo interno e das suas percepções, Mary começou a se distanciar de Ellie. Quando Ellie tentava abraçá-la, Mary se afastava. Na cama, Mary virava as costas para Ellie. Mary começou a negligenciar a casa e passou a não arrumar mais as coisas de Ellie, como se não se preocupasse mais com ela. Em centenas de formas quase imperceptíveis, Mary, inconscientemente, estava tentando revidar e até mesmo se vingar por seu desgosto.

Quando perguntei a Mary o que ela ganhava com esse comportamento, ela respondeu que esse modo de agir não a deixava feliz, absolutamente. Tão logo acabou de descrevê-lo, ela compreendeu que estava apenas afastando Ellie. Ellie percebeu que sua reação ao comportamento de Mary era esmorecer aos poucos e realmente não se importar mais; ao mesmo tempo, uma sensação de desespero insinuava-se. Sentia que não havia mais nada que pudesse fazer e não tinha ideia de como lidar com isso. Em vez de continuar tentando, ela simplesmente sairia de casa para evitar aborrecimentos. Com isso, Mary se sentiu ainda mais abandonada.

Por mais compreensíveis que possam ser, vingança e revide não contribuem para soluções verdadeiras; apenas afastam as pessoas. A satisfação em curto prazo pode produzir uma sensação agradável, mas acaba gerando mais desgaste. Antes mesmo de perceber, pessoas movidas pela vingança ficam presas em círculos negativos. É totalmente inútil continuar um diálogo interno baseado em pensamentos negativos com relação ao que está acontecendo. Os nossos pensamentos negativos podem afetar a nossa saúde porque a negatividade contínua estimula o nosso cérebro e desencadeia a produção do hormônio do estresse, o cortisol. Se esse processo se prolongar por muito tempo, podemos desenvolver sintomas como irritabilidade, depressão, comportamento exageradamente emotivo, perturbação do sono, amargura, ansiedade crônica e cinismo. Por isso é importante aprender a expressar e então liberar as nossas emoções negativas e trazer à consciência os nossos desejos de vingança e os comportamentos desencadeados pelo revide. Uma estratégia melhor é falar sobre os nossos sentimentos de tristeza e raiva. Também ajuda se o parceiro reconhece os nossos sentimentos sempre que necessário, mesmo que isso possa parecer uma repetição inútil.

Há várias maneiras de expressar as nossas emoções negativas, nem todas verbais. Por exemplo, pode ser bom simplesmente escrever o que sentimos. Alguns obtêm bons resultados com uma expressão física da emoção, como bater num colchão ou travesseiro, correr ou praticar algum tipo de movimento. Ao fazer isso, podemos usar a energia liberada de forma positiva e romper círculos de comportamento negativo.

Em outra sessão, pedi a Ellie e Mary que realizassem um exercício em casa. Elas deveriam reservar dez minutos todos os dias para se expressar uma com a outra. Nesses dez minutos, elas não poderiam discutir – deviam apenas escutar ativamente. O objetivo era perceber claramente o que movia a parceira e aprender a se expressar de forma aberta e positiva.

Na sessão seguinte, elas comentaram que essa não havia sido uma tarefa fácil para nenhuma delas. Ficou claro que era bem difícil esquecer os comportamentos antigos, pois sempre voltavam ao seu hábito de discutir. Assim, repetimos o exercício "Veja através dos meus olhos". Agora era a vez de Ellie. Com uma terceira pessoa presente, Ellie reencontrou sua capacidade de falar livre e abertamente. Ela se permitiu falar sobre as necessidades que escondera de Mary até esse momento – como sua necessidade de ter uma vida sexual ativa e prazerosa. Ficou claro que sexo era um componente importante da sua personalidade, e importante para o seu relacionamento. Ela não pretendia fingir que isso não era mais assim. Falou também da importância de Anne para o seu desenvolvimento pessoal, o que não tinha nada a ver com Mary; simplesmente Anne é diferente. Para Ellie, tudo está perfeitamente bem com Mary, e a ama como ela é. Ela não quer que Mary mude. No entanto, Ellie tem necessidade de crescer e de desenvolver outros aspectos de si mesma, facetas que Anne reavivou.

Mary teve dificuldade para retornar a Ellie o que ouvira, pois para ela era realmente complicado ver as coisas do ponto de vista de Ellie. Era muito estranho falar das necessidades de Ellie como se fossem suas próprias. Ela compreendeu um pouco mais como elas eram diferentes. Embora soubesse desde sempre que era diferente de Ellie, até certo ponto negligenciara a verdadeira identidade de Ellie. De repente, uma Ellie mais autêntica se revelou a Mary, e ela entendeu que Ellie buscava um desenvolvimento pessoal mais profundo. Isso assustou Mary, pois ela não tinha ideia das consequências que adviriam para o relacionamento delas. Ao longo dos anos, ela voltara toda a sua atenção à parceria e à família que haviam constituído e queria fazer o máximo possível junto a Ellie. Assim ela se sentia forte e envolvida. Quando passamos a examinar mais profundamente o relacionamento de Ellie e Mary, muitos sinais de codependência vieram à tona.

Relacionamentos codependentes

Num relacionamento codependente, os parceiros se integram de tal modo que quase podemos falar em unidade absoluta. Muitas vezes, um parceiro é dominante e o outro, subserviente. O parceiro dominante não pode viver sem a dependência e o amor do parceiro subserviente. Esse, por sua vez, apoia-se no parceiro dominante e não gosta de tomar decisões ou de assumir riscos. A base da relação codependente é que cada parceiro busca no outro o que lhe falta, criando-se assim uma sensação de segurança. Fazendo isso, porém, ambos acabam intelectual e emocionalmente atrofiados. Além disso, nenhum dos parceiros é verdadeiramente independente e autônomo, uma vez que suas identidades pessoais não são levadas em consideração. Relacionamentos codependentes sempre se estabelecem à custa de um dos parceiros ou de ambos.

Muitas mulheres têm fortes desejos de união, intimidade e um senso de conexão de alma. Em relacionamentos unicamente femininos, as necessidades são frequentemente satisfeitas com facilidade, pois ambas as parceiras podem ter desejos semelhantes. Muitas mulheres tendem a se concentrar na relação e na intimidade. Cuidar-se mutuamente e envolver-se na vida uma da outra são aspectos importantes desses relacionamentos. Mas há uma armadilha: uma grande possibilidade de que a individualidade de cada parceira desapareça, que os limites se tornem menos claros e que as duas se liguem por meio de um sentimento de felicidade. Como passam cada vez mais tempo juntas, as parceiras se grudam cada vez mais uma à outra. A necessidade de intensidade e união suprime a autonomia, a autodireção e a independência.

É fantasioso esperar que o nosso parceiro supra a todas as nossas necessidades e aos nossos desejos. Se tentarmos nos prender demasiadamente ao nosso parceiro ou aos nossos relacionamentos, acabaremos imobilizados. Nos relacionamentos verdadeiramente sustentáveis, os parceiros se proporcionam espaço suficiente para que cada um continue a se desenvolver como indivíduo. Assim, como indivíduos autônomos, podemos sempre optar por permanecer juntos em relacionamentos saudáveis. O livre-arbítrio é sempre mais forte e mais criativo do que os padrões habituais.

A lei da elasticidade

Todo relacionamento necessita de um elemento saudável de tensão, de elasticidade. Se o primeiro parceiro se afasta um pouco do segundo, a tensão no elo entre eles aumenta, e o segundo parceiro tenderá a se aproximar do primeiro. Por outro lado, se o primeiro parceiro se aproxima demais do segundo, a tensão se dilui e o segundo se afastará para restabelecê-la. Movimentos como esses acontecem o tempo todo em relacionamentos saudáveis. Ambos os parceiros podem fazer isso facilmente quando têm um sentido de autonomia bem desenvolvido. Quando somos autônomos, decidimos o que é bom para nós. Assumimos a responsabilidade por nossas ações e ousamos fazer escolhas importantes. Não somos dependentes das reações das pessoas ao nosso redor. Estamos preparados para aceitar os riscos inerentes às escolhas que fazemos. Nutrimos o desejo de estar no comando da nossa própria vida.

Em relacionamentos saudáveis, autonomia e vinculação equilibram-se reciprocamente. Autonomia não significa que simplesmente fazemos o que nos apetece. Ao contrário, fazemos escolhas em conjunto com base no que é bom para nós e no que é bom para o nosso parceiro, a nossa família, a vizinhança etc. Em outras palavras, equilibramos o que é bom para os outros com a nossa própria necessidade de autonomia. Quando temos um sentido bom e equilibrado de autonomia pessoal – e sabemos como manter e manifestar a nossa identidade – normalmente somos muito mais atraentes para nosso parceiro. Essa atração, por sua vez, pode aumentar o desejo do parceiro de estar conosco; e a paixão em nosso relacionamento com frequência aumenta.

Ellie reconhece que, em seu relacionamento com Mary, é quase sempre ela quem se afasta e cria distância. Mary, por sua vez, vê que é ela quem geralmente procura se aproximar de Ellie. Na área sexual, porém, a dinâmica é exatamente o oposto. Mary tem pouco interesse em fazer amor; Ellie é quem normalmente toma a iniciativa. Nesse meio-tempo, Ellie descobriu que seu relacionamento sexual com Anne é uma verdadeira fonte de energia positiva e, como consequência, se sente muito melhor consigo mesma.

Mary reconhece e compreende isso, mas o simples fato de imaginar Ellie e Anne fazendo amor lhe é insuportável. No entanto, ela tem consciência de que a sua necessidade de contato sexual é muito menor do que a de Ellie. Na realidade, sempre foi assim, mas nos últimos anos diminuiu ainda mais. Mary também admite que esteja muito preocupada com o que suas amigas lésbicas vão dizer se descobrirem o que está acontecendo entre Ellie e Anne. A comunidade lésbica a que pertencem é bem fechada, mas Mary não quer discutir com as amigas sobre o que está acontecendo; tudo é muito confuso para ela.

Se você fez o que fez,
você tem o que tem.
– EXPRESSÃO HOLANDESA

As perguntas, então, tanto para Ellie como para Mary, são: "O que eu posso fazer de modo diferente?" e "Pelo que eu quero assumir responsabilidade?". Pedi a elas que fizessem uma lista das respectivas necessidades. Em seguida, elas repassaram suas listas, ponto por ponto, e explicaram como poderiam garantir pessoalmente que cada necessidade fosse atendida e como a outra poderia ajudar. Mary disse que precisa de mais tempo consigo mesma para descobrir o que é importante para ela. Praticamente, isso significa que faria uma grande diferença se Ellie pudesse voltar para casa mais cedo à noite para cuidar das crianças. Disse também que gostaria de saber mais sobre o que Ellie pensa, para poder compreendê-la melhor. Elas concordaram em reservar dez minutos todos os dias para Ellie falar sobre os seus sentimentos e sobre o que é importante para ela.

Ellie, por sua vez, disse que queria mais do que simplesmente aconchegar-se com Mary. Elas combinaram que ambas tomariam a iniciativa quando se tratasse do contato sexual e que Mary tentaria ser menos reticente. Ellie também disse que gostaria de restabelecer o contato com Anne – mais do que apenas por telefone e por e-mail, como acontecia no momento. Mary disse que estava disposta a aceitar isso, mas que achava muito difícil. Elas finalmente chegaram a uma solução provisória. Durante os três meses seguintes, Ellie veria Anne novamente, mas não diria a Mary onde seria e não contaria quando fizessem sexo. Na verdade, essa seria exatamente a mesma situação de quando Ellie estava traindo, só que agora seria com a aprovação tácita de Mary. Durante esse período, Mary e Ellie trabalhariam para reforçar a autoconfiança e a capacidade de autonomia. Concordaram em rever o acordo após três meses, quando então falariam sobre seus anseios e desejos para o futuro e fariam novos acordos sobre a forma que o relacionamento assumiria.

Encontrando o nosso próprio caminho

Cada pessoa é única, assim como é único cada relacionamento. Tanto as soluções que dão bons resultados como as que não dão bons resultados são sempre surpreendentes. Para algumas pessoas, uma situação em que um parceiro se relaciona com uma terceira pessoa, mantendo o fato em segredo, nunca dará bons resultados, porque elas se sentem muito sintonizadas uma com a outra, e nada seria secreto. Para outras, a necessidade de abertura e honestidade é muito importante e simplesmente não seria correto ignorar questões relevantes. Para Ellie e Mary, contudo, o acordo de três meses – "vá em frente, mas não me fale sobre isso" – constitui uma solução temporária que reintroduz a paz em suas vidas, pelo menos até certo ponto. É uma tentativa de crescimento e um verdadeiro sinal de amor por parte de Mary fazer esse ajuste.

A recompensa pode ser enorme quando ousamos aceitar os desafios de explorar e descobrir o que funciona para nossos relacionamentos exclusivos. Se uma solução não é adequada, o que fizemos foi apenas aproximar-nos de uma solução viável, pois eliminamos uma possibilidade. Tornamo-nos mais ricos com nossas experiências e passamos a nos conhecer muito melhor. E, mais importante de tudo, podemos reconstruir a confiança permanecendo em contato com nossos parceiros, conversando e cumprindo os acordos que fazemos.

O SURGIMENTO DO
RELACIONAMENTO IGUALITÁRIO

Durante milhares de anos, os relacionamentos pessoais íntimos e os casamentos foram definidos por normas culturais e sociais. Na esmagadora maioria das sociedades, onde quer que estivessem ou estejam localizadas, a norma tem sido relacionamentos patriarcais, hierárquicos. Em outras palavras, há uma estrutura de poder e de economia claramente definida com relação ao casamento, e eram os homens que estavam no comando. Isso se aplica tanto aos casamentos monogâmicos como aos poligâmicos e, em grande parte, essa situação continua até o presente. No entanto, uma mudança está acontecendo e ela é irrefreável.

A antropóloga Helen Fisher, autora de *Why We Love: The Nature and Chemistry of Romantic Love*, identificou duas principais tendências que estão promovendo essa mudança nos relacionamentos: a crescente independência das mulheres e o fato de que as pessoas estão vivendo mais tempo. Mulheres em número cada vez maior, especialmente na Europa e na América do Norte, estão descobrindo que não dependem mais dos homens para sua segurança econômica. Ao mesmo tempo, muitas delas estão reavaliando suas vidas. Estão descobrindo que definir-se exclusivamente como mãe solícita ou como profissional bem-sucedida é algo muito limitado.

Simultaneamente, um número crescente de homens está rejeitando o papel estereotipado do chefe de família machista e explorando novos e multifacetados modos de ser. Tanto homens como mulheres estão descobrindo que as tradicionais relações hierárquicas simplesmente não atendem às suas necessidades. Essas tendências são fatores importantes nos índices de divórcio que aumentam velozmente entre casais na faixa dos 40 anos.

Como resultado, muitas pessoas estão buscando formas novas e conscientes de relações não hierárquicas. Em vez de simplesmente conformar-se com papéis definidos pela sociedade, as pessoas estão criando relações baseadas na boa comunicação, em acordos claros e, acima de tudo, na percepção de que cada pessoa num relacionamento está em igualdade de condições. Esses relacionamentos igualitários têm um valor subjacente: as pessoas têm direitos iguais e todos os parceiros têm necessidades legítimas de desenvolvimento e de expressão pessoal. Se essas necessidades não são satisfeitas de forma saudável, o relacionamento acabará encontrando dificuldades.

Para muitos casais, o desenvolvimento de relações igualitárias incentiva a percepção de que algumas necessidades individuais não podem ser satisfeitas totalmente nos limites de um relacionamento monogâmico. Por isso, esses casais estão conscientemente examinando alternativas, como a dos relacionamentos abertos, por exemplo. Relacionamento aberto é aquele em que cada parceiro tem a opção de explorar e manter vínculos com outras pessoas com o conhecimento e a aprovação do outro. Esses vínculos podem ser breves ou longos, sexuais ou platônicos. O aspecto mais importante nesses relacionamentos igualitários é que os parceiros reconhecem totalmente os direitos e as necessidades um do outro e estão empenhados em encontrar formas de se estimular mutuamente para crescer e se expressar plenamente. Esse exame, se feito de forma séria e consciente, promove o aprofundamento e o amadurecimento das relações.

Perguntas que você pode fazer a si mesmo de tempos em tempos

- Como lido com a paixão?
- O que preciso para ter condições de perdoar?
- Como reconheço meu parceiro pelo que ele é?
- Como tenho compaixão por meu parceiro e por mim?
- Como crio espaço para mim e mantenho minha identidade?
- Como apoio a individualidade do meu parceiro?

Sugestões para desenvolver a autonomia

- Examine os seus desejos, limites, anseios e o que o motiva. Arrisque-se a criar espaço para si mesmo.
- Descubra o que é importante para você e por quê. Examine os seus valores e as suas normas: em que se baseiam suas opiniões?
- Decida-se a agir e faça o que gosta. Se não sabe do que gosta, pense na sua infância: O que você gostava de fazer? Como poderia fazer isso hoje?
- Diferencie pensamentos e sentimentos. Você tem sentimentos, mas não são os seus sentimentos. Aprenda a governar os seus sentimentos em vez de deixar que eles o governem. Não se identifique com os sentimentos.
- Transforme pensamentos que bloqueiam ou restringem em afirmações positivas e pensamentos de apoio. Faça uma lista de pensamentos de apoio que podem estimulá-lo à ação. Por exemplo, "Não sou bom o suficiente" pode tornar-se "Está tudo bem com o meu jeito de ser nesta fase da minha vida".
- Desenvolva a autocompaixão: aprenda a se ver de uma maneira suave, respeitosa e amorosa. Você tem permissão para ser diferente. Veja-se com compaixão e afaste a tentação de se considerar vítima.

5

Amor no Local de Trabalho – Mônica

Você está feliz como solteira e tem uma excelente relação profissional com um colega. Vocês se valorizam e se respeitam mutuamente e realizaram muita coisa juntos. Gravitam frequentemente em torno de novas ideias e têm em comum o mesmo senso de humor. Certo dia, diante de uma situação pessoal inesperada, você recorre à ajuda do colega. Como consequência, o relacionamento muda e aos poucos vocês começam a desenvolver um carinho e afeto mais profundo um pelo outro. Acontece, porém, que o seu colega é casado, e você sabe que não é possível comprometer-se com uma relação mais séria. Ainda assim, não há como negar: vocês nutrem sentimentos um pelo outro. E agora, o que você faz?

Mônica também se fez essa pergunta.

Mônica, 44 anos, trabalha num hospital como enfermeira-chefe na sala de cirurgia. É divorciada há cerca de oito anos e gosta da sua vida de solteira. Mônica é uma mulher dinâmica e autônoma que sabe aproveitar a sua independência e a liberdade de fazer as próprias escolhas. Ela adora o seu trabalho e se sente bem no hospital. Seu colega Vítor, 51 anos, é um neurocirurgião de renome internacional com reconhecimento no mundo da medicina. Está casado com Antonia há 23 anos e tem três filhos – dois adolescentes e uma menina de 8 anos de idade.

Mônica e Vítor mantêm um bom relacionamento profissional e passam muito tempo juntos no hospital. Vítor é um homem simpático, atencioso e confiável. É íntegro, comunica-se bem e sempre encontra tempo para ouvir seus pacientes. Mônica gosta muito de Vítor. Eles se dão muito bem intelectualmente, fato que se revelou muito oportuno recentemente, quando o hospital passou por uma profunda reorganização. Eles discutiram várias ideias e como resultado apresentaram diversas soluções muito oportunas para alguns problemas inquietantes que haviam surgido.

Mônica admira Vítor e gostaria que todos os médicos com quem trabalha fossem iguais a ele. Ela o acha muito atraente, com seus olhos azul-claros e suas mãos habilidosas e sensíveis; secretamente, ela nutre fantasias eróticas com ele. Porém, ela sempre quis manter uma relação puramente profissional com Vítor e certamente não gostaria de criar uma situação embaraçosa para nenhum deles. Ela sabe que um caso amoroso provavelmente criaria problemas e dificuldades. Ela foi testemunha desse drama quando uma enfermeira conhecida sua teve um caso com um médico casado. Essa enfermeira acabou sendo obrigada a se demitir. Por isso, Mônica guarda seus sentimentos para si. No trabalho, Vítor era apenas um colega e continuou a ser... até o dia em que a mãe de Mônica adoeceu.

Depois de uma bateria de exames, verificou-se que o prognóstico não era bom. A mãe mora cerca de uma hora da casa de Mônica e os exames foram feitos em um hospital local. Os resultados iniciais indicaram que a mãe tinha um tumor cerebral. Na opinião de Mônica, o tratamento indicado não era o melhor, e ela levou essa impressão para Vítor, que, como sempre, estava pronto para ouvir. Depois de Mônica explicar o que sabia sobre os resultados dos exames, Vítor se prontificou a dar uma segunda opinião. Mônica ficou na dúvida, pois isso implicaria inúmeros deslocamentos para a mãe, mas por fim a sua confiança em Vítor dissipou suas objeções internas. Ela convenceu a mãe a consultar Vítor.

Acontece que ele não gostou nada dos procedimentos propostos pelo outro hospital e sugeriu uma cirurgia alternativa, embora mais arriscada, que ele mesmo realizaria. Depois de meticulosa análise, Mônica e a mãe concordaram com o novo plano.

Foi um período difícil, cheio de tensão e preocupações. Mônica ficou muito contente com a possibilidade de dividir suas aflições com Vítor, ainda que nem sempre conseguisse manter suas emoções controladas. Em consequência do apoio emocional e intelectual de Vítor e da necessidade de Mônica, o relacionamento deles começou aos poucos a assumir uma nova feição. Vítor percebeu que pensava cada vez mais em Mônica e que desejava estar perto dela. Como profissional, no entanto, ele se concentrou na cirurgia que, para alívio de todos, foi muito bem-sucedida. A análise dos resultados da operação mostrou que o diagnóstico de Vítor e o tratamento recomendado haviam sido corretos. Mônica compreendeu que precisava agradecer a Vítor o fato de sua mãe ainda estar viva. Ela não queria nem pensar no que teria acontecido se a mãe tivesse sido tratada no hospital local. Estava muito feliz e aliviada! Então sugeriu que seria ótimo se pudessem comemorar o sucesso do tratamento e propôs a ideia de uma refeição apenas para os dois em um restaurante local de grande prestígio. Depois de um momento de hesitação, Vítor aceitou.

O jantar realizou-se três semanas depois. Mônica esmerou-se para ter uma boa aparência e vestiu um dos seus trajes mais atraentes, decotado. Instintivamente, ela sabia que essa era uma oportunidade única para passar algum tempo com Vítor em um ambiente não profissional. Quando chegou ao restaurante, Vítor já esperava por ela. Pela primeira vez, ele viu Mônica em um deslumbrante vestido de noite, confirmando sua atração por ela. Não conseguindo esconder seus sentimentos, ele corou quando avistou o decote, fato que não escapou à atenção de Mônica. No mesmo instante, ela percebeu que a atração era mútua e ficou totalmente confusa. Ela jamais poderia imaginar uma situação assim! Ele sempre falava com tanto carinho sobre a esposa e a família... Será que estaria realmente interessado nela? Sentados à mesa, saboreando uma deliciosa refeição, ela podia sentir o clima entre eles. Foi uma noite inesquecível. Descobriram que ambos são grandes admiradores de ópera e de música clássica, o que nunca fora objeto das suas conversas. Vítor entrou num território desconhecido quando perguntou a ela sobre sua vida amorosa e começou a provocá-la. Era quase como se não conseguisse manter seus sentimentos sob controle. Mônica correspondeu.

Também se deu conta de que tinha um certo poder que poderia usar. Foi fascinante ver que podia levar um homem sempre tão seguro de si a essa agitação interior. Ela se sentiu totalmente à vontade em seu poder e em sua feminilidade. A tensão entre os dois continuou a aumentar pelo resto da noite e instintivamente eles se beijaram ao se despedir. Então o choque do beijo instintivo atingiu os dois, tornando as despedidas um tanto encabuladas.

Nos dias seguintes, Mônica notou que Vítor a evitava. Ele nem sequer entreabriu a porta da sala dela para uma conversa rápida, como sempre fazia. Ela imaginou que ele estava se sentindo culpado pelo que havia acontecido. Algumas semanas depois, eles quase esbarraram um com o outro na sala dos funcionários. Vítor procurou afastar-se, mas Mônica o puxou pelo jaleco. Perguntou a ele o que estava acontecendo. Disse-lhe que realmente apreciara aquela noite juntos, mas que, no que lhe dizia respeito, ainda eram colegas e sentia falta do contato amigável que sempre tivera com ele. Vítor respondeu deixando claro que ela não devia esperar nada dele. Não queria perder a família e certamente não estava interessado em ter um caso. Depois que ele disse isso, ambos se sentiram aliviados e Vítor parou de evitá-la.

Entretanto, nem tudo continuou como era antes. Quando ninguém estava por perto, Vítor flertava com Mônica. Seus olhares diziam tudo. Em situações públicas, ele voltava ao seu comportamento profissional. Ocasionalmente, quando estavam a sós, Vítor provocava Mônica perguntando-lhe se ela havia sonhado com ele na noite anterior; em seguida, confessava que também havia pensado nela a noite toda. Então tocava-lhe a testa com os lábios, deixando-a bastante confusa e surpresa. Certa vez, contou-lhe que havia sonhado com ela usando seu vestido de noite, só que dessa vez o vestido se soltou... Quando os colegas estavam presentes, Vítor reassumia a sua postura reservada e profissional. Por um lado, Mônica gostava de tudo isso. Ela gostava da amizade deles, dos seus momentos de galanteio, e estava feliz porque haviam restabe-lecido o contato. Por outro, estava decepcionada porque Vítor continuava a deixar claro que nada aconteceria além disso. Sua família estava e sempre estaria em primeiro lugar. Mônica se via cada vez mais emara-nhada nessas emoções conflitantes. Havia chegado o momento de alguém ajudá-la a pôr tudo isso em ordem – alguém que não conhecesse a ela nem a Vítor e que pudesse ver a situação com imparcialidade. Movida por esse propósito, ela marcou uma entrevista com Leonie.

Quando os relacionamentos mudam

Quase todos nós conhecemos o fenômeno do amor à primeira vista. Numa fração de segundo sabemos: isto é diferente. Podemos também conhecer a situação em que o amor se desenvolve gradativamente entre duas pessoas. Podemos saber, por exemplo, que uma relação de amizade ou de trabalho pode mudar em consequência de algum evento importante em nossa vida. Trocar emoções ou pensamentos importantes com alguém pode criar certa intimidade. De repente, descobrimos que a visão familiar de nossos amigos ou colegas nos toca de uma maneira diferente. É quase como uma onda de amor que flui dentro de nós. É confuso, e podemos ficar hipersensíveis às nossas reações quando a outra pessoa está por perto. Sentimos uma agitação que nunca percebemos antes. Depois de enveredar por esse novo caminho, é comum pensarmos que não há mais volta. O amor nos inunda e não temos como detê-lo. Foi isso exatamente que Vítor descobriu em sua interação com Mônica. Mônica, porém, tinha consciência de sua atração por Vítor.

O que fazer com essa mudança de sentimentos? Arriscamo-nos a reconhecê-los? Eles são permitidos? Algumas pessoas podem administrá-los com mais facilidade do que outras.

Se admitimos alimentar sentimentos por alguém, chegará um momento em que teremos de encarar esses sentimentos. Não será mais possível reprimi-los ou racionalizá-los, por mais tentadoras que essas opções possam ser. Algumas perguntas logo surgem: O que esses sentimentos significam para mim? Como afetam a minha vida? Como afetam a vida e a família do meu parceiro? E o que dizer sobre o meu relacionamento atual? As respostas que damos a essas questões dependem de diversos fatores:

- o nosso caráter;
- as escolhas que fizemos e as experiências de vida que tivemos anteriormente;
- se nos consideramos poliamorosos ou não;
- se estamos abertos a relacionamentos (complementares);
- se somos apoiados por nossos amigos íntimos e familiares;
- a cultura em que vivemos e sua influência sobre nós;
- as normas da sociedade em que vivemos;

- os nossos próprios valores e as nossas normas;
- os valores e as normas da pessoa que amamos;
- os valores e as normas do parceiro dessa pessoa;
- as consequências a curto e longo prazo para todas as partes envolvidas.

Todos esses fatores influenciam os nossos processos de tomada de decisão. Seremos abertos, poderemos ou ousaremos abrir-nos sobre os nossos sentimentos? Podemos manter a nossa vida em equilíbrio, sem que tudo desabe?

Quando Mônica chegou para a entrevista, vi uma mulher forte e poderosa, mas também uma pessoa confusa com emoções intensas. Enquanto falava de Vítor, seus gestos se tornaram amplos, animados e ela mesma foi ficando visivelmente corada. A situação lhe era claramente incômoda. Perguntei-lhe o que sentia. Ela não sabia mais. Estava confusa, pois sua vida, até então bem organizada, virara pelo avesso em razão da mudança no relacionamento com Vítor. Ela disse que não queria fazer nada que pusesse em perigo o casamento ou a família dele. Embora se sentisse bem com a atenção especial que Vítor lhe dedicava, ela não queria se aproveitar da situação para seus próprios fins, flertando com ele. Ela o respeitava como médico e como pessoa e o via, no mesmo nível de importância, como marido de outra mulher e como pai.

Perguntei o que ela achava do fato de Vítor flertar com ela às vezes. Um olhar apaixonado e sonhador desanuviou o seu semblante. Ela admitiu que realmente gostava disso. Era maravilhoso sentir que podia afetá-lo tão intensamente. Por outro lado, não conseguia suportar. Isso complicava tudo. "Eu realmente devia ficar furiosa com ele!", ela gritou. "Você está furiosa?", eu perguntei.

Pedi a Mônica que se recolhesse em um lugar de silêncio interior e concentrasse a atenção nos seus sentimentos quando imaginava Vítor flertando com ela. O que ela sentia em seu corpo, e onde? Ela apontou para a barriga, para o peito e para a garganta. Ela se sentia surpresa, feliz, com raiva, irritada, frustrada, impotente e triste. Era uma mistura de emoções positivas e negativas. Não era de se admirar que se sentisse confusa e não tivesse ideia do que fazer! Quando perguntei o que a incomodava mais, ela respondeu: "a contradição entre os meus sentimentos de ter poder e ao mesmo tempo de ser impotente".

Ninguém pode fazer você se sentir inferior
sem o seu consentimento.
– ELEANOR ROOSEVELT

Poder e dependência

Num relacionamento, só podemos ter poder sobre o outro se ele nos delega esse poder e nos permite exercê-lo. Poder e dependência estão, portanto, indissociavelmente ligados. Se uma pessoa lidera e a outra automaticamente a segue, significa que o seguidor deu poder ao líder e assumiu uma posição de dependência. A consequência é que o liderado pode ficar com uma sensação de impotência. Se seguimos simplesmente porque isso parece evidente por si só e não como resultado de uma escolha consciente, ou se estamos sempre nos adaptando aos desejos e limites do outro, nós entregamos o nosso poder e nos tornamos realmente impotentes. E mais: sempre há o perigo de perdermos a percepção dos nossos próprios limites quando permitimos que as definições da outra pessoa assumam a prioridade sobre as nossas. Mônica está se debatendo com essa realidade.

O poder é temporário
e é algo que os outros lhe dão.
A força é infinita e vem de você mesmo.
– MARIJKE LINGSMA

Mônica achava que tinha poder quando Vítor flertava com ela ou quando ele revelou que se sentia atraído por ela. Era ele quem tinha um relacionamento e uma família. Ela era solteira e, portanto, também livre para decidir se devia ou não corresponder aos estímulos dele, o que lhe dava a sensação de estar no comando. Essa sensação se transformou rapidamente em um sentimento de impotência quando Vítor lhe disse que não estava interessado em alimentar um relacionamento com ela e em seguida se distanciou. O sentimento de impotência ocorre quando acreditamos que temos poucas ou nenhuma opção disponível e não há mais nada a fazer senão operar dentro dos limites estabelecidos pelo outro.

No seu relacionamento profissional anterior com Vítor, Mônica identificava exatamente seus limites: ela alimentava fantasias próprias relacionadas a ele, mas as guardava para si mesma. Seu emprego e seu profissionalismo eram muito importantes para que ela agisse de outra maneira, e ela também não queria interferir no casamento de ninguém. Fazer isso seria desrespeitar os seus próprios valores e as suas normas e comprometer o seu senso de integridade. Isso tudo mudou no momento em que a atração entre eles se intensificou.

Embora Mônica não quisesse absolutamente manter um relacionamento com um homem casado, ela se surpreendeu respondendo às insinuações dele. De repente, ela não sabia mais o que fazer com seus sentimentos por ele e, com a mudança no relacionamento, deixou de ter segurança com relação aos limites. Ela se deixou conduzir por Vítor: ele decide o que fazer – ou o que não fazer. Ela gosta dos apelos sedutores dele e também do fato de poder tirá-lo um pouco do equilíbrio. No entanto, quando Vítor se afasta e se isola – veste sua *persona* mais formal –, ela se sente rejeitada e insegura. O que Vítor quer realmente? O que Mônica quer? Ela adoraria ceder ao seu desejo de seduzi-lo, mas isso contraria a sua natureza toda. Sua razão lhe diz claramente: esse homem não é para você. Ele está escolhendo ficar com sua esposa e com sua família. E agora?

Estimulei Mônica a fazer o papel de advogado do diabo usando uma técnica chamada "provocação dirigida". Esse é um método que antes cria um pouco de caos para depois restabelecer a ordem e a clareza. Descrevi inúmeros cenários imaginários com situações e resultados exagerados. Isso tudo foi feito a partir de um espaço de amor, empatia e total atenção de minha parte. Disse-lhe que se trata de um procedimento simples. Tudo o que teria a fazer é seduzir Vítor e passar uma noite inteira com ele. Ele então compreenderia o que ela realmente significa para ele. Afinal, o amor entre ambos era tão forte que a melhor coisa que poderiam fazer seria simplesmente aprazer-se e entregar-se sem reservas. Ela precisava fazer isso de maneira adequada, vestindo uma roupa íntima bem sensual e garantindo que ele ficasse absolutamente fascinado com ela nessa primeira noite. O único problema seria este: como levá-lo ao lugar certo para realizar esse plano? Ela teria que imaginar uma maneira criativa de fazer isso. Talvez ela pudesse induzi-lo astutamente a encontrá-la num quarto de hotel e então algemá-lo na cama? Detetives particulares podem ser contratados para seguir um cônjuge infiel – talvez ela pudesse contratar alguns para sequestrá-lo? Tudo o que Vítor precisava era de uma noite inteira com ela para entender como seria fantástico estar com ela. Ele nunca mais quereria perdê-la depois disso, e ela poderia ser amante dele para sempre. Tantas mulheres fazem isso, por que não ela? De qualquer modo, todos esses disparates morais tornam a vida monótona. Ser a amante de um neurocirurgião famoso, alguém de renome mundial, seria ótimo, não seria? Certo, ela não poderia levá-lo a festas e continuaria tendo de passar as férias sozinha, mas ser amante de um dos melhores neurocirurgiões tem uma vantagem palpável: ele tem dinheiro. Muito dinheiro. Fazendo do modo certo, ela sempre poderia eximir-se da culpa por deixá-lo pagar uma estada de um ou dois dias em um *spa* de luxo. Então ela estaria longe, a salvo dele e de sua família e, nesse meio-tempo, poderia relaxar e aproveitar a *jacuzzi*, as massagens e os tratamentos faciais. Continuei a fantasiar um pouco mais e outras possibilidades surgiram. Quando Mônica começou a protestar, passei imediatamente para um cenário diferente.

Ela estava certa. É uma ideia ridícula. Sugeri que seria muito mais lógico, naturalmente, se Vítor decidisse que a melhor coisa era ela desaparecer da sua vida. Afinal, ela representava uma ameaça para ele, como homem poderoso que é, com posição social, alguém cuja carreira é a coisa mais importante ao lado de uma esposa maravilhosa, amorosa e solidária, e de sua família. Talvez ele pudesse conseguir-lhe uma indenização vultosa que lhe possibilitasse sair do hospital e arranjar um novo emprego. Isso, claro, lhe proporcionaria amplas oportunidades para uma nova carreira. Há quanto tempo ela trabalhava no hospital? Vinte anos? Muito tempo, na verdade. Além disso, ela se veria livre dele rapidamente e sem dúvida encontraria alguém mais adequado, um homem livre e que pudesse estar totalmente ao lado dela. Enfim, seria muito bom se Vítor sofresse um pouco com a partida dela. Afinal, ele começara tudo, flertando e provocando-a. Ele devia pagar por isso, não?

À medida que a nossa conversa prosseguia, Mônica via-se jogada de um lado para o outro entre os diferentes cenários, sem encontrar saída. Isso provocou nela um estado de turbilhão interior. Ficou ainda mais confusa. Não queria que ele desaparecesse da sua vida e estava absolutamente fora de questão ela tornar-se amante dele, mesmo que ele ajoelhasse e implorasse. Mais tarde, voltando para casa, ela finalmente percebeu o que realmente queria de Vítor: ser tratada com respeito por ele – do mesmo modo como ela o respeitava e aos seus limites. Ela queria que ele parasse de flertar e de enviar mensagens ambíguas. Era hora de manter uma relação de igualdade com ele. Do caos da provocação dirigida emergiu o espaço para Mônica entrar em contato com o seu papel na situação.

SABER INTERIOR

A provocação dirigida adota um método que até certo ponto se assemelha a um *koan* zen-budista. Um *koan* é um paradoxo ou um enigma que não tem solução clara e é usado para mostrar a inadequação do raciocínio lógico.

Dois monges discutiam sobre a bandeira do templo que tremulava ao vento.

Um deles dizia: "A bandeira se move".
O outro retrucava: "O vento se move".
E assim continuaram, sem entrar num acordo.

Hui-neng, o sexto patriarca, disse:

"Senhores!
Não é a bandeira que se move.
Não é o vento que se move.
É a mente de vocês que se move".

Os dois monges silenciaram maravilhados.

O objetivo do *koan* é levar o estudante do Zen a um estado de confusão para transcender o pensamento lógico e assim avançar no caminho da iluminação: um estado de percepção contínua livre de pensamento.

A provocação dirigida adota o exame – e por fim a rejeição – de cenários opostos para que o movimento para além do raciocínio encontre uma solução inspirada pelo íntimo do ser. Os chineses dão a esse espaço interior de saber o nome de "segundo cérebro" ou *dan tian*. No Ocidente, frequentemente nos referimos a ele como "instinto" ou intuição.

Uma pesquisa recente conduzida no Instituto Max Planck para Ciências Humanas Cognitivas e Cerebrais, em Munique, ratificou esse milenar conceito de um segundo cérebro. Tudo indica que realmente existe uma vasta rede de nervos dispostos em uma complexa malha no tecido que envolve os intestinos e que atua como um segundo centro de processamento de informações em nosso corpo. Segundo hipótese do professor Wolfgang Prinz, essa rede é a origem de decisões inconscientes que o cérebro principal depois reivindica como sendo decisões conscientes tomadas por ele mesmo.

Assim, como aprendemos a ouvir esse segundo cérebro? Basta lembrar-se por um instante das recomendações que sugerimos para estimular a calma e evitar ações precipitadas: respire fundo; conte até 10; consulte o travesseiro. Essas são excelentes maneiras de acalmar e permitir que o nosso sentido interior do que é certo venha à superfície. No entanto, ouvir é apenas o primeiro passo. O passo seguinte é confiar em nossos sentimentos, e o último é agir com base neles ou, pelo menos, levá-los em consideração como fatores importantes e válidos para os nossos processos decisórios. Pode ser inicialmente assustador confiar no que podem parecer sentimentos ilógicos ou irracionais, mas com o tempo você pode descobrir uma nova fonte de sabedoria interior. Soluções ganha/ganha são em geral o resultado final.

Limites e igualdade

Quando um relacionamento muda, mudam também seus limites e suas definições. Como consequência, podemos não ter clareza sobre a localização dos novos limites. Quem decide o quê? Como nos comportamos um com o outro agora?

É isso que aconteceu com Mônica e Vítor. Embora, tecnicamente falando, Vítor fosse seu superior, eles desenvolveram uma relação profissional em que Mônica se sentia igual a Vítor. Quando a mãe adoeceu, no entanto, isso mudou. Vítor tinha habilidades e experiência, e Mônica deixou-se guiar pela especialidade dele. Durante esse período, ela se sentiu insegura e muito emotiva, e sua admiração pela visão, persistência e segurança de Vítor cresceu. Ela acabou por colocá-lo num pedestal e a relação deles já não era mais de igualdade. Essa desigualdade continuou à medida que o relacionamento foi se tornando mais íntimo.

A liberdade está no reconhecimento dos limites.
– KRISHNAMURTI

Liberdade e igualdade

A desigualdade num relacionamento pode surgir quando alguém define claramente um limite e nós inadvertidamente aceitamos esse limite. Por outro lado, a igualdade ocorre quando as escolhas que fazemos procedem do nosso próprio senso interior de liberdade. Então operamos com base em uma perspectiva de escolha consciente. Quando fazemos escolhas conscientes, também optamos por aceitar as consequências dessas escolhas. A liberdade não está necessariamente livre de restrições e condições, porém. Quando agimos livremente, e com maturidade, definimos os nossos próprios limites e levamos em consideração os limites do outro. Essa é a verdadeira igualdade.

Nem sempre é fácil escolher conscientemente, pois a nossa cabeça e o nosso coração podem estar em conflito. Quando nos apaixonamos por alguém que já está comprometido, temos uma série de opções à disposição:

- Guardar os nossos sentimentos para nós mesmos e não contar ou mostrar nada ao nosso amor secreto.
- Deixar que os nossos sentimentos ocupem o centro das atenções e tentar fazer com que o nosso amor secreto decida ficar conosco. Nós o seduzimos ou começamos um caso. Deixamos o nosso amor secreto lidar com o seu parceiro e com a família.
- Resolvemos, literalmente, abandonar a situação e não ver mais o nosso amor secreto.
- Tentamos encontrar um forma de alimentar os nossos sentimentos, mas fazemos acordos claros sobre como lidar com eles, com todas as partes envolvidas, e de uma maneira aceitável para todos.

Podemos testar cada uma dessas opções, perguntando a nós mesmos: "Essa escolha me dá uma sensação boa ou simplesmente cria mais problemas? Quais são as consequências a longo prazo?".

Na sessão seguinte com Mônica, examinamos essas diferentes opções. Logo ficou claro que as três primeiras opções não eram possíveis em sua situação. Ela já havia nutrido, durante muitos anos, aliás, sentimentos afetuosos por Vítor, guardando-os para si mesma; mas agora a situação havia mudado. Seduzir Vítor não daria resultado para ela, pois criaria novos problemas, com consequências imprevisíveis e potencialmente desastrosas. A terceira opção também não era possível. Seria terrível simplesmente excluir Vítor de sua vida. Ela teria de encontrar outro emprego e mudar para outra cidade, e ela não queria fazer isso. Então, cuidadosamente, analisou a opção número quatro. Essa parecia uma solução que correspondia à situação, mas também era difícil. Parecia a coisa certa para Mônica, mas aqui também ela via problemas. O que ela queria? Qual seria uma boa solução para ela?

Sentimentos negativos, mensageiros das nossas necessidades

Se desejarmos descobrir o que realmente queremos (por exemplo, qual opção dá melhores resultados) será de bom proveito parar e analisar os nossos sentimentos diante de cada possibilidade. Novamente, temos na orientação e no aconselhamento um entendimento de que sob cada emoção há uma necessidade (às vezes, oculta). Por exemplo, sob a raiva pode haver uma necessidade de respeito e sob a tristeza pode haver uma necessidade de atenção. Assim, todo sentimento tem uma mensagem que podemos descobrir quando estamos dispostos a investigar mais a fundo. Então, quando sentimos uma emoção forte, pode ser útil simplesmente parar, prestar atenção e ver se podemos "ouvir internamente". Qual é a nossa necessidade oculta? Existe alguma forma de atender a essa necessidade? Que necessidades exigem ação por parte da outra pessoa?

Mônica examinou as suas necessidades esclarecendo, em primeiro lugar, o que estava sentindo. Em seguida, examinamos como ela poderia satisfazer as necessidades subjacentes às emoções. Para isso, elaboramos um diagrama esquemático que poderia oferecer uma síntese clara da situação.

Sentimento	Necessidade subjacente	Como posso atender a essa necessidade	O que posso pedir a Vítor que faça
Surpresa	Ser capaz de apreciar a mim mesma	Apreciando-me	
Alegria	Ser capaz de expressar a alegria que sinto	Se não puder expressá-la para Vítor, expressá-la de algum outro modo	
Raiva	Respeito	Descobrir onde estão os meus limites	Respeitar os meus limites

Sentimento	Necessidade subjacente	Como posso atender a essa necessidade	O que posso pedir a Vítor que faça
Irritação	Paz e clareza	Fazer uma escolha	Comunicar minha escolha a Vítor e negociar com ele
Frustração	Necessidade de controlar	Indicar claramente os meus limites e desejos: parar de flertar	
Impotência	Necessidade de decidir por mim mesma o que quero	Determinar-me	
Tristeza	Consolo	Ouvir música clássica, caminhar, aconchegar-me com meu gato, divertir-me com meus amigos	

Mônica concluiu que o mais difícil para ela seria encontrar uma maneira de lidar com seus sentimentos de amor por Vítor. Ela queria expressar o amor que sentia. Ter um caso com ele não era uma opção, e Vítor deixara claro que não havia possibilidade de sua esposa permitir que ele mantivesse uma relação complementar com Mônica. De qualquer modo, Mônica não via isso como uma solução viável, mesmo se fosse uma opção. Assim, entendeu que, se quisessem continuar como amigos, ambos precisavam encontrar outra forma de expressar o amor que sentiam um pelo outro. Como poderiam fazer isso se o contato sexual estava fora de questão? Mônica foi para casa com essa pergunta, para refletir sobre ela. Também prometeu a si mesma que teria uma conversa com Vítor e expressaria suas necessidades a ele.

Quando vi Mônica três semanas mais tarde, ela estava visivelmente aliviada. Encontrara uma solução para os seus sentimentos e desejos. Ela queria que Vítor parasse de flertar com ela e de afastar-se e reaproximar-se a seu bel-prazer. Ela desejava manter uma amizade estável com ele, profissionalmente e nos momentos livres. Ela queria ter momentos agradáveis em sua companhia fora do ambiente de trabalho, mas sempre como amigos. Também queria abrir mais espaço em sua vida para conhecer outros homens e deixar em aberto a possibilidade de manter um relacionamento íntimo com um deles. Ela se deu conta de que o que queria com Vítor era amizade, e uma amizade que a esposa dele soubesse que existia. Ela não queria fazer nada escondido de Antonia.

Depois de esclarecer a situação para si mesma, Mônica procurou Vítor e conversou com ele sobre tudo isso. Essa conversa foi realmente positiva para ela. Vítor estivera totalmente distraído quanto às consequências do seu comportamento incongruente com relação a ela. Parecia estar um pouco confuso por causa de seus fortes sentimentos por Mônica e ficou aliviado por ela estabelecer alguns limites. Disse-lhe que refletiria sobre a sugestão dela, de manterem uma relação apenas de amizade, quando se encontrassem fora do trabalho uma vez por mês, para ir a um concerto ou para fazer uma longa caminhada juntos. A esposa de Vítor, Antonia, já sabia que Mônica era uma colega de confiança, e ouvira tudo sobre a situação com a mãe de Mônica. O que Antonia desconhecia era a profundidade dos sentimentos de Vítor por Mônica. Vítor disse que precisava de tempo para ter essa conversa com Antonia. Primeiro, ele queria resolver o seu relacionamento com Mônica no local de trabalho, o que lhes facilitaria manter amizade fora do hospital.

Mônica recuperou sua força e seu poder depois dessa conversa e sentiu como se voltasse a ocupar o banco do motorista no tocante à sua vida. Quando lhe perguntei como ela decidira lidar com os seus sentimentos de amor por Vítor, ela respondeu: "Outro dia, li sobre alguém que havia passado por essa situação. A mulher havia descoberto que quando estava apaixonada por alguém também queria ser amorosa com essa pessoa. Para ela, estar apaixonada era a mesma coisa que agir amorosamente. Reconheci-me um pouco ao ler o artigo. Se sinto amor por alguém, quero ser capaz de dar amor. Essa minha necessidade é muito forte, por isso vou fazer o que a mulher da história fez. Posso ser amorosa com relação a outras pessoas e dar-lhes alguma coisa para que meu amor possa fluir. Sei que isso pode parecer um pouco tolo, mas resolvi visitar minha tia idosa com mais frequência e levá-la para tomar um cafezinho e passear. Isso não lhe parece um pouco louco?".

Quem decide o que é louco ou não? Se dá resultado para nós e nos ajuda a chegar aonde queremos estar, então, por que não? Nós decidimos o que é melhor para nós.

Perguntas que você pode fazer a si mesmo

- Se os limites que tenho com alguém foram alterados, o que aconteceu? Quem alterou esses limites?
- Por que o limite foi modificado? A modificação se justifica? O que isso significa para mim?
- Que sentimentos insistem em voltar para mim? O que me dizem sobre as minhas necessidades subjacentes?
- Ouso lutar por minhas necessidades? Se não, por quê? Em caso afirmativo, como faço isso?

Sugestões para estabelecer limites

- Conscientize-se das suas emoções e de seus sentimentos negativos. Eles são mensageiros das suas necessidades ocultas. Concentrando-se nas suas necessidades, fica mais fácil perceber o que você quer realmente e, assim, descobrir onde estão seus limites.
- Mantenha-se fiel aos seus próprios limites. Eles estão aí por uma razão. Ouça e respeite a si mesmo.
- Sinalize os seus limites e expresse as suas necessidades com clareza.
- Aceite as dificuldades que uma determinada escolha pode acarretar. Fazendo isso, você recupera a sua liberdade e se torna seu próprio líder.
- Reassuma o seu poder expressando o que quer, independentemente de o resultado ser realista ou não. Você sempre pode renegociar e fazer outra escolha.

6

Uma Solução Bissexual – Bridget, Arthur e Rose

Você sabe há muito tempo que sente atração por mulheres. No entanto, você é casada com um homem maravilhoso e sua família é feliz. Sua afeição por mulheres sempre esteve latente, mas você nunca fez nada com ela. Então, um dia, você conhece uma mulher que a impressiona tão profundamente, que você não consegue mais negar esse fato. Você chegou a uma idade e a um ponto em sua vida em que entende que essa é uma oportunidade que não quer perder. Você quer descobrir o que significa fazer amor com uma mulher. Mas há um problema: o seu marido não vai concordar com essa ideia; e se você aceitar essa mulher em sua vida amorosa, irá quebrar um acordo que fez há anos.

Bridget se viu diante desse dilema.

Bridget tem 38 anos; ela e Arthur, 41, estão casados há dezesseis. Eles têm uma filha de 15 anos. Bridget trabalha como engenheira civil em uma empresa de construção e Arthur é agente imobiliário. Eles se conheceram no trabalho. Arthur ficou impressionado com a dedicação de Bridget ao trabalho e com sua capacidade de pensar e executar suas atividades rapidamente. Bridget se sentiu atraída pela capacidade de Arthur de comunicar-se com clareza e de relacionar-se facilmente com as pessoas. Eles são bons parceiros em tudo, inclusive em sua aptidão para enfrentar e resolver problemas profissionais juntos.

Bridget sabe desde a mais tenra idade que é bissexual. Quando era adolescente, ela beijou algumas meninas, mas nunca foi além isso. Nunca falou a ninguém sobre seus sentimentos por meninas. Homossexualidade, para não mencionar bissexualidade, era uma palavra impronunciável na pequena cidade onde ela cresceu. No entanto, lera um número suficiente de livros sobre o assunto para saber que era de fato bissexual. Tanto mulheres como homens figuravam em suas fantasias eróticas. Ela adorava observar mulheres quando caminhava pela cidade, e sempre admirou a postura sensual feminina.

Quando Bridget conheceu Arthur, apaixonou-se loucamente por ele. Pouco antes de se casarem, ela concluiu que precisava falar-lhe sobre sua atração por mulheres. Quando finalmente tocou no assunto, Arthur ficou um pouco surpreso, pois nunca havia notado nada. Perguntou-lhe, então, o que isso significaria para o relacionamento deles porque, no que lhe dizia respeito, ele esperava uma relação monogâmica, e não haveria espaço para mais ninguém, nem mesmo para mulheres. "Claro que não", ela respondeu, rindo. "Sou louca por você, você sabe disso. Eu o amo, e não quero perdê-lo." Arthur pareceu aliviado. "Querida, eu amo você e aceito o fato de que ache as mulheres atraentes. Desde que não faça nada com ninguém, está tudo bem para mim." E pareceu que esse era o fim da conversa.

Com o nascimento da filha, os sentimentos de Bridget por mulheres foram praticamente esquecidos, pois ela e Arthur voltaram toda a atenção para a família e para suas profissões. Havia momentos, porém, em que esses sentimentos vinham à tona e ela chegava a ter sonhos eróticos com mulheres. Ao acordar depois de um sonho desses, ficou espantada consigo mesma, mas também chateada ao ver Arthur dormindo inocentemente ao seu lado. Certa vez, cutucou Arthur ao ver uma linda mulher passar pela mesa deles num restaurante, mas a reação irritada dele alertou-a para nunca mais fazer isso. Assim, Bridget guardou para si mesma o que sentia por mulheres. Ela tinha algumas amigas lésbicas com quem se dava muito bem, e essas amizades a ajudavam a se sentir inteira como pessoa.

Entretanto, as coisas mudaram nos últimos anos, e Bridget se surpreendia fantasiando cada vez mais com mulheres. Seus sonhos estavam repletos delas. Parecia não haver maneira de evitar sua atração por mulheres, e ela concluiu que teria de fazer alguma coisa a esse respeito. Durante os últimos meses, ela começou a procurar sites de encontros para mulheres. Ficou surpresa com a ousadia das mulheres em colocar suas fotos na internet! Ela nunca faria isso, mas continuava a olhar...

Bridget trabalha com cálculos e computadores. É uma atividade muito técnica, e até certo ponto ela se vê muito presa ao cérebro. Alguns meses atrás, ela resolveu buscar um maior equilíbrio nisso e começou a frequentar aulas de biodança. Suas amigas lhe deram depoimentos favoráveis sobre essa técnica e ela ficou curiosa. Sentiu-se ainda mais atraída quando soube que a biodança tem forte relação com crescimento pessoal e ensina a entrar em contato consciente consigo mesmo e com outras pessoas. Ela ficou um pouco apreensiva com a ideia de fazer algo muito diferente do que lhe era costumeiro, mas já era tempo de enfrentar um desafio.

Na primeira sessão noturna de biodança, Bridget conheceu e se sentiu imediatamente atraída por Rose, uma mulher simpática e atraente. Durante uma das danças, elas se olharam nos olhos por um tempo que pareceu uma eternidade e, no final da dança, se abraçaram. Inicialmente, Bridget ficou surpresa e, embora tivessem acabado de se conhecer, pareceu-lhe natural e perfeito ser abraçada por Rose. Ao término da aula, envolveram-se totalmente em um bate-papo. Rose se apresentou. Ela é naturopata, tem 45 anos de idade e pratica biodança há anos. Comentou que a biodança, ou "dança da cura", como a chama, é muito importante para ela, e que participa sempre que possível. Bridget sentiu que havia entrado em um mundo novo e desconhecido, mas um mundo que ela gostaria de conhecer. Mais tarde, naquela noite, falou entusiasmada com Arthur sobre suas impressões da dança e sobre o encontro com Rose. Arthur ficou muito satisfeito por ela. Quanto a ele, tudo lhe parecia bastante "etéreo" e definitivamente não era nada em que ele estivesse pessoalmente interessado. Se isso a deixava feliz, porém, ele estava de acordo, por isso a incentivou a continuar.

As noites de biodança tiveram um efeito importante e positivo sobre a vida de Bridget, e ela começou a se sentir cada vez mais próxima de Rose. No final das noites de dança, elas sempre se sentavam e conversavam tomando chá, e muitas vezes eram as últimas a sair. Bridget percebeu que se sentia definitivamente atraída por Rose e isso a confundia. Em casa, ela continuava pesquisando para saber como outras mulheres lidavam com situações semelhantes. Em fóruns exclusivamente femininos, ela leu inúmeras mensagens que destacavam a importância de as mulheres bissexuais conversarem com seus parceiros sobre o que acontece com elas. Como ela poderia falar com Arthur sobre isso? Embora Arthur tivesse dito que aceitava as tendências bissexuais de Rose, ele sempre reagia de modo a demonstrar que se sentia muito desconfortável quando ela falava sobre mulheres.

Ao mesmo tempo, a ligação de Bridget com Rose estava se intensificando. Rose revelou que era bissexual e que ela e o marido tinham um acordo explícito de que ela poderia ter contato sexual com mulheres. Confessou também que se envolvera em um relacionamento complementar antes. Essa relação durara alguns anos, até que a mulher se afastou. O estilo de vida de Rose convinha perfeitamente a ela e ao marido.

Bridget se impressionava com a facilidade com que Rose falava sobre a forma como organizara a sua vida. Ela gostaria de criar uma situação igual para si mesma. Ouvindo Rose, sua imaginação viajava. Ela se imaginava beijando Rose e fazendo amor com ela e sentia o seu desejo de passar mais tempo com Rose aumentar de intensidade.

No caminho para casa, Bridget pensou em tudo o que Rose dissera e ficou claro para ela que, se realmente quisesse passar mais tempo com Rose, não havia outra coisa a fazer senão falar com Arthur sobre o assunto. Dominava-a uma forte sensação de que, caso se encontrasse com Rose fora do espaço da biodança, alguma coisa aconteceria entre elas, sem dúvida. Então era isso. Ela decidiu falar com Arthur.

Ao chegar em casa, encontrou Arthur relaxando no sofá, com uma taça de vinho na mão. De repente, ela hesitou e pensou no efeito que essa conversa poderia ter sobre ele. Ela queria falar, mas não sabia como. Em vez disso, só comentou que estava cansada e foi para a cama. Arthur achou isso muito estranho. Normalmente ela chegava da biodança revitalizada e entusiasmada. Ele a conhecia bem o suficiente para saber que algo estava acontecendo e a seguiu até o quarto. Sentou-se na cama e, com delicadeza, mas também com persistência, perguntou-lhe o que estava acontecendo, até que ela finalmente admitiu. Disse a ele que se sentia atraída por Rose e que queria se encontrar com ela. Queria descobrir o que é fazer amor com uma mulher. Não queria mais reprimir esse seu desejo.

Arthur ficou chocado. Ele sabia que Bridget gostava de se encontrar e de dançar com Rose, mas não imaginara que essa relação chegasse a esse ponto. Atraída por mulheres? Bissexualidade? De que mesmo ela está falando? Bridget lembrou-lhe a conversa que tiveram antes de casar. Aos poucos, Arthur começou a lembrar-se. Mas isso foi há tanto tempo! Ela nunca lhe falara nada sobre sua queda por mulheres durante todos os anos em que estavam juntos. Na época, ele pensou que ela apenas estava passando por algum tipo de confusão juvenil sobre sua identidade sexual, mas que isso já tivesse acabado muito tempo antes. Eles não estão casados? Ele sempre imaginara que ela, assim como ele, era mono-gâmica. Se ela quisesse ir adiante com isso, seria melhor entender que o casamento deles poderia ficar abalado.

Arthur ficou irritado e reagiu com veemência. Bridget, profunda-mente decepcionada com essa reação, recolheu-se em si mesma. Durante alguns dias depois disso, eles se evitaram e quase não conversaram. Arthur mergulhou no trabalho, e Bridget ficava horas conversando com mulheres pela internet. Elas a aconselharam a falar com ele. "Explique o quanto isso é importante para você. Se não encontrar saída, busque alguma ajuda profissional." Bridget achou esse um bom conselho e, quando encontrou o endereço eletrônico de Leonie, marcou uma entre-vista. Leonie sugeriu que ela fosse com seu companheiro, pois a situação afetava claramente a ambos. Bridget falou com Arthur, que concordou prontamente. Ele tinha a sensação de que seu casamento havia entrado inesperadamente num redemoinho, de modo que a ajuda de uma pessoa especializada parecia uma ideia muito bem-vinda.

Acordos e expectativas

Quando nos apaixonamos e criamos relacionamentos, tendemos a alimentar muitas expectativas implícitas com relação ao modo como se desenvolverão e como iremos interagir com nossos parceiros. Além disso, cada uma das partes tem suas próprias percepções e ideias sobre sexualidade e relações íntimas. O acordo implícito mais comum é que, se estamos numa relação, seremos fiéis um ao outro. As pessoas normalmente presumem que, se estamos comprometidos com alguém, não faremos sexo nem praticaremos atos íntimos com ninguém além dos nossos parceiros. Na realidade, as nossas fronteiras e os nossos limites variam.

Para alguns homens, ser fiel significa simplesmente não ter amigas do sexo feminino, enquanto para outros é a coisa mais normal do mundo ter mulheres como amigas. Para algumas pessoas, tomar uma xícara de café com alguém do sexo oposto é demais, ao passo que para outras é perfeitamente adequado passar a noite na casa de um amigo ou uma amiga. Para alguns, é até aceitável dormir na mesma cama, desde que ambos conheçam e respeitem os limites um do outro. Para outros, essa possibilidade estaria absolutamente fora de questão, pois só se divide a cama com o próprio parceiro, já que "cama é igual a sexo", e não conseguem imaginar que se divida a cama com alguém de outro sexo sem manter relações sexuais. A maneira como pensamos e lidamos com sexualidade nas amizades e nos relacionamentos é diferente para cada um de nós e se baseia em nossos próprios (expressos e não expressos) valores e em nossas normas pessoais.

Bridget e Arthur tinham suas próprias ideias e percepções sobre sexo e relacionamento quando se conheceram, e também fizeram um acordo explícito nessa área. Ficou totalmente claro que o sexo extraconjugal estava fora de questão para os dois. No momento em que Bridget fez o acordo, sexo fora da relação com Arthur nem passava por sua mente. Ela estava apaixonada por Arthur e não havia espaço para outra pessoa em sua vida. Ela presumiu que era monogâmica, e se isso envolvia um homem ou uma mulher não fazia diferença. Claro, foi conveniente ela acabar envolvendo-se com um homem, porque a nossa sociedade aceita muito mais facilmente a heterossexualidade. Também significava que não haveria nenhum desentendimento com os pais e familiares, o que certamente teria acontecido caso tivesse decidido manter um relacionamento estável com uma mulher. A heterossexualidade também era uma solução mais simples no aspecto de constituição de uma família. O resultado de tudo isso foi que ela escondeu sua bissexualidade casando-se com Arthur. Eles se apresentaram ao mundo como um casal heterossexual e ela concordou, sem nenhuma objeção, com o pedido de Arthur para que tivessem um relacionamento monogâmico. O que ela não sabia na época era que suas necessidades sexuais poderiam mudar ao longo do tempo. Ela nunca poderia ter imaginado o impacto que a sua identidade sexual teria sobre a sua vida alguns anos depois.

Durante a nossa primeira conversa, logo ficou evidente que Bridget e Arthur tinham percepções muito diferentes sobre o acordo que haviam feito e suas expectativas mútuas. Arthur disse que achava que Bridget havia sido um tanto dissimulada quando de repente chegou à conclusão de que tinha desejos sexuais diferentes. Para ele, Bridget era uma mulher heterossexual normal que gostava de fazer sexo com ele como homem. Não entendia por que ela podia colocar a família e a relação deles em risco querendo ter experiências com uma mulher. Acima de tudo, fidelidade é uma questão central para ele, pois haviam prometido exclusividade um ao outro quando se casaram. Isso não tinha mais valor para ela?

Bridget então expôs o seu lado da história. Ela disse que sempre tivera sentimentos por mulheres e que eles nunca desapareceram. No entanto, o desconforto que Arthur sentia fez com que ela guardasse esses sentimentos para si mesma. Ainda assim, o fato de nunca ter falado nada não significava que os sentimentos não existiam. Muito pelo contrário; eles são uma parte importante de quem ela é. Até esse momento, havia sido sempre uma experiência interior – ela olhava para as mulheres, gostava de vê-las e até sonhava e fantasiava com elas. Em geral, ela sempre achara o corpo feminino, com seus contornos suaves e arredondados, mais belo do que o masculino. "E quanto a mim, então?", interrompeu Arthur. "Nós fazemos sexo, não fazemos? Você gosta, não gosta? Não vai me dizer que temos uma vida sexual ruim, vai?", gritou com raiva. Bridget disse que, ao contrário, gosta e sempre gostou de sua vida amorosa. Só que ultimamente sua atenção foi atraída pelas mulheres. Estava curiosa, disse-lhe, para saber como seria fazer amor com uma mulher. Ela simplesmente queria descobrir isso. Tinha a sensação de que faltava uma peça em sua vida, que de alguma maneira sua vida estava incompleta. "Você é um homem, com o corpo de um homem. Isso é maravilhoso, eu não iria querer que fosse de outra forma", disse-lhe com intensidade. "Mas eu simplesmente gostaria de experimentar como é estar com uma mulher", ela disse com lágrimas nos olhos. "Eu sei, eu também me sinto culpada. Posso pedir isso? Por que não posso apenas continuar do jeito que eu era e contentar-me em estar com você? Se eu pudesse simplesmente ser heterossexual, não estaríamos nessa confusão e também não estaríamos aqui!"

Mitos bissexuais

A maioria da população se considera heterossexual. A heterossexualidade é também a norma em quase todas as culturas. Entretanto, cerca de 10% da população holandesa classifica-se como gay ou lésbica, o que corresponde à cifra de um em cada dez, frequentemente citada com relação aos Estados Unidos. Bissexuais não são totalmente homossexuais nem totalmente heterossexuais. Pesquisas realizadas nos últimos anos mostram que a bissexualidade ocorre no cérebro de todos nós. A concretização ou não dessa tendência é influenciada pela quantidade do hormônio sexual masculino, o androgênio, a que uma criança é exposta no útero. De acordo com o sexólogo mundialmente famoso Alfred Kinsey, há uma grande área cinzenta entre ser 100% homossexual e 100% heterossexual. Essa zona cinzenta é o que se chama comumente de bissexualidade. A identidade sexual não é, portanto, a história em preto e branco que alguns dão a impressão de ser. Quase todos nós, todavia, precisamos de esclarecimentos nessa área e gostaríamos de saber onde nos situamos.

Em que condições somos bissexuais? Se nós temos fantasias eróticas com homens e mulheres.... Se nós ficamos estimulados quando vemos duas pessoas do mesmo sexo mantendo relações.... Só somos bissexuais se agimos fisicamente segundo nossos desejos? Ou somente quando queremos ter uma relação com um homem e com uma mulher ao mesmo tempo? A resposta não é tão clara assim.

Mitos e equívocos sobre a bissexualidade:

- bissexualidade é simplesmente uma fase de transição para gays e lésbicas;
- bissexuais, em consequência da sua identidade sexual, não são monógamos;
- bissexuais não podem, em consequência da sua identidade sexual, ser fiéis;
- bissexuais não têm coragem de escolher;
- bissexuais têm energia sexual em excesso.

Identidade bissexual

Em 2008, 40 mil holandeses responderam um questionário intitulado "Até que ponto você é bissexual?" no site http://www.hoebibenjij.nl (hoebibenjij corresponde a "howbiareyou", título do questionário). Partes do questionário se basearam na Grade de Orientação Sexual de Klein, desenvolvida pelo dr. Fritz Klein em 1985, e abrangiam diversos aspectos do nosso modo de entender a sexualidade (orientação sexual, fantasia sexual, comportamento sexual, preferências emocionais, preferências sociais, estilo de vida hetero/homo e autoidentificação). O questionário também examinava como as pessoas veem a si mesmas (heterossexual, bissexual, homossexual, principalmente heterossexual ou principalmente homossexual). Um dos resultados que mais chamou a atenção revelou que 1% dos consultados que se consideram totalmente heterossexuais também respondeu que tem contato sexual *exclusivamente* com membros do mesmo sexo! Nossa autodescrição, portanto, nem sempre coincide com o nosso comportamento real.

A diferença é ainda maior quando consideramos as nossas fantasias. Apenas 67% dos inquiridos do sexo masculino e 53% das entrevistadas se consideram 100% heterossexuais; 25% dos homens que se consideram heterossexuais fantasiam relações com ambos os sexos e, surpreendentemente, 46% das mulheres que se consideram heterossexuais fantasiam sexo com homens e mulheres. Embora a sondagem em questão não fosse científica e os consultados não fossem necessariamente representativos da sociedade como um todo, fica evidente que a bissexualidade é uma questão complexa e que pode haver mais pessoas bissexuais do que anteriormente se acreditava.

A sociedade e os ambientes sociais exercem uma grande influência sobre o desenvolvimento de nossa identidade sexual. O estímulo à heterossexualidade é grande, fato que dificulta a vida para alguns bissexuais. Em geral, os bissexuais não gostam de ter sua identidade sexual rotulada como tal. Eles se debatem com todos os mitos e preconceitos que esse rótulo evoca. Afinal, por que rotular a identidade sexual? Eles simplesmente querem fazer o que lhes parece natural, com a aprovação de todos os envolvidos.

Outros bissexuais consideram o termo "bissexual" simplesmente perfeito. Ele deixa tudo claro e lhes dá uma identidade. Possibilita mais opções do que simplesmente masculino e feminino, masculino e masculino ou feminino e feminino. Cria espaço para questionamento. Muitos bissexuais dizem: "Eu não me apaixono por homens ou mulheres, eu me apaixono pelas pessoas". E então há pessoas que sempre se sentiram atraídas por um determinado gênero e, de repente, se percebem apaixonadas por alguém do sexo oposto. Há ainda os que se sentem sexualmente atraídos por homens e mulheres, mas só se sentem emocionalmente atraídos por um ou outro. A bissexualidade existe em todas as formas e variações. Além disso, a nossa experiência pessoal da sexualidade pode mudar com o passar dos anos.

Bridget se enquadra aqui, pois sempre se considerou bissexual, mas nunca agiu em conformidade com essa tendência. Agora, ela sente uma necessidade crescente de experimentar sua bissexualidade e quer descobrir como é fazer sexo com uma mulher, e em particular com Rose.

Variável	Passado	Presente	Ideal
Atração sexual	Homens e mulheres	Principalmente mulheres	Arthur e uma mulher
Comportamento Sexual	Somente com Arthur	Somente com Arthur	Com Arthur e com uma mulher
Fantasias Sexuais	Homens e mulheres, às vezes, sexo com ambos	Principalmente mulheres, predominantemente Rose	Com Arthur e Rose
Preferência Emocional	Arthur e namoradas	Arthur, namoradas e Rose	Arthur, namoradas e Rose
Preferência Social	Homens e mulheres	Homens e mulheres	Homens e mulheres
Estilo de vida heterossexual/ homossexual	Estilo de vida heterossexual, amigas lésbicas	Estilo de vida heterossexual, amigas lésbicas	Estilo de vida bissexual, capaz de abrir-me sobre a minha bissexualidade
Autoidentificação	Bissexual, porém mais hétero do que lésbica	Bissexual	Bissexual

Na sessão seguinte examinamos como Bridget se vê como mulher bissexual e os diferentes aspectos da sua identidade sexual. Para isso adotamos a Grade de Orientação Sexual de Klein e criamos uma grade com três colunas, uma para o passado, uma para o presente e uma representando o ideal de Bridget.

Em seguida, analisamos a grade de Bridget com Arthur presente. Qual a intensidade da atração de Bridget por homens e mulheres? Onde ela se vê na sua identidade sexual? Quais são suas fantasias? Qual é a diferença entre sua situação atual e sua imagem ideal? Enquanto examinávamos essas questões, ficou claro para Bridget que ela achava difícil aceitar as consequências de se considerar bissexual. "Se pelo menos eu tivesse um botão que pudesse apertar e me fizesse parar de achar as mulheres atraentes...", suspirou. Ocorre que ela estava com tanto medo quanto Arthur do que poderia acontecer se ela agisse conforme seu desejo. Qual seria o efeito sobre a relação deles? Ela seria capaz de lidar com o fato emocionalmente? Como isso afetaria sua vida sexual com Arthur?

Pedi a Bridget que avaliasse o seu desejo de fazer sexo com uma mulher numa escala de 1 a 10, sendo 1 o valor correspondente a nenhum desejo, e 10, a infinitamente grande. Para ela, era um 9. Nem sempre fora assim, porém. Antes, quando tinha fantasias sexuais, ela fantasiava com mulheres, mas nem sempre. Ela certamente não desejava fazer nada disso na vida real. Seu desejo, naquela época, poderia equivaler a um 2 ou 3. Nos últimos anos, o desejo aumentara para 7. A estimulação e a excitação que Rose despertara em Bridget aumentou seu desejo de fazer sexo com uma mulher para 9 ou possivelmente até mesmo para 10. Estava claro para Bridget que ela tinha um forte desejo de manter relações sexuais com mulheres, mas certamente não com outros homens. No que lhe dizia respeito, havia somente um homem para ela, e esse homem era Arthur.

Bridget ficou aliviada quando começou a vislumbrar mais perspectivas em torno da sua bissexualidade. O exercício também ajudou Arthur a entender que Bridget é realmente bissexual, apesar de ter vivido uma vida heterossexual até esse momento. Isso foi muito difícil para ele. De repente, ele teve a sensação de não ser bom o suficiente porque, em sua opinião, o que ele tinha a oferecer como homem já não era suficiente para Bridget. Admitiu, porém, que a fantasia de sua mulher fazendo sexo com outra mulher não era totalmente desagradável. Ainda assim, seus medos superavam qualquer sugestão de excitação.

Pedi a Arthur e Bridget que, nas semanas seguintes, anotassem todos os seus medos e as suas preocupações e quaisquer pensamentos que pudessem ter sobre esses medos. Examinaríamos tudo isso em uma sessão futura. Pedi-lhes também que fizessem algumas descrições sobre o papel da sexualidade em seu relacionamento. Além disso, solicitei-lhes um resumo de todos os aspectos positivos do seu relacionamento. Que vínculo havia entre eles? O que tornava seu relacionamento especial? O que faziam bem juntos?

Atenção positiva

Muitos casais que enfrentam o fato de um dos parceiros ter o desejo de experimentar alguma forma de intimidade fora do seu relacionamento tendem a se fixar, acima de tudo, nos aspectos negativos da relação. Os aspectos positivos parecem recuar rapidamente para um segundo plano. Os problemas, então, parecem mais difíceis do que realmente são. É importante ficar atento aos aspectos positivos do relacionamento e, sobretudo, às características que o tornam especial e sólido. Frequentemente, essas qualidades e os pontos fortes específicos contêm as indicações para as soluções necessárias.

Durante a sessão seguinte, conversamos sobre o que estava indo bem no relacionamento de Bridget e Arthur. Arthur falou de sua admiração pela honestidade de Bridget e disse que se sentia muito feliz por ela ter lhe falado antes de tomar alguma iniciativa com Rose. Arthur e Bridget concordaram que são verdadeiros amigos e que estão de fato interessados um no outro. Estão entusiasmados com o trabalho e a carreira um do outro e se apoiam mutuamente. Também se concedem espaço e liberdade para fazer o que é importante para cada um pessoalmente. Por exemplo, Arthur sai regularmente nos fins de semana para velejar com amigos. Bridget aprecia a atenção e o carinho de Arthur. É sempre ele quem prepara um suntuoso café matinal para toda a família nas manhãs de domingo. Quando se trata de sexualidade, ambos concordam que ela ocupa um lugar importante na relação, embora no momento seja mais importante para Bridget do que para Arthur.

Em seguida, examinamos os vínculos mais importantes entre Arthur e Bridget, utilizando *O Jogo do Relacionamento*. O vínculo emocional revelou-se o aspecto mais importante para ambos. Consideramos também os vínculos que seriam úteis para eles na situação atual. Os aspectos que escolheram foram: *Aprender um com o Outro, Sentir-se Igual um ao Outro e Confiar um no Outro.*

Um dos pontos em que Arthur insistia era que eles haviam combinado que seriam fiéis um ao outro. Agora Bridget queria romper esse acordo. Enquanto discutiam esse aspecto, perceberam que "fiel" significava coisas diferentes para eles. Bridget se considera fiel a Arthur. Ela deixou claro que anos atrás optou por uma vida com ele e, no entendimento dela, nada havia mudado nesse sentido. Ela não podia imaginar uma vida sem ele e a família deles. Nem queria imaginar. Ele era a pessoa mais importante na vida dela. Ela não estava procurando outro parceiro, mas, sim, uma maneira de explorar e expressar seus sentimentos sexuais por mulheres. Ela gostaria de experimentar essa parte do seu ser. Em resumo: ela quer ser fiel a ele, mas também quer ser fiel a si mesma.

Enquanto conversávamos, Bridget reconheceu que queria aprender a expressar seus sentimentos mais profundos por Arthur. Ele, por sua vez, disse que gostaria de aprender a ouvir Bridget melhor, sem imediatamente julgá-la ou interpor sua opinião, como estava propenso a fazer. Com alguma dificuldade, ele finalmente expressou seu medo de perder Bridget. Disse que a preocupação de que ela pudesse deixá-lo era o principal motivo para ele interromper qualquer conversa sobre Bridget e mulheres. Ele não sabia viver com o que estava acontecendo nem sabia como lidar com isso de forma construtiva. Percebeu que, ao longo dos anos, havia tentado simplesmente não falar sobre o assunto, esperando que a bissexualidade dela desaparecesse. Agora que Bridget estava falando de forma tão aberta e profunda sobre a sua bissexualidade, ele percebeu que não poderia mudá-la nem mudar a si próprio. Afinal, ele é homem, não mulher. Se isso era tão importante para ela, talvez então ele tivesse de encontrar uma maneira de conviver com o fato. Ele jamais poderia competir com uma mulher. Mas havia uma advertência muito clara; tudo bem com uma mulher, mas outro homem estava fora de questão. Para Bridget, isso era fácil, e ela imediatamente garantiu a Arthur que ele era o único homem da sua vida.

Quando os desdobramentos da questão começaram a amenizar, Arthur quis fazer algumas perguntas. Precisava ser com Rose, a mulher que ela via toda semana? Não poderia ser com alguém que morasse um pouco mais longe, não tão perto? Não havia outras possibilidades? Bridget não pensava assim, mas admitiu que valia a pena discutir outras opções. Fizemos uma sessão de troca de ideias e levantamos todas as possibilidades para que Bridget satisfizesse a sua necessidade de ter uma experiência sexual com uma mulher. Não discutimos as ideias que surgiram, simplesmente as relacionamos como possíveis, por mais absurdas ou impraticáveis que fossem. Eles levaram a lista para casa com a finalidade de selecionar e analisar as diferentes ideias.

Algumas semanas depois, Arthur e Bridget voltaram e admitiram que a maior parte das sugestões havia sido descartada imediatamente. A ideia de frequentar um clube de *swing* não mereceu a menor atenção, pois Arthur não conseguia sequer imaginar que pudessem fazer uma coisa dessas. Bridget também não estava interessada em ir a uma noite dançante para mulheres lésbicas. Acima de tudo, ficou claro que era de fato com Rose que Bridget queria explorar sua bissexualidade. Ela se sentia extremamente atraída por Rose e não tinha interesse em passar momentos de intimidade com uma mulher casual. Para ela, era importante que existisse atração recíproca com quem ela viesse a fazer sexo. Seu desejo de ter uma experiência sexual com uma mulher estava intimamente ligado à sua amizade com Rose.

Desejos e experiências bissexuais

Homens e mulheres nem sempre vivem a experiência do sexo da mesma maneira, e sua expressão (bi)sexual também pode diferir. Para alguns, é possível fazer sexo tendo apenas uma ligação emocional com alguém, enquanto para outros é necessário haver também atração física. Há ainda quem possa manter relações sexuais com qualquer pessoa, desde que exista um desejo mútuo de satisfação sexual. Essas pessoas fazem uma clara distinção entre amor e desejo, entre sexo e vínculo emocional. Alguns homens bissexuais têm apetite sexual por homens, mas estão à procura de amor e união emocional com uma mulher. Jamais conceberiam uma parceria com um homem. Para muitas pessoas, sexo apenas por sexo é inconcebível, pois, para elas, o sexo está indissoluvelmente ligado ao romance e ao amor de um relacionamento íntimo.

Então é fácil imaginar que, se estamos numa relação heterossexual e nosso parceiro relaciona amor com sexo, pode ser muito difícil falar-lhe sobre a nossa atração sexual por alguém do mesmo sexo. Não é de se admirar que muitos homens bissexuais satisfaçam a sua necessidade de contato sexual com outros homens por meio de encontros secretos. O sigilo envolvido muitas vezes intensifica seu estado de excitação e de tensão sexual. Sexo para eles é uma sensação de satisfação de curto prazo. Em geral, esses homens fazem de tudo para não pôr seus relacionamentos em perigo e assim ocultam seus desejos e suas atividades bissexuais de seus parceiros. Outros homens, no entanto, falam abertamente com suas parceiras e trabalham juntos para encontrar maneiras de criar oportunidades para as atividades bissexuais. Alguns casais gostam de frequentar clubes de *swing*. Dessa maneira, ambos podem conhecer as atividades um do outro e incluir a bissexualidade em sua vida amorosa. Em outros casos, ainda, os parceiros bissexuais têm autorização para sair e fazer o que desejam, não envolvendo o companheiro ou a companheira. O que decidimos fazer no que se refere às nossas relações sexuais não é importante, mas é essencial fazermos escolhas conscientes e sermos plenamente responsáveis pelas decisões que tomamos. Enfim, trata-se da nossa vida e dos nossos relacionamentos. É por isso que é tão importante não ter medo de expor nossos desejos e descobrir os limites dos nossos parceiros. Falando abertamente e tendo a coragem de ampliar os nossos limites, podemos chegar a soluções criativas e gratificantes que satisfaçam a todos. Boa capacidade de comunicação é essencial.

A nossa sexualidade é uma parte tão nuclear do nosso ser,
uma parte tão fundamental da nossa identidade,
que uma parte de nós morre, por assim dizer, se consciente
ou inconscientemente a negamos ou reprimimos.
– ANNEMARIE POSTMA

Inicialmente, Arthur não quis saber dos sentimentos bissexuais de Bridget. Não levando Bridget a sério quando ela falava dos seus sentimentos por mulheres ou simplesmente não querendo falar com ela sobre o assunto, ele involuntariamente tentou forçar Bridget a se comportar como se esses sentimentos não existissem. Ele desejava a vida simples e direta que eles sempre tiveram e esperava que Bridget deixasse de falar e de pensar em mulheres. Para Bridget, porém, o processo era inevitável e ela não conseguia mais reprimir seus sentimentos. Arthur sabia instintivamente que era isso realmente que estava acontecendo. O relacionamento deles era muito importante para ele e é por isso que ele compareceu com Bridget às sessões de orientação. Ele realmente temia pelo futuro e pelo que poderia acontecer com seu casamento.

Em uma das sessões, examinamos as preocupações e os temores de Arthur fazendo um exercício de visualização em que ele imaginava um resultado desastroso para a situação. O que poderia acontecer de pior? Ao criar uma imagem do pior cenário possível, e preenchê-lo com detalhes, Arthur constatou que o seu maior medo era que Bridget se apaixonasse por Rose e fizesse um sexo tão maravilhoso com ela que acabasse concluindo que ele não era mais necessário. Ele temia que Bridget o abandonasse. Um dos pensamentos mais perturbadores para ele era a ideia de que ele – um homem – já não seria suficiente para sua esposa. Em seguida, exploramos possíveis pensamentos que poderiam tranquilizar a Arthur, em vez de perturbá-lo. Ele sugeriu: "Como homem, posso oferecer tudo o que se pede de um homem; sou bom exatamente como sou. Apoio Bridget totalmente em suas experiências, as quais não me fazem menos homem". Também voltamos a atenção para as necessidades subjacentes de Arthur e perguntamos como elas poderiam ser satisfeitas. Ele respondeu que talvez ajudasse se Bridget encontrasse uma forma de garantir-lhe um pouco mais que ele ainda era importante para ela e que ela ainda o achava atraente e desejável. Além disso, Arthur demonstrou que sentia uma forte necessidade de que Bridget fosse aberta e honesta com relação ao que estava fazendo para que ele soubesse o que estava acontecendo e onde. Assim, pediu a Bridget que mantivesse as linhas de comunicação abertas. Também pediu acordos claros. Ele queria ter condições de reagir, caso a situação ameaçasse tornar-se insustentável para ele.

Fazendo acordos claros

Se resolvermos abrir o nosso relacionamento, será muito importante desenvolver a capacidade de fazer acordos claros. Se fizermos acordos, será essencial mantê-los. Quando uma relação muda, ocorre um período de fluxo, e pode ser difícil manter a confiança em nosso parceiro. Quando mantemos os acordos, deixamos claro que o nosso parceiro e o nosso relacionamento são importantes para nós, mesmo que as coisas não aconteçam do modo como gostaríamos num determinado momento. Uma estratégia eficaz pode ser estabelecer acordos por um período determinado, reavaliá-los no devido tempo e ajustá-los, se necessário.

Era difícil para Bridget fazer um acordo claro previamente. Ela nem mesmo tivera um encontro com Rose, e ainda estavam iniciando sua relação de amizade. Um forte palpite lhe dizia que algo poderia ocorrer entre elas, mas, de um modo ideal, ela queria ser capaz de simplesmente deixar que as coisas acontecessem e de reagir espontaneamente. Como Arthur manifestou a necessidade de estruturas e acordos, Bridget sentiu-se obrigada a considerar limites. Combinaram, então, que Bridget não faria sexo com Rose no primeiro encontro. Poderia haver beijos e afagos, mas nada de tirar a roupa. Arthur queria descobrir como essa experiência repercutiria para ele e como repercutiria para Bridget. Também combinaram que ela voltaria para casa antes da meia-noite e que enviaria uma mensagem de texto quando saísse da casa de Rose. Concordaram ainda em conversar novamente depois do primeiro encontro para decidir o que fazer em seguida. Claro, tudo isso dependeria também do que Rose quisesse. Arthur achou tudo muito empolgante e ao mesmo tempo bastante enervante, mas estava preparado para tentar cumprir o combinado.

Depois da noite dançante seguinte, Bridget e Rose decidiram ir para a casa de Rose para comer alguma coisa. O marido de Rose cumprimentou Bridget calorosamente e, em seguida, desejou-lhes boa-noite e foi para a cama. As mulheres sentaram no sofá da sala. Logo ficou evidente que o palpite de Bridget estava certo; Rose sentia-se muito atraída por ela e não fez nenhuma tentativa de esconder o fato. Rose colocou uma música sensual e puxou Bridget para dançar. Elas se perderam totalmente uma na outra e começaram a se beijar, sem sequer pensar sobre o que faziam. Bridget sentiu que finalmente havia feito a grande descoberta. Era diferente sentir um corpo de mulher e beijar uma mulher! Sentiu-se 100% bem e totalmente aliviada. Foi exatamente como ela imaginara. Ela se deleitou com a energia feminina de Rose, uma energia que também a deixou sexualmente excitada. Bridget permaneceu o tempo todo consciente do acordo com Arthur, porém, e falou a Rose sobre ele. Rose ouviu com atenção tudo o que envolvia o acordo entre Bridget e Arthur e disse que quanto a ela não havia nenhum problema. Era importante para ela, especialmente por ser a primeira vez de Bridget, que o momento fosse sereno, divertido e prazeroso se fizessem amor. Quanto a ela, isso só poderia acontecer se todos se sentissem bem, inclusive Arthur.

Rose disse a Bridget que desejava ter um relacionamento do tipo "amigos com benefícios". Para ela, isso significava que ficaria muito contente em ver Bridget de vez em quando, tendo o ato sexual como possibilidade, mas sem compromissos específicos. Bridget ficou muito feliz com a resposta de Rose. Ela não conseguia acreditar em sua sorte e sentiu-se como se estivesse voando! Sentiu que isso era possível, que ela podia fazer isso em sua vida! Não conseguindo esperar para partilhar sua felicidade com Arthur, enviou-lhe um texto: "Foi maravilhoso! Estou muito feliz e realmente quero... que você não vá para a cama ainda;-) xxxx". A salvo em casa, ela encontrou Arthur esperando por ela, voluptuoso. Bridget ficou tão feliz ao vê-lo que o abraçou com força, e, antes mesmo de perceber, estavam fazendo amor na sala de estar. Depois se sentaram e conversaram, e Bridget lhe contou tudo o que havia acontecido. Arthur estava aliviado e sinceramente feliz por ela. Estava um pouco nervoso, mas tinha um bom pressentimento sobre Rose e o modo como ela estava se aproximando de Bridget. Ela parecia ser uma pessoa confiável. Bridget se sentiu muito feliz com a reação positiva de Arthur. Ficou muito mais fácil para ela compartilhar seus sentimentos com ele. Ela também teve a impressão de que a experiência os aproximou ainda mais.

A transição de um parceiro a outro

O modo como reagimos ao fazer sexo com alguém que não é nosso parceiro varia. Para alguns, a experiência pode exercer uma influência positiva sobre a sua vida sexual e gerar um estímulo verdadeiro quando voltam para casa. Outros precisam de tempo para fazer a transição de um parceiro sexual a outro. Se nos encontramos nessas situações, é bom observar atentamente como reagimos e, se necessário, conversar com nosso parceiro sobre o assunto. Não há certo ou errado aqui; cada pessoa é diferente. Provavelmente não é preciso dizer que é proveitoso saber como nós mesmos somos e reagimos, e o que o nosso parceiro pode fazer para satisfazer às nossas necessidades. Na verdade, há parceiros que ficam felizes se há certo distanciamento. Então, eles podem dispor de algum tempo para se acostumar com a ideia de que seu companheiro teve intimidade com outra pessoa.

Em nossa última sessão, examinamos que acordos Arthur e Bridget gostariam de fazer e por quanto tempo. Pedi-lhes que fizessem uma lista de pontos importantes que indicassem suas necessidades nessa nova situação. Por exemplo, não se tratava apenas da frequência com que Bridget e Rose se encontrariam, mas também do nível de detalhes que

Arthur e Bridget revelariam um ao outro. E quanto ao resto do mundo? O que eles queriam dizer para a filha? Depois de registrarem suas ideias, eles trocaram as listas e as discutiram. Bridget e Rose queriam se ver toda semana além das noites da biodança. Arthur achava que uma vez a cada seis semanas era mais do que suficiente. Ele temia que de outro modo o relacionamento delas se tornasse muito intenso e achava que já havia sido mais do que condescendente. Além disso, ambos viviam muito ocupados e tinham uma filha que não sabia nada do que estava acontecendo. Arthur queria manter as coisas desse modo e preferia que falassem de Rose como uma amiga "normal". Depois de algum debate, finalmente concordaram com a ideia de que Bridget e Rose poderiam se encontrar uma vez por mês. Bridget não contaria a Arthur todos os detalhes do tempo passado com Rose, pois queria guardar isso para si mesma. Também concordaram em que, exceto para a melhor amiga de Bridget, não falariam a ninguém sobre o caso. O acordo valeria por seis meses, quando então o reavaliariam. Também prometeram ser honestos um com o outro em relação à experiência que estavam vivendo e continuar a conversar, mesmo se as coisas acontecessem de forma diferente do que esperavam.

Suba a um lugar
onde seja fácil ver
a enigmática advertência
C.T.T.
Ao perceber como a subida é
desanimadoramente lenta,
faz bem lembrar que as
Coisas Tomam Tempo.
– 'grook' (poema aforístico) de PIET HEIN

MEDICINA TRADICIONAL CHINESA
E A REPRESSÃO DA SEXUALIDADE

Medicina Tradicional Chinesa (MTC) é o termo que identifica o sistema de cura usado por acupunturistas, herbalistas chineses e praticantes de Tui Na (massagem chinesa), entre outros. É um dos mais antigos sistemas de cura conhecidos pelo homem e é praticado há milhares de anos. A MTC encontra seu fundamento em um sistema de observação e consciência da energia muito eficaz para a cura não só de problemas físicos, mas também emocionais. Um aspecto particularmente pertinente da MTC tem relação com o tratamento de situações crônicas: pode ser necessário realizar até uma semana de tratamento para cada ano de existência de um problema crônico.

Outro princípio básico da MTC é que a causa principal da doença é a obstrução ou o bloqueio em nossa matriz energética interna. Muitos desses bloqueios são causados por rigidez em nossos sistemas. Assim, um dos métodos fundamentais da MTC consiste em flexibilizar os nossos sistemas para desfazer essa rigidez.

Em muitos aspectos, os relacionamentos não são diferentes. Crenças arraigadas, proibições baseadas no medo e na comunicação deficiente podem ser sintomas de um relacionamento que se tornou rígido e, portanto, pode estar bloqueando o fluxo de energia necessária para mantê-lo saudável.

De um ponto de vista energético, reprimir a sexualidade significa bloquear ou obstruir um elemento particularmente poderoso da energia vital. O bloqueio pode ser interno (autonegação) e externo (falta de expressão). Prosseguir suavemente, com base na comunicação, na confiança e no amor, é uma atitude que está em perfeita harmonia com a ideia da MTC de tornar-se menos rígido. Dar-se tempo é de suma importância, pois permite que as energias do relacionamento desbloqueadas recentemente tenham tempo para se ajustar, adaptar e desenvolver.

Perguntas que você pode fazer a si mesmo

- Como me comunico com meu parceiro sobre os meus desejos sexuais?
- Como vejo a bissexualidade? Como ela se expressa na minha vida, caso o faça?
- Ouso me abrir a respeito da minha (bi)sexualidade?
- Que fantasias eróticas eu gostaria de ter realizado? Eu ouso falar sobre isso com meu parceiro? Em caso afirmativo, eu faço isso? Se não, por quê?
- O que significam para o nosso relacionamento possíveis desejos sexuais que meu parceiro possa ter?

Sugestões para um relacionamento aberto em uma situação de bissexualidade

- Aceite a bissexualidade do seu parceiro. Aceitar é mais do que simplesmente tolerar. Aceitação total significa que você aceita o seu parceiro pelo que ele ou ela é e que não tenta mudá-lo. Significa que você demonstra interesse pelo modo como cada um de vocês vê o mundo. Significa também que você examina como a sua relação é afetada e que vocês conversam sobre o assunto.

- Assuma a responsabilidade por sua sexualidade. Examine o que (bi)sexualidade significa para você e fale sobre isso com seu parceiro. Uma maneira de fazer isso é usar a Grade de Orientação Sexual de Klein.

- Sejam francos um com o outro em relação aos seus sentimentos, às suas expectativas, aos seus desejos e seus comportamentos. Uma boa comunicação é essencial para isso. Se descobrirem que têm dificuldades de comunicação, trabalhem sobre essa capacidade em primeiro lugar.

- Dê pequenos passos e o tempo que for necessário. Compreendam ambos o que cada passo significa para o outro. Não deixem de conversar.

- Respeitem os limites pessoais um do outro.

- Entenda que, quando você tenta algo novo, talvez o resultado não seja o esperado. Aprenda com suas experiências e pense de que modo você pode usar o que sabe que dá certo e o que não dá certo para as futuras decisões ou os acordos.

- Comuniquem um ao outro o andamento de suas experiências bissexuais e decidam até que nível de detalhe vocês desejam se expressar. O que é pessoal para você e o que quer partilhar com seu parceiro? O que você, como parceiro, quer saber? Quais são os benefícios de conhecer esses detalhes?

- Ao fazerem alterações no relacionamento, decidam em quanto tempo farão revisão do novo acordo. Revejam o acordo periodicamente.

7

Abrindo o Relacionamento – Esther e Peter

Vocês estão ambos na casa dos 30 anos e com carreiras de sucesso. Vivem juntos há muito tempo, não têm filhos e são felizes no seu relacionamento. O único problema é que a sua companheira está sempre se apaixonando por outras pessoas. Sempre que isso acontece, a relação fica abalada. Você quer confiar na sua parceira, mas é difícil. Em termos lógicos, você entende que não é de todo possível sentir-se atraído por uma única pessoa durante a vida inteira. Você não se importa com os devaneios da sua parceira e se acostumou com os contatos mais ousados e até os flertes no amplo círculo de amigos dela. Racionalmente, você entende que ela é assim, mas emocionalmente é um problema, pois você tem crises de ciúme sérias. Você não consegue suportar a ideia de que em algum momento sua parceira pode transformar seus devaneios em realidade e resolver fazer alguma coisa com seus sentimentos por outra pessoa, especialmente desde que ela insinuou estar disposta a *fazer exatamente isso. Essas preocupações com relação ao que o futuro pode reservar estão criando incertezas para os dois.*

É nesse cenário que Peter e Esther estão vivendo.

Esther, 32 anos, e Peter, 34, estão juntos há doze anos e sentem-se totalmente à vontade um com o outro. A vida é boa. O único problema recorrente que eles têm no relacionamento é que Esther vive se apaixonando por outros homens. Ela tem um vasto círculo social e sua relação com alguns amigos torna-se às vezes mais intensa, extrapolando a pura amizade. Normalmente, Esther guarda esses sentimentos para si, pois não quer criar problemas com Peter. Peter, no entanto, tem consciência do que acontece, mas não diz nada. Ele apenas espera e sempre fica feliz quando essas fases chegam ao fim. Ele é uma pessoa aberta e bastante tolerante, mas ainda assim é um alívio quando as coisas voltam ao normal e Esther deixa de devanear com alguém. Nesse aspecto, esses períodos nunca duram muito tempo, pois há sempre alguém novo aparecendo na vida de Esther. Se não é um colega de trabalho, é alguém atrás do balcão, na lanchonete ou no teatro que chama a sua atenção, ou então é o homem fascinante que conheceu na internet. Às vezes, é demais para Peter. Ele sabe perfeitamente que Esther se sente atraída por outros homens e que não tem intenção de deixá-lo. Apesar de todos os sentimentos de Esther por outros homens, Peter tem certeza de que ele ainda é o homem mais importante na vida dela. Ela não teve nenhum relacionamento sério com outro homem desde que casaram, mas mesmo assim ele acha as atrações volúveis de Esther difíceis de aguentar porque, para ser franco, ele é incrivelmente ciumento.

Esther e Peter passaram por uma crise seis meses atrás, depois que Esther beijou Roger, um amigo do clube náutico. Esther contou a Peter duas semanas depois, quando ele percebeu que ela estava sempre conversando com Roger *on-line* e que era quase impossível distrair sua atenção do computador. Peter ficou furioso quando Esther lhe contou sobre o beijo e precisou controlar-se muito para não sair, encontrar Roger e esmurrá-lo. É melhor aquele infeliz manter suas mãos (lábios) imundas longe de Esther! Depois, Peter descarregou sua raiva na quadra de tênis e, mais tarde, conversou com Esther sobre o assunto. Ele estava chateado com Esther por ela ter esperado tanto tempo para dizer-lhe que havia beijado Roger e por não ter confessado imediatamente. Não facilitou nada as coisas o fato de ela dizer que realmente não tinha gostado do beijo porque Roger tem um bigode espinhento.

Poucos dias depois, eles riram de tudo isso. Racionalmente, ele podia explicar a si mesmo que: "Tudo bem, Esther está apaixonada por outra pessoa, mas isso não significa que ela quer me deixar". Peter entende que isso é possível, mas emocionalmente não faz sentido para ele. De fato, ele havia conhecido uma das amigas de Roger em uma festa e conversou com ela sobre coquetéis. Mas não estava interessado em continuar o contato, pois só existe uma mulher para ele, e essa mulher é Esther. Peter simplesmente não consegue abrir seu coração para mais ninguém. Esther é diferente. Ela tem contato com diversos homens que parecem ter alguma característica que a leva a se apaixonar. Para piorar as coisas, a sua confiança em Esther ficou abalada de verdade quando ele descobriu que ela lhe escondera alguma coisa. Para ajudar a resolver isso, Esther e Peter entraram em contato com Leonie.

Uma base sólida

Quando Esther e Peter chegaram para a sessão, vi um casal estável que se dava bem. À primeira vista, não parecia haver qualquer tensão entre eles. Peter falou primeiro. Enquanto ele falava, às vezes Esther interrompia para explicar alguma coisa ou incluir um detalhe, mas sempre Peter retomava rapidamente a palavra. Na verdade, notei que um nunca deixava o outro terminar o assunto. Quando Peter acabou seu relato, perguntei a ambos o que esperavam das sessões de orientação. Peter disse que se sentia muito inseguro quando pensava no futuro. Esther nunca tivera um caso, mas ele tinha quase certeza de que isso poderia acontecer. Ele queria aprender a lidar com sua insegurança e a manter o ciúme controlado. Esther apoiou inteiramente essa intenção. Seria ótimo se Peter não fosse tão ciumento. Embora parecessem capazes de falar sobre o que estava acontecendo, ele não conseguia livrar-se do ciúme. Em suas tentativas de lidar com a situação, haviam lido diversos artigos sobre poliamor. O que leram realmente repercutiu neles, que se reconheceram no conteúdo exposto. Esther descobriu que de fato não era monogâmica, apesar de estar numa relação monogâmica, e até chegou a pensar que poderia ser poliamorosa. Ela realmente gostaria (embora no futuro) de fazer alguma coisa com seus sentimentos por outros homens. No momento, estava se deixando refrear pelo ciúme de Peter e por sua própria incerteza. Embora não houvesse desespero nesse sentido, ela imaginava que em algum momento gostaria de expressar seus sentimentos por outros homens também fisicamente. No entanto, pelo fato de Peter ser tão ciumento, ela continuava adiando essa possibilidade para algum momento futuro, porque não queria perdê-lo. Ela não conseguia imaginar a vida sem Peter. Por sua vez, Peter disse que não queria ser ciumento e que gostaria sinceramente de ficar feliz por ela. Eles haviam realmente conversado bastante sobre essa solução como resultado ideal.

Peter havia também lido sobre "compersão"*, um termo cunhado recentemente para descrever um estado de felicidade empática que uma pessoa pode experimentar quando o seu parceiro se sente feliz e contente com outra pessoa. Ele achava que essa era uma bela teoria, mas não conseguia imaginar-se vivendo-a na realidade. No momento, a única coisa que sente é ciúme, nada mais. Esther e Peter se perguntavam se seria possível abrir seu relacionamento no futuro, ou se essa tentativa estaria fadada ao fracasso. Eu os cumprimentei pela coragem demonstrada ao falarem sobre essa alternativa para sua relação. Estando dispostos a examinar possíveis opções, eles poderiam fazer a escolha mais apropriada.

Para encontrar uma resposta à pergunta deles, precisávamos antes entender os fundamentos do seu relacionamento. Como eles estavam investindo na relação e como poderiam fortalecer a confiança mútua?

Abrindo um relacionamento

Quase todos nós temos apenas um relacionamento íntimo "fechado", isto é, monogâmico, em um determinado momento. Por outro lado, alguns têm relacionamentos "abertos", ou seja, não monogâmicos. Nesses relacionamentos abertos, cada parceiro tem liberdade para compartilhar intimidade com outras pessoas, com pleno conhecimento e permissão do outro. A base de um relacionamento aberto, portanto, é a honestidade e a transparência entre todos os envolvidos. O que exatamente a intimidade com outras pessoas implica depende dos nossos desejos e anseios. Alguns querem apenas flertar, outros podem querer proximidade, amizades íntimas com outros homens ou mulheres. Alguns desejam ter encontros em que possam flertar, beijar ou talvez ir além.

---

* O oposto do ciúme. Termo pouco conhecido. Não consta de dicionários. (N. da P.)

Outros estão à procura de casais com quem passar uma noite erótica juntos em casa ou num clube de *swing*. O que para alguns é uma aventura a mais, para outros é apenas o primeiro passo. Alguns abrem o relacionamento para incluir relações complementares contínuas com outras pessoas. Os que se identificam como poliamorosos muitas vezes gostariam de poder expressar seu amor por outros de muitas maneiras diferentes. Em resumo: um relacionamento aberto é aquele que oferece mais possibilidades do que simplesmente "você e eu". Nós mesmos resolvemos o que "aberto" significa.

Abrir um relacionamento não é algo que normalmente seja feito por capricho. Não é uma decisão que tomamos num sábado à noite e na sexta-feira seguinte estamos prontos para executá-la. Muitos casais falam sobre isso, mas não se arriscam a partir para a prática com medo do impacto sobre a própria relação. Outros casais discutem a ideia durante anos antes de decidir ampliar seus limites de relacionamento. Mesmo assim, pode ser necessário que se passem meses ou até anos antes que os parceiros envolvidos encontrem a melhor maneira de manter seu relacionamento aberto. É um processo que pode trazer paixão renovada, diversão e momentos emocionantes a uma relação, mas também oferecer desafios que realmente a coloquem em teste. Em outras palavras, abrir um relacionamento pode demandar tempo e energia e requer cuidados para assegurar que decepções sejam evitadas ou adequadamente tratadas.

Antes de iniciar a jornada rumo a um relacionamento aberto, é importante nos sentirmos bem conosco, ter consciência de que a relação do momento está bem e saber que nós e o nosso parceiro podemos contar um com o outro e nos apoiar quando for necessário. É essencial que sempre conversemos com o nosso parceiro caso surjam problemas ou desafios. Quando abrimos o relacionamento, colocamos em movimento não apenas a nós mesmos, mas também a nossa relação e, como consequência, podemos nos deparar com alguns desafios sérios. As armadilhas e as partes não tão divertidas de nós mesmos, do nosso parceiro e dos nossos comportamentos combinados muitas vezes se acentuam diante de uma relação complementar. Isso pode afetar demais a forma como vemos a nós mesmos, o nosso parceiro e o nosso relacionamento. Construir a relação sobre bases sólidas pode fazer toda a diferença quando precisamos lidar com esse e outros desafios possíveis.

Estratégias de sucesso para relacionamentos sustentáveis

As seguintes estratégias são importantes em qualquer relacionamento – monogâmico ou não –, mas são indispensáveis para manter um relacionamento aberto:

- Comunique-se bem. Expresse-se com o pronome "eu" e não culpe os outros. Escute atentamente (ver Capítulo 3 para saber mais sobre a escuta ativa).
- Desenvolva um bom relacionamento consigo mesmo. Empenhe-se em saber quem você realmente é. Quais são as suas qualidades? Quais são as suas deficiências? Veja se gosta de ficar consigo mesmo e se pode ser feliz sozinho.
- Faça o possível para que você e o seu parceiro se sintam seguros um com o outro. Confie em si mesmo, aceite-se e ouse ser você mesmo. Aceitem-se mutuamente e fiquem atentos às diferenças de cada um. Se houver confiança e segurança, vocês poderão se permitir ficar vulneráveis um ao outro, e isso aumentará a intimidade entre vocês.
- Dediquem um ao outro a atenção total. Estejam totalmente presentes um para o outro quando estiverem juntos e evitem distrações.
- Invistam um no outro e planejem passar um tempo juntos regularmente. Vocês não são apenas pais, colegas ou amigos. Acima de tudo, são parceiros.
- Mantenham-se em contato com sua sexualidade e sejam francos sobre seus desejos e suas necessidades.
- Cultivem a emoção, surpreendam-se regularmente. Assim, manterão o relacionamento vivo.
- Tratem o parceiro como o seu melhor amigo. Respeitem-se e respeitem as qualidades únicas um do outro.
- Continuem sempre interessantes. Mantenham a identidade e a autonomia.
- Saibam o que querem e o que não querem e deixem isso claro. Façam escolhas conscientes e ouçam o seu próprio senso interior do que é certo ou não.

- Avaliem o seu relacionamento regularmente. Ao fazer isso, prestem atenção especial às necessidades e aos desejos um do outro. Ainda estão praticando o que é importante para ambos como indivíduos e como parceiros num relacionamento?

Durante a primeira sessão, Peter e Esther avaliaram o que os une usando uma roda de relação (ver Capítulo 1) e as Cartas de Relação de *O Jogo do Relacionamento*. Em seguida, explicaram um ao outro o que as relações que haviam escolhido significavam. Ambos ficaram surpresos ao descobrir que atribuíam significados diferentes à carta Sentir-se Seguro um com o Outro, escolhida pelos dois. Para Peter, a palavra "segurança" estava ligada a cuidado e proteção. Ele se sentia bem na companhia de Esther e achava maravilhoso cuidarem um do outro quando era necessário e também poder protegê-la. Esther, por sua vez, associava segurança com a possibilidade de ser de fato ela mesma, sem ser julgada. Admitiu que nem sempre se sentia segura com Peter. Peter ficou chocado quando ouviu isso, pois nunca esperara que ela se sentisse inibida em falar-lhe sobre os seus sentimentos. Isso lhe deu material para pensar.

À medida que a sessão avançava, notei que Esther e Peter tinham a tendência de expor os aspectos negativos um do outro. Às vezes, ela era bem maldosa, e ele se mostrou bastante queixoso e controlador. Comentei isso cuidadosamente com eles, mas logo perguntei o que apreciavam um no outro. Em primeiro lugar, por que se apaixonaram? O que tornava o outro atraente? Eles se entreolharam e começaram a rir. Esther disse: "Nós simplesmente nos divertimos juntos. Eu posso rir com ele e me sinto muito à vontade quando ele está por perto". Peter citou algo semelhante: "Esther pode ser muito espontânea e um pouco ingênua às vezes, e eu adoro isso. Sinto-me à vontade com ela". Passei-lhes então algumas tarefas para fazerem em casa. Pedi que anotassem todos os dias o que apreciavam um no outro, que coisas sobre o outro os faziam felizes e do que gostavam um no outro. Cada um devia fazer a própria lista e trazê-la na sessão seguinte.

Hábitos e "normalidade"

Quando estamos num relacionamento por algum tempo, tendemos a considerá-lo um fato normal da vida. O nosso parceiro é apenas parte da nossa vida, do mesmo modo que o trabalho, os móveis da casa, as refeições e a televisão. Muitos parceiros se habituam tanto um ao outro que perdem a consciência do que valorizam um no outro. A centelha inicial entre eles há muito se extinguiu e aquilo que no princípio era atraente pode lentamente se transformar em irritação. Foi exatamente isso que aconteceu com Esther e Peter.

No encontro seguinte, Esther e Peter estavam exultantes. Ambos trabalharam arduamente em suas tarefas e estavam muito curiosos para saber o que havia na lista um do outro. Esther escrevera que achava maravilhoso Peter ser tão atencioso. Certa noite, quando ela chegou em casa do trabalho, exausta, ele correu para preparar-lhe um banho quente e levou-lhe um copo de vinho. Ela estava acostumada com essa atitude dele, mas, ao pensar sobre isso, percebeu que era algo realmente muito especial que ele fazia. Ela também observou que na semana anterior, quando tivera um problema no trabalho, ele lhe dera um grande apoio. Ele a ajudou a pensar na melhor maneira de lidar com o problema e procurou algumas informações relevantes na internet para ela. Ela realmente dava muito valor a isso, pois Peter é especialmente hábil com o computador. Peter também é muito amável, e ela gosta do jeito como ele afaga o cabelo dela quando sentam juntos no sofá. Ela aprecia o fato de poder conversar com ele sobre praticamente qualquer assunto. Quando leem o jornal juntos nas manhãs de sábado, ela gosta de discutir as notícias com ele. Peter está sempre interessado no que acontece no mundo. Ele trocou uma lâmpada no banheiro assim que queimou, ele é muito habilidoso. Ela só precisou pedir ajuda uma vez e o conserto foi feito. Ela realmente gostava disso tudo nele.

Peter também fez uma lista. Ele gostava quando Esther andava pela casa cantando, ela está sempre bem-disposta. Ele achava maravilhoso o fato de Esther sempre ter ideias tão boas para as férias deles. Ela está sempre pronta para viagens de entretenimento a lugares distantes. Ele está impressionado com o seu grande círculo de amigos; é óbvio que Esther tem um grande coração e se preocupa com as pessoas ao seu redor. Ela está totalmente presente e quer realmente estar disponível para as pessoas que lhe são importantes. Peter também aprecia o fato de que ela nunca cria confusão quando ele quer passar um fim de semana com os amigos. Ele acha tocante o fato de ela se emocionar quando assistem a um filme ou uma série dramática na TV; ele é mais contido. Ele adora os pratos que ela prepara, sempre aparecendo com receitas novas. Foi maravilhoso ver as reações de prazer e emoção de

Peter e Esther quando ouviram a lista um do outro. "Sabe... Nós fazemos todas essas coisas um para o outro, mas raramente elogiamos um ao outro. Consideramos tudo muito normal!"

No restante da sessão, examinamos como eles se comportam um com relação ao outro, usando as "Cartas de Comportamento" de *O Jogo do Relacionamento*. Pedi que cada um escolhesse dez cartas que representassem os comportamentos mais importantes que, segundo eles, devem estar presentes em um relacionamento ideal. Depois procuramos saber se estavam cientes dos desejos recíprocos nessa área e de como seus desejos diferem. Também fizemos um levantamento dos aspectos que estão presentes na relação deles, dos que não estão e de quais podem ser melhorados. Às vezes, quando chegávamos a determinadas cartas, parávamos para analisá-las por mais tempo, a fim de considerar o comportamento em destaque. Por exemplo, ambos acharam importante a carta Dar um ao Outro Espaço e Liberdade. Peter achava Esther muito boa nisso, ao passo que ela achava que o modo de Peter lhe dar espaço poderia ser melhorado. Ele tinha uma forte tendência a querer estar no controle, e ela achava que ele muitas vezes indagava sobre muitos detalhes a respeito dos seus sentimentos de afeto pelos outros. Peter considerou a carta Ser Aberto e Honesto um com o Outro muito importante, e tinha a sensação de que Esther não se abria o suficiente com ele quando estava apaixonada por outra pessoa. Esther disse espontaneamente que achava que Peter não a ouvia realmente, mas sempre retrucava com comentários, a tal ponto que ela simplesmente guardava as coisas para si mesma, em vez de lidar com as réplicas de Peter. Concordamos em examinar essa dinâmica de comunicação na próxima sessão.

Em seguida, examinaram a maneira como se divertiam juntos, o que era importante para ambos. No momento, seus interesses individuais – como esportes ou atividades no computador – mantinham-nos separados. Ambos escolheram a carta Fazer Elogios ou Demonstrar Apreço: o exercício feito em casa deixara claro que gostariam de continuar a elogiar e valorizar um ao outro.

Invista no seu relacionamento

Não são todas as pessoas que têm o hábito de investir nos seus relacionamentos. De fato, muitas consideram o ponto alto de sua relação o dia do casamento. Meses de preparação e uma grande quantidade de dinheiro são despendidos para torná-lo um dia inesquecível, com a lua de mel como toque final. Parece até que o dia do casamento em si é o objetivo final. Depois, o resto do mundo é que exige atenção: trabalho, deveres cívicos, vida social e causas sociais, passatempos e, é claro, os filhos. Como nos voltamos para as preocupações do dia a dia, fica fácil negligenciar o relacionamento. O problema é que o verdadeiro trabalho em um relacionamento começa *depois* do casamento. Provavelmente haveria um índice muito maior de casamentos bem-sucedidos se investíssemos mais tempo e dinheiro na manutenção conjugal em vez de gastá-los na cerimônia. Fazer avaliações da nossa relação tendo em vista aperfeiçoá-la não é algo com que estejamos acostumados, mas é uma das formas mais eficazes de evitar o divórcio.

Peter e Esther perceberam imediatamente o impacto de examinarem a fundo o seu relacionamento. Eles voltaram a tomar consciência das qualidades positivas um do outro e a se apreciar mutuamente. Resolveram reavaliar os seus padrões de comunicação e como esses padrões afetam a relação. Na sessão seguinte, prestamos atenção à maneira como Esther e Peter se comunicavam. Fizemos isso usando duas ferramentas da comunicação: a "sondagem da habilidade de ouvir" e a "sondagem da habilidade de falar".

Sondagens da comunicação

Saber ouvir é uma habilidade fundamental no relacionamento. Na minha prática, gosto de usar uma ferramenta chamada "sondagem da habilidade de ouvir" para ajudar as pessoas a entender como ouvem outras pessoas e identificar áreas que podem ser aperfeiçoadas. Algumas perguntas da sondagem são:

- Você normalmente se põe a pensar numa resposta enquanto seu parceiro ainda está falando?
- Você procura ver as coisas do ponto de vista do seu parceiro?
- Você procura encontrar uma resposta sempre que o parceiro lhe diz alguma coisa?

Quando o cliente termina o preenchimento do questionário, eu peço a ele que examine com atenção as respostas e pense sobre o modo como ouve. Em seguida, sugiro que imagine o que seu parceiro ou sua parceira poderia pensar sobre esse modo de ouvir e observe em que poderia querer prestar atenção especial nas próximas semanas. O parceiro ou a parceira faz a mesma coisa. Eles, então, comparam as observações entre si para descobrir se existe alguma surpresa e para escolher alguns pontos específicos sobre os quais deverão trabalhar. Por fim, evidentemente, é importante que cada um assuma a responsabilidade pela parte que lhe cabe na equação das comunicações.

Quando Esther examinou as suas respostas, percebeu que muitas vezes ficava pensando em outras coisas enquanto Peter falava com ela. Também notou que lhe era bastante difícil ficar atenta a ele e ao que ele dizia. Esse era um ponto cego para ela. Por seu lado, Peter descobriu que tinha a tendência de interromper Esther constantemente e de oferecer soluções imediatas que ela não solicitara. Às vezes, Esther queria apenas contar sua história e analisar um problema consigo mesma. Era comum ela encontrar suas próprias soluções dessa maneira.

Esther e Peter perceberam que podiam melhorar sua comunicação e ambos apresentaram sugestões para o que cada um poderia fazer. Esther disse que faria todo o possível para estar totalmente presente e prestar atenção em Peter enquanto ele falasse, sempre tentando deixar os próprios pensamentos de lado. Se percebesse que o pensamento fosse começar a divagar, ela comunicaria o fato a Peter para que, se necessário, ele voltasse atrás e repetisse para garantir que ela ouvisse a história toda. Peter se propôs a parar de oferecer soluções o tempo todo e a deixar Esther ciente de que a estava ouvindo realmente; para isso, ele olharia para ela enquanto ela falasse.

Quando eu os vi, duas semanas depois, eles me disseram que a comunicação entre eles havia progredido e que estavam se entendendo muito melhor agora. Em seguida, examinamos o modo como falavam um com o outro, usando a "sondagem da habilidade de falar". Essa verificação se processa da mesma maneira que a sondagem da habilidade de ouvir, exceto pelo fato de as perguntas serem todas sobre a maneira como falamos uns com os outros. Esther descobriu que tende a falar muito e que acha difícil chegar ao ponto. Peter se ofereceu para ajudar, ouvindo-a melhor, resumindo regularmente o que ela diz e fazendo perguntas sem oferecer suas próprias soluções ao mesmo tempo. Ele percebeu que muitas vezes era bastante crítico em relação a Esther e prometeu que não seria mais tão rápido em expressar sua opinião ou seu julgamento. Ele também observou que tem mais facilidade para expressar seus sentimentos fazendo, não falando. Esther se ofereceu para perguntar a Peter o que ele sente e demonstrar-lhe mais apreço, para permitir que se tornasse mais fácil para ele abrir-se com ela.

Melhorando a comunicação

Melhorar o modo como nos comunicamos é tarefa que exige certo tempo. Não é algo que se faça de uma hora para outra. É praticamente impossível abordar com eficácia todos os aspectos da nossa comunicação simultaneamente e, seja como for, muitos padrões a que estamos presos voltam a se insinuar em nossas interações muito rapidamente. É muito difícil romper os círculos a que ficamos presos e substituí-los por comportamentos positivos. Um modo de facilitar as coisas é concentrar-nos num aspecto em particular da nossa comunicação e fazer o possível para mudar apenas esse aspecto. Se quisermos aprender uma nova maneira de fazer alguma coisa, precisaremos repeti-la muitas vezes para que se fixe e torne um hábito. Por exemplo, se não estamos acostumados a elogiar, será uma verdadeira arte aprender a perceber o momento exato em que um elogio pode ser feito (pois pode ser contraproducente fazê-lo no momento errado). Quando dominamos um aspecto, podemos passar para a próxima habilidade que necessita de atenção.

Durante alguns meses seguintes, Esther e Peter trabalharam para aperfeiçoar o modo como se comunicavam e como demonstravam consideração um pelo outro. Perceberam que os laços entre eles se fortaleceram durante esse tempo e que o nível de confiança no relacionamento aumentou. Só então sentiram que estavam prontos para voltar e examinar a questão que os levara a pedir ajuda: Como podemos lidar com o fato de Esther apaixonar-se com frequência e de Peter ser tão ciumento?

Acontece que o aspecto de maior dificuldade para Peter na questão do ciúme era a sua incapacidade de separar pensamentos e sentimentos. Racionalmente, ele estava preparado para deixar que Esther se apaixonasse por outras pessoas, e ficaria muito feliz se conseguisse se sentir um pouco mais relaxado e livre com relação a isso. Na prática, porém, não acontecia assim porque seus sentimentos de ciúme eram avassaladores e dolorosos demais. Quando descobria que Esther havia beijado alguém, não conseguia conter-se. Sua raiva e agressividade surpreendiam não apenas Esther, mas também a si mesmo. Ele se odiava por isso e desejava sinceramente mudar.

DEFINIÇÃO DE POLIAMOR

Poliamor (em geral, abreviado como "poli") é um termo cunhado nos Estados Unidos no início dos anos 90. É uma palavra híbrida (do grego עגםדד [poly], que significa muitos ou numerosos, e do latim *amor* [amor]). Com maior frequência é usado para definir a prática que consiste em manter mais de um relacionamento íntimo por vez, com pleno conhecimento e consentimento de todos os envolvidos. Os relacionamentos podem ser de caráter sexual ou não sexual, mas, por definição, sempre têm como base um vínculo amoroso entre os parceiros. Relacionamentos apenas sexuais não são, por definição, expressões de poliamor.

Poliamor é bem diferente das outras formas de relação com múltiplos parceiros que existem há milhares de anos. As formas históricas mais comuns de poligamia (relações com mais de dois parceiros) são a poliginia (um homem, muitas esposas) e, menos comumente, a poliandria (uma mulher, muitos maridos). Essas duas variantes eram em geral praticadas de forma estritamente hierárquica, porém. Em contraste, a ideia de poliamor dá grande ênfase à igualdade, e a maioria das pessoas, por exemplo, não consideraria uma família mórmon tradicional polígama como poliamorosa.

As pessoas que se autoidentificam como poliamorosas tendem a valorizar imensamente a honestidade, a integridade e a transparência. Elas também veem frequentemente o poliamor não tanto como uma escolha comportamental, mas como parte de quem elas são. Ser poliamoroso é uma questão totalmente distinta da opção de viver um estilo de vida poliamoroso. Por exemplo, alguém que se considera poliamoroso, mas escolhe viver uma relação monogâmica não deixa de ser poliamoroso; essa pessoa simplesmente opta por não expressar essa faceta do seu ser. Cada vez mais, pessoas poliamorosas estão decidindo explorar abertamente o mundo dos relacionamentos múltiplos. Para algumas, isso significa negociar um novo acordo dentro de uma relação monogâmica existente para permitir que cada parceiro mantenha outros relacionamentos íntimos, continuando a conservar a sua relação "primária" no centro da sua vida. Outras pessoas resolvem ter múltiplos parceiros e podem viver sozinhas, com alguns ou mesmo com todos os seus parceiros. Há muitas variações de práticas poliamorosas, e muitas pessoas acham que suas expressões pessoais de poliamor mudam ao longo do tempo. Um cenário bastante comum é aquele em que um casal pode querer explorar relacionamentos com várias outras pessoas durante um período de tempo e, depois, firmar-se com um ou dois desses parceiros "secundários". Não existe um modelo fixo para o poliamor.

Uma das ideias mais difíceis que muitas pessoas poliamorosas procuram passar a outras é a de que o fato de alguém ser poliamoroso não significa que "durma com todo mundo" ou que esteja aberto a encontros sexuais casuais. Com frequência, o que ocorre é exatamente o oposto – afinal, poliamor é uma questão de amor, e relacionamentos amorosos normalmente precisam de tempo para se desenvolver e florescer. Em outras palavras, se uma pessoa diz que é poliamorosa, seria imprudente fazer qualquer suposição sobre a forma como ela vive sua vida e, sobretudo, isso não diz nada sobre como ela pode querer interagir com outras pessoas (ou conosco!). Como muitas pessoas poliamorosas dizem: "Só porque sou poli, isso não significa que quero fazer sexo com você".

Nós não sabemos quantas pessoas se consideram poliamorosas, mas as estimativas variam de 2% a 30% da população adulta. Para expressar a dificuldade de se obter um número preciso, pode-se considerar um debate comum que as pessoas às vezes fazem sobre poliamor e traição. Há quem afirme que a traição está tão generalizada porque muitas pessoas são poliamorosas, mas não percebem ou não reconhecem esse fato. Por outro lado, outros dizem que pessoas que traem têm um comportamento que se opõe diametralmente a tudo o que as pessoas poliamorosas valorizam (como a honestidade). Sem dúvida, está aumentando exponencialmente o número de artigos, programas de TV, seminários, conferências e eventos sobre poliamor. É indiscutível que o conceito de poliamor está ajudando um número cada vez maior de pessoas a compreender seus sentimentos de amor por mais de uma pessoa.

Lidando com o ciúme

A vida não é mais rica por sermos livres de emoções,
mas, sim, por sermos livres para lidar com elas.
– ANDRÉ LASCARIS

É muito comum o ciúme estar presente nos relacionamentos, especialmente quando outras pessoas entram em cena, como numa relação aberta. O ciúme é uma emoção muito humana que afeta milhares de pessoas e que oferece enorme dificuldade para se lidar com ela. O motivo disso é que o ciúme não é apenas uma emoção, mas um conjunto de sentimentos que nascem de pensamentos negativos e de medos correlatos. Essa complexidade se reflete nas diferentes formas de lidar com ele. Seguem algumas estratégias mais comuns:

ACEITAR O CIÚME

Sentimentos de ciúme podem ser fortes, violentos e muito desagradáveis. Como resultado, normalmente tentamos resistir a eles. Essa reação geralmente não ajuda, apenas reforça esses sentimentos. Um dos primeiros passos para aprender a lidar com o ciúme é aceitar que esses sentimentos simplesmente estão aí, é permitir-nos sentir o medo e a dor e não fugir deles. As emoções negativas fazem parte da vida e do ser humano. Nossos sentimentos de ciúme são normais, têm permissão para existir, e a única coisa que nos resta a fazer é aceitá-los. Quando os sentimos em nosso corpo, devemos respirar fundo com eles. Podemos ver-nos com amor e respeito, mesmo quando o ciúme ameaça tomar conta de nós. Lembre-se de que *temos* sentimentos, mas não somos nossos sentimentos.

TER CONSCIÊNCIA DOS NOSSOS PENSAMENTOS E CONTROLÁ-LOS

O ciúme é um conjunto complexo de medos, de emoções negativas e de pensamentos negativos. Em consequência, lidar com o ciúme pode ser um processo demorado. Uma das maneiras de fazer isso intelectualmente é analisar o que está acontecendo e examinar os diferentes componentes um a um Se pudermos detectar o que desencadeia o ciúme, *no momento em que ele ocorrer,* poderemos identificar os pensamentos, os sentimentos e as emoções que surgirem *naquele instante* e trabalhar com essas emoções conscientemente. Como exemplo, eu poderia imaginar que o meu parceiro e outra pessoa estão se beijando. Como eu poderia reagir se visse a cena ou ouvisse sobre o fato mais tarde? Como Peter, talvez eu quisesse atacar fisicamente a outra pessoa. É lógico: alguma coisa acontece, sentimos ciúme e, impulsionados por um sentimento de raiva, agimos. No entanto, entre o evento e a reação, muita coisa acontece dentro de nós. Todos os tipos de pensamentos, muitos inconscientes, passam por nós e desencadeiam sentimentos e emoções a eles associados. Por exemplo, vendo o meu parceiro beijar alguém, eu poderia pensar: "Não tenho o direito de existir" ou "Não sou atraente" ou "Não sou bom o suficiente". Esse tipo de reação pode fazer com que nos sintamos inseguros ou sem importância, o que então se traduz como ciúme.

Por isso, uma maneira de conter o ciúme é questionar os nossos pensamentos: "É realmente verdade que não sou atraente? Como posso ter certeza de que não sou atraente?". Ao que pode seguir-se: "Como eu reagiria se não tivesse esse pensamento?". Uma vez conscientes dos nossos processos de pensamento, podemos formular pensamentos positivos e de estímulo (afirmações) para neutralizar esses pensamentos negativos. Nesse caso, poderíamos afirmar: "Sou especial ao meu modo e atraente para o meu parceiro" ou "Sou único e tenho muito a oferecer ao meu parceiro". Às vezes, ajuda fazer essas afirmações em voz alta ou repeti-las para nós mesmos.

Esse processo requer coragem e consciência. Muitos pensamentos que temos sobre relacionamentos resultam de pressupostos monogâmicos comuns, como "Ele é meu" ou "O meu parceiro está aqui para me fazer feliz". Quando ocorre um evento que ameaça um desses pressupostos, a reação pode ser rápida e vigorosa. Nem sempre é fácil isolar os componentes individuais acionados quando isso acontece ou ter consciência plena do que são essas emoções, esses sentimentos ou pensamentos em particular. Na verdade, quando entramos nesse processo, muitas vezes percebemos que todos os nossos paradigmas de relacionamento baseiam-se em ideais românticos de "dois contra o mundo", que são irreais e defeituosos. Se quisermos considerar conscientemente a opção de relacionamentos abertos, precisamos estar preparados para nos encontrar frente a frente com essa mudança de paradigma, e passo a passo.

COMPREENDER OS NOSSOS MEDOS

Medos têm um propósito: alertam-nos para um potencial perigo. O medo é um mecanismo natural de sobrevivência, e todos nós o temos em maior ou menor grau. No entanto, parece que às vezes sentimos duas vezes mais medo do que uma determinada situação ameaçadora oferece. Então, na próxima vez em que sentirmos medo, poderemos pensar: "Sinto muito medo, mas metade desse medo é suficiente". Como reagiríamos se tivéssemos apenas metade desse medo?

Existem muitos tipos de medo ocultos sob o ciúme, como o medo de:

- não ser bom o suficiente;
- perder o nosso parceiro;
- ser abandonado;
- alguém ser melhor do que nós na cama.

Todos esses medos podem ser profundamente inquietantes, o que é absolutamente normal. No entanto, se reagirmos com base nos medos do que pode acontecer, estaremos criando imagens negativas do futuro. Quanto mais alimentamos nossas imagens com pensamentos, tanto mais fortes se tornam as emoções a eles associadas. Se não tomamos cuidado, podemos acabar deparando-nos com profecias autorrealizadoras, uma vez que a nossa negatividade pode precipitar os próprios acontecimentos que tanto tememos.

Como antídoto a esse cenário, podemos tentar imaginar que não somos afetados pelo ciúme de maneira alguma. Podemos imaginar-nos reagindo com base em pontos de vista positivos – imagens positivas do futuro. Como seria uma visão de mundo baseada na ausência de medo?

Podemos escolher como vamos reagir e se devemos deixar ou não que nossos medos tirem o melhor de nós. É claro que fatos prejudiciais acontecem, e nossos medos podem ser advertências úteis. No entanto, os medos provocados pelo ciúme podem não só assumir uma forma exagerada e desproporcional, mas podem também criar a própria situação que mais tememos. A escolha de agir conscientemente, com base em um ponto conhecido, e não em um lugar de medo não identificado, é uma das ferramentas mais poderosas para vencer o ciúme.

DESCOBRIR AS NOSSAS NECESSIDADES OCULTAS

O mais importante sobre os sentimentos negativos e os medos é que sempre existem desejos ou necessidades escondidos debaixo deles, esperando ser descobertos. Por exemplo, sob o medo de ser abandonado pode bem estar uma necessidade de afirmação e valorização. Sob a raiva, pode estar uma necessidade oculta de defender os próprios limites. O medo de perder alguém pode esconder uma necessidade de segurança. A necessidade de controlar pode indicar a necessidade de se soltar ou de se entregar. Sob o medo de não ser bom o suficiente pode se encontrar a necessidade de significar alguma coisa para alguém ou um desejo de mais autoconfiança, que, por sua vez, é algo que podemos desenvolver. Se conhecermos as nossas necessidades ocultas, também poderemos chegar aos meios de atendê-las. Às vezes, outras pessoas podem ajudar – como reconhecendo as nossas necessidades. Outras vezes, nós mesmos podemos satisfazê-las – como melhorar a autoconfiança. Ao atender às nossas necessidades, os sentimentos de ciúme aos poucos amenizam.

ADOTAR COMPORTAMENTOS DIFERENTES

Muitas das nossas reações são habituais e nem sempre estamos conscientes do que fazemos. Saber por que fazemos o que fazemos e aprender a mudar os pensamentos que dirigem nossas ações é uma forma de manter nossas reações negativas controladas. Também podemos fazer alguma coisa diferente quando sentimos que o ciúme começa a querer prevalecer. Por exemplo, imagine o caso de alguém que está tentando começar um relacionamento aberto e seu parceiro sai para um encontro com outra pessoa. Se o sentimento do ciúme se insinua, em vez de ir para a cama e se esconder debaixo das cobertas, ele ou ela pode optar por assistir a uma peça teatral. Seguindo essa linha de raciocínio, podemos visitar amigos, assistir a filmes, ficar em casa e trabalhar num projeto... geralmente fazer algo de que gostamos quando nosso parceiro está fora. Se percebermos que começamos a ficar irritados e a discutir com nosso parceiro, podemos aprender a contar até dez, e depois controlar a nossa raiva de modo diferente – como correr ou fazer exercícios. Com a prática, podemos trabalhar para ser independentes e justos conosco, em vez de agir com descontrole.

ENTENDER E ALIVIAR DORES ANTIGAS

O ciúme não é desencadeado apenas por emoções subjacentes, como o medo, mas também por coisas que nos aconteceram no passado, eventos que muitas vezes não têm relação direta com a nossa situação atual. Dessa maneira, o ciúme pode servir para nos conscientizar de acontecimentos traumáticos do passado que ainda estão afetando consideravelmente a nossa vida. Às vezes, apenas ter consciência dessa ligação pode ser suficiente para nos libertar das garras do trauma antigo. Outras vezes, precisamos retroceder, identificar o que aconteceu e tomar medidas para desfazer os danos causados aos nossos sistemas emocional e energético.

Uma maneira de lidar com dores antigas é usar técnicas como a visualização dirigida. Essa técnica é normalmente utilizada por orientadores para analisar e alterar sentimentos de ciúme e comportamentos associados a ele. Ela consiste em imaginar, com minúcias de detalhes, uma situação em que os sentimentos de ciúme são muito intensos e, em seguida, analisar esses sentimentos, medos e pensamentos negativos com a intenção consciente de substituí-los por pensamentos positivos. Aprender a lidar com o ciúme pode ser uma dádiva maravilhosa que nos permita desenvolver toda uma nova visão de nós mesmos e do(s) nosso(s) relacionamento(s).

Peter teve dificuldades para encontrar um modo de lidar com seu ciúme. Sugeri que tratássemos disso numa sessão de visualização dirigida separada, com ele sozinho. Assim ele teria tempo e espaço para examinar seus sentimentos, pensamentos e medos. Combinamos que ele falaria com Esther sobre o exercício e os resultados. No início da sessão, Peter falou de sua hesitação e de suas preocupações com o exercício. Ele temia que suas emoções fossem fortes demais. Expliquei-lhe que ele poderia parar o "filme" a qualquer momento durante a visualização. Também poderia desligar o som ou poderia ver em preto e branco. Se resolvesse interromper a visualização, não precisaria reiniciá-la imediatamente poderia fazer uma pausa. Isso o tranquilizou. Ele resolveu que eu devia narrar a visualização sem som, ou seja, eu apenas descreveria as cenas para ele, sem qualquer diálogo entre os "atores". Depois de cada cena, eu lhe faria algumas perguntas.

Começamos então a visualização com uma cena em que Esther encontrava-se com um homem por quem se apaixonara. Peter começou a chorar quando chegamos à parte em que Esther beija o seu pretenso "amante" e o olha apaixonadamente nos olhos quando esse lhe pede que abandone Peter. Paramos o filme nesse ponto e examinamos os pensamentos e sentimentos de Peter durante a visualização. Ele estava cheio de raiva, tristeza, medo e desespero. Ele pensou: "Não sou bom o suficiente", "Ela está me abandonando" e "Ele é melhor do que eu". Escrevi esses pensamentos para que pudéssemos voltar a eles mais tarde e transformá-los em afirmações positivas, de apoio. Em seguida, examinamos mais de perto os medos de Peter. Investigando mais profundamente, Peter percebeu que o seu maior medo era de ser abandonado, seguido pela preocupação de que deixaria de ser o único homem na vida de Esther. Também tinha muito medo de perder o controle.

Perguntei-lhe se o medo do abandono poderia estar ligado a algo do seu passado. Como foi a sua infância? Como viveu a fase de crescimento? Era próximo dos pais? Ele disse que o pai havia abandonado a família quando Peter estava com 10 anos. O pai tinha uma namorada na época e divorciou-se da mãe pouco depois. Embora o pai tivesse lhe prometido que manteria contato, Peter o viu muito pouco após o divórcio. O pai começou uma nova família e dedicou toda a atenção a ela. Quando Peter visitava o pai, quase sempre sentia algo como se não houvesse espaço para ele. Essa situação lhe foi especialmente difícil quando viu os ótimos momentos que seu meio-irmão tinha com seu pai e a esposa dele. Falando sobre isso, Peter ficou muito emocionado. Ele tinha reprimido a consciência dos seus sentimentos havia muito tempo e desde então nunca falara sobre o assunto. Sugeri que examinássemos um pouco o seu passado para que tentasse descobrir quando teve pela primeira vez a sensação de "Estou sendo abandonado" e de "Não sou bom o suficiente". Ele começou essa tarefa com o exercício "uma carta para si mesmo". Nesse exercício, pedi-lhe que escrevesse uma carta de compaixão para seu eu mais jovem – para o garoto de 10 anos que passara por um momento tão difícil quando o pai saiu de casa. Também pedi que dissesse ao seu eu mais jovem o que teria desejado para ele.

Na sessão seguinte, trabalhei mais com Peter no sentido de liberar seu antigo sofrimento. Escrever a carta trouxe à tona muitas emoções e muitos sentimentos, e ele se sentiu bem ao dar a si mesmo o amor, o apoio e o reconhecimento que não recebera quando criança.

Continuamos a examinar Peter como ele era no presente para ver como poderia usar suas qualidades positivas inerentes para trabalhar de modo construtivo com a situação atual. Para isso, deixei Peter fazer contato físico com todas as diferentes partes de si mesmo e pedi-lhe que criasse uma subpersonalidade para cada uma das suas qualidades. Por exemplo, Peter poderia ser bem solto e despreocupado; então, ele poderia imaginar essa subpersonalidade como Peter sentado em uma cadeira confortável numa lanchonete, tomando sua bebida preferida e simplesmente observando o mundo passar.

Para descobrir que lição o Peter tranquilo tem a oferecer a si mesmo, sugeri que se sentasse em outra cadeira. Pedi-lhe que simulasse olhar para trás, para si mesmo, e falasse do ponto de vista da subpersonalidade despreocupada para se dar algum conselho. Ele se aconselhou a simplesmente confiar em si mesmo e a relaxar um pouco mais. Em seguida, repetimos o exercício com algumas outras características, e Peter logo percebeu que já possuía a maior parte das habilidades e do conhecimento de que precisava. Ele não conseguia acessar esse saber simplesmente porque a dor do passado se reafirmava como ciúme no presente e criava bloqueios. Embora tenha sido difícil e desagradável para Peter voltar e rever esse passado, no fim isso o ajudou a descobrir que sob seu ciúme jazia a dor da sua infância e que, liberando-a, encontrara as habilidades de que precisava para o presente.

Nem todos que sofrem de ciúme estão preparados para lidar com a dor do passado. Às vezes, há outras coisas que precisamos fazer antes de abordar tais questões. Cada um tem seu próprio ritmo e escolhe a cadência com que se sente melhor. Existem vários métodos que terapeutas e orientadores adotam para nos ensinar a lidar com a dor do passado. O exercício da 'carta para si mesmo' é um deles. Outro é o exercício do esquema da vida, apresentado no primeiro capítulo.

Algo que todos enfrentamos quando tentamos superar essas dificuldades, quer se trate da dor do passado ou não, é a presença do nosso Crítico Interno ou os nossos processos de autorreforço negativo interno, que pode dificultar muito a passagem para novos comportamentos e padrões de pensamento. Por isso, uma habilidade fundamental a desenvolver é a arte de aquietar esse Crítico Interno. Existem inúmeros livros, artigos e diversas técnicas disponíveis que ensinam a fazer isso, e pode ser muito útil encontrar alguma coisa assim que produza bons resultados para nós.

Peter havia conversado bastante com Esther sobre as nossas sessões e a maneira como o passado estava afetando seus sentimentos atuais. Com essas conversas, ele começou a perceber que seus sentimentos de ciúme ainda estavam presentes, mas que podia controlá-los muito melhor. Ele conseguia falar com Esther sobre o que havia acontecido sem ficar imediatamente irritado ou agressivo. Esse foi um passo importante para ambos. À medida que a comunicação entre eles foi melhorando, também ficou mais fácil conversarem sobre a condição poliamorosa de Esther. Agora ela sabe que pode ser mais ela mesma e que Peter está realmente aberto para lhe dar mais espaço. A confiança mútua no futuro do relacionamento deles aumentou extraordinariamente.

Depois do árduo trabalho de Peter sobre o ciúme, examinei com eles sua situação atual e a maneira como podiam lidar com os sentimentos poliamorosos de Esther. Ela ainda nutre sentimentos por Roger e quer desenvolver esse novo relacionamento, se possível. Esther sugeriu que ela e Peter marcassem um encontro com Roger e com a amiga de Roger para que todos pudessem discutir o assunto abertamente. Peter foi receptivo à sugestão. Ele realmente gostou da ideia de estar presente quando Esther e Roger conversassem sobre o que podiam fazer juntos. Isso lhe dava uma sensação de segurança; também se sentiu bem com a possibilidade de fazer algum comentário e até expressar possíveis preocupações. E, para ser totalmente honesto, ele estava também um pouco curioso para rever aquela interessante amiga de Roger e observar como se sentia em relação a ela. Tanto Peter quanto Esther tinham a sensação de que estavam prontos para uma nova dimensão no seu relacionamento e ansiavam por começar.

Abra espaço para respirar.
Quanto mais queremos vencer o medo apegando-nos a outros,
mais o medo se fixa, e o outro sem dúvida nos deixará.
– ANSELM GRÜN

Perguntas que você pode fazer a si mesmo

- Como lido com meus sentimentos por outra pessoa que não seja o meu parceiro?
- Como falo com meu parceiro sobre outras pessoas e quais são nossos acordos?
- Como lido com sentimentos de ciúme?
- Qual é o meu maior medo no meu relacionamento? Qual é a minha necessidade subjacente? Como posso atender a essa necessidade?
- Que parte do meu ciúme está relacionada com a dor do passado? Que mensagens recebidas dos meus pais ou responsáveis estão sendo estimuladas pelo ciúme?
- O que preciso fazer para ampliar meus limites? Que passos eu gostaria de dar?

Sugestões para expandir os limites do relacionamento

- Aceite que a ampliação dos limites do seu relacionamento pode ser assustadora, mas também estimulante. O medo é simplesmente um componente normal da equação.

- Não se deixe paralisar pelo medo. Crescer implica ter medo e mesmo assim sempre dar um passo à frente. Não existe isso de erro, mas, sim, uma nova experiência com a qual aprender.

- Faça acordos claros sobre seus limites. O que você quer e o que não quer? Respeitem os limites um do outro.

- Viva o máximo possível no aqui e agora e pare de se preocupar com o que pode acontecer no futuro. Esteja totalmente presente consigo mesmo e no momento e diga "sim" ao presente. Concentre sua atenção nas coisas que você pode influenciar.

- Invista no seu desenvolvimento e no seu crescimento. Assuma a responsabilidade por sua própria felicidade.

- Leve em conta o ritmo do seu parceiro. Deixe a pessoa que se move mais lentamente definir o ritmo; por outro lado, continue sempre em movimento.

- Mantenha o senso de humor. A capacidade de ver o lado divertido de si mesmo e da situação pode ser libertadora e oferece perspectiva.

- Divirta-se e faça coisas interessantes, não só com seu novo amor, mas também com o seu parceiro. Continue investindo no seu relacionamento principal. Demonstre ao seu parceiro o quanto ele ou ela é especial para você e por quê.

- Um relacionamento que está se abrindo é um relacionamento em movimento. Desejos e necessidades podem mudar ao longo do tempo. Reservem tempo para avaliar esses desejos e essas necessidades juntos, regularmente.

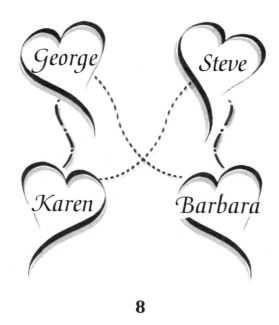

8

A Prática do *Swing*: Ampliando os Limites Sexuais – Karen e George

V ocês estão juntos há vários anos, têm um filho e uma vida estabilizada. Como monógamos, vocês têm uma vida sexual satisfatória. Satisfatória... Esta exatamente é a questão. A essa altura, vocês já se conhecem muito bem, e a paixão inicial praticamente esmoreceu com o passar dos anos. Secretamente, vocês anseiam por algo novo. Já ouviram falar de swing – uma atividade que pode apimentar sua vida sexual por meio do contato sexual ou erótico com casais que adotam essa prática. Vocês acreditam que essa alternativa pode ser-lhes muito útil, mas ao mesmo tempo têm medo. Como começar e o que esperar? Como ter certeza de que a base do seu relacionamento não será afetada negativamente? Como evitar problemas?

Karen e George também estão curiosos.

Karen, 36 anos, e George, 39, se conhecem há treze anos. São casados e têm um filho. Ambos tiveram outros relacionamentos, mas vivem monogamicamente desde que se casaram. Uma noite, eles assistiram a um programa de TV sobre *swing* que provocou uma longa discussão. Seria algo válido para eles? George gostou da ideia, mas Karen ficou em dúvida. De qualquer modo, concluíram que obter algumas informações a mais não faria mal nenhum, por isso resolveram pesquisar possibilidades – primeiro, procurando na internet. Descobriram que existem muitos clubes de *swing*, dezenas dos quais organizam noites especiais só para casais. Conforme leram, a ideia consiste em reunir-se com outros casais e, havendo empatia entre o casal interessado e um dos demais que estiverem presentes, passar uma animada noite erótica juntos. Embora parecesse excitante, Karen e George achavam difícil dar o passo seguinte e visitar um clube. Quais seriam as consequências se decidissem abrir o seu relacionamento sexual? Como poderiam manter tudo dentro do controle, para que seu relacionamento não fosse ameaçado? Como estavam inseguros, acharam que uma visita a um treinador de relacionamento poderia ser um bom próximo passo a dar.

Resultados inesperados

Quando conheci George e Karen, logo percebi que eles formavam um casal acostumado a se comunicar e que eles conseguiam falar abertamente sobre sua sexualidade. Em nossa primeira sessão, Karen e George falaram longamente sobre sua relação, contaram como se conheceram e por que haviam decidido entrar em contato comigo. Tinham muitos amigos, mas achavam difícil falar com algum deles sobre o fato de estarem curiosos para saber mais sobre *swing*. Ficaram visivelmente aliviados por encontrar um lugar imparcial onde pudessem trocar ideias e fazer perguntas.

Ficou claro para mim que George e Karen tinham um relacionamento estável, e o *Jogo do Relacionamento* com eles mostrou que a relação se assentava realmente sobre uma base sólida. Eles gostaram de ter essa confirmação. Com a ajuda das Cartas de Comportamento, examinamos os dez aspectos que ambos achavam que gostariam de levar em consideração caso convidassem outras pessoas para interagir com eles sexualmente. Escolheram as seguintes cartas juntos:

1. Manter um Relacionamento Sexual
2. Ser Abertos e Honestos um com o Outro
3. Divertir-se Juntos
4. Comunicar Desejos e Necessidades
5. Ouvir um ao Outro
6. Levar a Sério os Sentimentos e as Opiniões um do Outro
7. Indicar os Limites
8. Incentivar ou Desafiar um ao Outro
9. Conceder-se Espaço e Liberdade
10. Honrar Acordos e Promessas

Com o objetivo de verificar se George e Karen tinham a mesma compreensão da questão, examinamos as razões pelas quais ambos consideravam essas cartas importantes. Além das dez cartas, os dois mencionaram que praticar sexo seguro era muito importante. Pedi que cada um fizesse uma lista dos seus próprios desejos e de suas fantasias sexuais e que indicassem quais mais gostariam de realizar. Depois disso, pedi-lhes que trocassem as listas. Puderam então conversar sobre o que gostariam de tentar na realidade e sobre o que não quereriam absolutamente fazer.

George, então, pediu-me mais informações sobre os clubes de *swing*. Ambos queriam saber mais sobre o que acontece nesses clubes. O que podiam esperar se resolvessem ir a um deles? Comecei a dizer-lhes o que eu sabia. George logo me interrompeu e disse que já tinha ouvido o suficiente. Ele queria descobrir mais coisas pessoalmente, e Karen concordava com ele. Ambos estavam empolgados com a ideia e ansiosos para visitar um clube. Depois da primeira tentativa, porém, perceberam que reagiram de maneira diferente do que cada um esperava, e voltaram para conversar sobre a experiência.

Preocupando-se em demasia com a estrada,
você pode esquecer-se de caminhar.
– JULIET DAVENPORT

Swing: ainda é um tabu

O *swing* é uma atividade social que reúne pessoas que têm o mesmo modo de pensar para a prática de jogos de caráter sexual. Na maioria dos países – e a Holanda, os Estados Unidos e o Reino Unido não são exceções – o *swing* é tabu. Na empresa, nos bares ou em festas, as pessoas comentam satisfeitas sobre um magnífico jantar em um restaurante recém-inaugurado ou falam sobre os filmes mais recentes que estão em cartaz na cidade, mas raramente alguém menciona uma visita a um clube de *swing*. Embora estejamos em contato constante com material sexual e erótico por intermédio da mídia e da publicidade, uma visita a um clube de *swing* é, para a maioria das pessoas, um tema de pouco interesse. Temos dificuldade para entender como é isso ou o que acontece lá. Alguns imaginam um lugar sinistro repleto de pessoas vestidas de maneira ousada e dispostas a fazer tudo o que vier à mente.

Essa imagem não poderia estar mais longe da verdade. A realidade é que todo tipo de pessoa frequenta clubes de *swing*. Pessoas de todos os níveis sociais fazem sexo, e é isso exatamente o que se vê em um clube desses – um corte transversal da sociedade –, fato que torna uma visita a um lugar assim tão interessante. Em teoria, qualquer pessoa pode frequentar esses clubes: o seu vizinho, o padeiro, o seu chefe, o seu colega....

Muitas pessoas acham que um estilo de vida *swing* é uma excelente maneira de estimular sua vida sexual e de realizar suas fantasias eróticas. Em geral, a maioria dos praticantes de *swing* concorda que apaixonar-se ou tornar-se demasiadamente íntimo de outros emocionalmente é uma ameaça aos próprios relacionamentos, e muitos deles dizem que relacionamentos complementares com quem conhecem nesses clubes estão fora de questão. O contato relativamente anônimo que os praticantes têm nos clubes facilita a ampliação dos limites pessoais e enriquece os relacionamentos sexuais. As pessoas experimentam de tudo nos clubes. Alguns gostam de olhar seus parceiros fazendo sexo com outra pessoa; outros convidam uma ou mais pessoas para fazer sexo juntos. Há quem vá aos clubes para descobrir como é ter relações sexuais com alguém do mesmo sexo, para explorar sua bissexualidade ou realizar suas fantasias bissexuais. E muitos veem o *swing* simplesmente como uma noite erótica e prazerosa.

Uma das maneiras de descobrir o que acontece num clube de *swing* é visitar um deles numa noite qualquer e observar o que os frequentadores fazem, sem se envolver pessoalmente com nada. Há muitas coisas que podem tornar a noite divertida, sem que haja a necessidade de fazer sexo. Normalmente, os clubes têm quartos onde as pessoas podem fazer sexo, com privacidade ou em grupo, mas há também bares, pistas de dança e comida. Muitos clubes dispõem de espaço para sauna ou *jacuzzis*. Uma coisa que é diferente de uma boate normal, porém, é que muitos clubes adotam um código de vestuário: a partir de uma determinada hora (23 horas, digamos) todos são incentivados a trocar de roupa, passando a usar alguma coisa mais "sexy". Pode ser *lingerie*, uma peça de couro ou látex provocante, correntes ou simplesmente nada. Como nas saunas, todos recebem uma chave para um armário individual quando chegam, onde podem guardar seus pertences pessoais com segurança e trocar de roupa quando acharem conveniente. Para muitas pessoas, a ideia de precisar trocar sua roupa habitual pode parecer estranha à primeira vista. Lembre-se, todavia, de que todos os que visitam o clube estão lá pela mesma razão, de modo que, nesse nível, todos são iguais. Muitas pessoas gostam de vestir roupas provocantes e vão aos clubes especificamente porque adoram ser vistas – e admiradas – nesses trajes.

Antes de ir a um clube de *swing*, é bom ter plena consciência de como encaramos o sexo e ter bem claro o que queremos e o que não queremos fazer. Cada um reage de modo diferente quando vê outras pessoas fazendo sexo. Uma pessoa pode ficar muito excitada e querer participar de imediato, enquanto outra pode demorar um pouco para se acostumar com a ideia e ficar observando curiosa ao lado do parceiro. Outras ainda se sentem totalmente inibidas vendo tantas pessoas fazendo sexo. É bom imaginar de antemão como podemos reagir. Uma boa maneira de evitar decepções e desentendimentos é fazer acordos muito claros antes de sair de casa. Também é bom saber que em clubes de *swing* há uma regra bem explícita e impositiva: "Não significa 'não'". Em outras palavras, se uma pessoa aborda você pensando em fazer sexo, um "não" ou um simples gesto de mão basta para estabelecer um limite. Por isso, é importante conhecer os nossos limites e saber respeitá-los.

Karen e George reuniram coragem e decidiram visitar um clube de *swing* de luxo. Combinaram que na primeira noite iriam simplesmente observar. Tomaram uma bebida no bar, dançaram, conversaram com algumas pessoas e jantaram. Mais tarde, subiram para observar outros casais "em ação". Ficaram absolutamente maravilhados com o que viram, não conseguindo desviar os olhos. Quando chegaram em casa, estavam tão excitados e com uma energia sexual tão intensa que fizeram o melhor sexo em anos. Sua vida sexual realmente decolou depois disso e a semana seguinte foi extraordinária. Com o fim de semana se aproximando, decidiram dar um passo adiante e dessa vez fariam sexo um com o outro num quarto onde haveria outros casais também praticando sexo. Tiveram mais uma noite fantástica, com uma experiência sexualmente indescritível para ambos. Em casa, sua vida sexual continuou a aprofundar-se e eles se sentiam cada vez mais próximos. Também começaram a se sentir bastante aventureiros como grupo.

Um mês depois, foram novamente ao clube. Haviam resolvido continuar fazendo experiências e dessa vez queriam descobrir como seria ter contato sexual com outro casal. Concordaram que, se encontrassem um casal que ambos considerassem adequado, fariam um sinal previamente combinado para confirmar discretamente a escolha. Combinaram que aceitariam sem problema beijos e sexo oral, mas que não manteriam relações sexuais. Nessa noite, conheceram um casal na *jacuzzi*, Barbara e Steve, com quem se deram bem de imediato. Steve sugeriu que subissem para um quarto particular, onde poderiam ficar juntos sem ser perturbados. Karen e George concordaram e seguiram Steve e Barbara até o andar superior, conversando animadamente no caminho. Quando chegaram, Steve quase imediatamente começou a dedicar muita atenção a Karen, que, evidentemente, gostou dele e respondeu com entusiasmo. George procurou conhecer Barbara um pouco mais, e se manteve bem mais reservado. Ele começou a se sentir um pouco desconfortável à medida que o contato sexual entre Steve e Karen se inflamava diante dele, mas não disse nada nem os perturbou. Ele também percebeu que tinha dificuldades para se excitar sexualmente com Barbara. Enquanto se preocupava com sua própria situação, olhou para Steve e Karen novamente. Ele quase nunca vira Karen tão excitada. Percebeu que era ótimo para ela, mas que também era difícil para ele. Barbara percebeu isso e conseguiu desviar a atenção de George. Mais tarde, todos desceram para o bar, onde conversaram um pouco mais e trocaram endereços de e-mail.

Na manhã seguinte, Karen ainda estava muito excitada e queria fazer sexo com George, mas ele estava sem disposição. Ele reagiu com irritação e nem sequer sorriu quando ela fez uma piada. Karen percebeu que eles precisavam conversar. Só então ela entendeu que haviam vivido situações muito diferentes na noite anterior. Tudo havia se resolvido bem no final, não? E ele não se divertiu com Barbara? A verdade para George, contudo, era que ele estava bastante chocado. Estava começando a achar que a troca de parceiros, como haviam feito na noite anterior, talvez não fosse realmente algo que o fizesse sentir-se bem. A ideia tinha sido muito empolgante, mas esperava algo diferente no momento de concretizá-la. Depois dessa conversa, não falaram mais sobre o assunto durante algumas semanas.

Nesse meio-tempo, receberam um e-mail de Steve e Barbara, que queriam saber quando eles planejavam visitar o clube novamente. Karen também se comunicara com Steve *on-line*, e estava ansiosa para marcar um novo encontro, mas George não estava mais interessado na ideia. Karen ficou totalmente confusa. Fora ele quem mais se entusiasmara e quem primeiro tivera a ideia de ir a um clube de *swing*, e fora Karen quem hesitara. Agora que ela começava a realmente gostar, ele estava com medo. Eles perceberam que os seus diferentes desejos estavam começando a criar tensão no relacionamento. O que deveriam fazer?

Como apreciar o sexo num clube de *swing*

A maioria das pessoas visita clubes de *swing* principalmente para se estimular sexualmente. É útil saber, porém, que o que estimula sexualmente os homens e o que estimula as mulheres pode ser bem diferente. Os homens tendem a ser estimulados visualmente e reagem ao que veem. As mulheres, por outro lado, tendem a reagir mais ao cheiro e ao som. Se quisermos frequentar clubes (e mesmo se quisermos fazer sexo!) com mais frequência, é interessante desenvolver a capacidade de reagir a esses estímulos. Normalmente, há muitas coisas que precisam estar em harmonia para que nos sintamos estimulados. Diversas pessoas são muito sensíveis à atmosfera ou ao ambiente em que se encontram. Luz suave, lençóis luxuosos, música inspiradora e decoração sensual fazem grandes diferenças. Também é importante sentir-nos à vontade na intimidade com nossos parceiros, sentir-nos valorizados e respeitados, e seguros. É recomendável estarmos relaxados e presentes quando começamos a fazer sexo, sem pensar no trabalho ou na família. Se quisermos realmente desfrutar o sexo, precisamos deixar as preocupações de lado e entregar-nos aos nossos sentimentos e às sensações físicas.

É importante também que tudo o que fizermos seja feito de modo a sentirmos gosto, prazer e segurança. No entanto, nem todos conseguem sentir imediatamente o que lhes proporciona ou não esse prazer. Isso significa que precisamos aprender a expressar o que queremos ou o que estamos procurando. Em geral, é muito mais fácil fazer isso com um companheiro do que com um estranho num clube. Essa pessoa praticamente desconhecida não sabe se gostamos de ser acariciados com suavidade ou com firmeza, por exemplo. Mordidelas suaves na pele nos excitam ou nos desestimulam? Algumas pessoas gostam de ser agarradas com firmeza, outras preferem uma sedução suave, lenta. Gostamos da maneira como alguém beija, ou não? Tudo isso contribui de modo importante para que desfrutemos o sexo em maior ou menor grau. Uma maneira de garantir que recebamos o que mais apreciamos é incentivar a pessoa que está fazendo o que gostamos ou dizer alguma coisa como "um pouco mais suave seria maravilhoso". Expressar desejos ou estímulos de uma forma positiva encoraja nosso parceiro sexual a fazer o que apreciamos. Se alguém nos toca em algum lugar que não gostamos, podemos simplesmente levar sua mão a um ponto que nos dá prazer. Novamente, a comunicação é fundamental.

Um clube de *swing* não produz o mesmo efeito em todos. Muitas vezes, há fatores dos quais não temos consciência imediata – como os nossos valores e as normas que são intrínsecos ou os pensamentos de autocrítica – que podem afetar as nossas experiências sexuais. Algumas pessoas inclusive se distanciam um pouco de si mesmas para se observar e começam a se julgar. Outras se surpreendem quando esses processos internos se manifestam, pois imaginavam que apenas iriam desfrutar um bom momento.

Antes mesmo que Karen e George começassem a contar sua história, percebi que algo havia mudado. Se na última vez era George quem estava entusiasmado e ansioso para começar, agora era Karen quem demonstrava impaciência. Ela descreveu como se sentiu imediatamente atraída por Barbara e Steve e declarou que poderia confiar neles. No entanto, ficou surpresa com a rapidez com que tudo aconteceu. Steve parecia saber exatamente do que Karen gostava, e, antes mesmo de se dar conta, ela se entregou totalmente. Ela havia gostado realmente e ficara incrivelmente estimulada durante toda a semana. Ela observou o efeito positivo que a experiência tivera sobre o seu nível de desejo sexual e estava ansiosa por mais experiências.

A noite de George fora completamente diferente. Ele gostou de Barbara, e Steve era ótimo, mas George ficou um pouco tenso quando

Steve sugeriu que fossem para o andar de cima. George começou a tocar Barbara suavemente quando viu como Steve quase saltou sobre uma Karen desejosa e excitada. Apesar de Barbara ser uma mulher muito atraente, George simplesmente não conseguia entender o que estava acontecendo entre Steve e Karen. Normalmente, Karen precisava de um bom tempo para aquecer e começar a reagir, mas o que ele via agora era uma mulher totalmente diferente. Ele não sabia o que pensar. O que Steve está fazendo com ela? E se Steve quiser fazer sexo com Karen, e ela ficar tão excitada e simplesmente não resistir e se entregar? Ele tentou, sem sucesso, chamar a atenção de Karen. George ficou tão preocupado com o que estava acontecendo entre Steve e Karen que realmente não deu nenhuma atenção a Barbara, e sentiu-se culpado. Ele não conseguiu nem mesmo ser um "homem de verdade" para Barbara. Barbara percebeu que George estava nervoso e tenso e tentou fazê-lo relaxar. Por fim, tudo acabou sendo divertido, mas, no que dizia respeito a George, aquele era o fim da experiência com clubes de *swing*. Era tudo muito complicado e, no final das contas, não valia a pena.

Reduzindo expectativas

Quando fixamos expectativas muito elevadas, podemos ser nossos piores inimigos, pois criamos as nossas próprias decepções. O problema é que acabamos reagindo ao que pensamos que deveria acontecer em vez de reagir ao que de fato acontece. Ocupamo-nos em tentar transformar as nossas ideias preconcebidas em realidade e ficamos surpresos e aborrecidos quando o resultado é outro. Em geral, só ficamos satisfeitos se as nossas fantasias se realizam exatamente como esperávamos. Embora seja verdade que os acordos que fizemos previamente com nosso parceiro ofereçam certo grau de clareza e segurança, é simplesmente impossível predeterminar como uma noite assim vai se desenrolar. Por isso, a melhor maneira de ser bem-sucedido é reduzir as nossas expectativas e simplesmente ficar no presente e reagir ao que acontece.

George tinha criado muitas expectativas para a noite, mas tudo acabou de forma diferente do que ele imaginara, apesar de todas as conversas que tivera antecipadamente com Karen. Karen, por sua vez, tinha menos expectativas e simplesmente acompanhou George para ver o que aconteceria. Ela ficou nervosa e um pouco resistente no início, mas depois sentiu-se contente por ter decidido acompanhar George. Durante a sessão, resolvemos examinar um pouco mais a experiência de George. Adotando um processo de questionamento, síntese, reflexão e aprofundamento da sondagem, obtivemos mais informações sobre os pensamentos e sentimentos que George tivera naquela noite. Em seguida, analisamos os seus pensamentos, escrevendo-os em ordem cronológica, assim:

1. Espero que dê tudo certo – quando Steve sugeriu que fossem para o andar superior.
2. Espero que ela goste de mim – quando percebeu que poderia ter um encontro sexual com Barbara.
3. Posso realmente confiar nela? – ao ver Karen ficar excitada quando Steve começou a tocá-la.
4. Ela nem sequer está pensando em mim – quando não conseguiu estabelecer contato visual com Karen.
5. Ele é melhor do que eu – quando viu o arrebatador orgasmo de Karen.
6. Se pelo menos eu pudesse ter uma ereção... – quando Barbara começou a beijá-lo.
7. Barbara também merece um pouco de diversão, mas estou à altura da tarefa? – quando Barbara começou realmente a prestar atenção nele.

As emoções e os sentimentos de George à medida que a noite foi passando foram os seguintes: insegurança, ansiedade com relação ao seu desempenho, desespero, pânico, frustração e solidão.

Karen ficou chocada quando viu a lista de George. Ela não fazia ideia de que o encontro com Steve e Barbara havia sido tão calamitoso para George. Ela simplesmente se divertiu. Com toda sua excitação, não prestou atenção ao que acontecia com George. Quando ele tentou explicar-lhe o que havia ocorrido, Karen se sentiu culpada; porém, estava tão empolgada com as possibilidades de novas aventuras no clube que deixou seus sentimentos de culpa de lado. Ela achava que ele só precisava se acostumar com o cenário do clube e que, se fossem mais vezes, tudo ficaria resolvido.

Nada o assustaria
se você se recusasse a ter medo.
– MAHATMA GANDHI

Identifique os limites ultrapassando-os

Há muitas maneiras de descobrir onde estão os nossos limites pessoais. Podemos falar com o nosso parceiro sobre o que achamos que seria divertido explorar, dizer-lhe quais são nossas fantasias pessoais e decidir o que vamos fazer e o que definitivamente não vamos fazer. Essas são certamente discussões importantes como preparação para uma visita a um clube de *swing*, mas sempre restam zonas cinzentas porque podem acontecer coisas que não previmos e simplesmente não conseguimos saber sempre como vamos reagir. Fantasia e realidade nem sempre coincidem em casos assim. Por exemplo, podemos ficar muito excitados fantasiando sobre alguém fazendo sexo à força conosco, mas, na prática, poderíamos achar horrível. Quando estamos sexualmente excitados, podemos surpreender-nos em viagens de descobertas eróticas tentando todo tipo de coisa, e depois perguntando-nos: "realmente queríamos fazer aquilo e foi realmente tão bom assim?".

De fato, algumas pessoas sentem uma espécie de vazio interior depois de manter contato sexual com alguém que não seja seu parceiro. Elas sentem falta da intimidade e do amor que expressam mutuamente. Descobrem que o desejo não é a única coisa necessária para realmente desfrutar o sexo. Outras acham que é divertido tentar algo uma vez, mas não têm necessidade de repetir a experiência. E há, de fato, pessoas que pensam que é maravilhoso poder se expressar sexualmente sem inibições e veem os clubes como parte integrante de sua vida sexual. As pessoas são diferentes; por isso, se estamos realmente interessados em saber o que é verdadeiro para nós, só há uma maneira segura de descobrir: experimentando.

Às vezes, ao testar nossos limites, nós os ultrapassamos. Nem sempre podemos ver antecipadamente o que está à nossa frente. Quando achamos que cruzamos nossas próprias linhas, é boa ideia refletir e avaliar o que aconteceu. Se acontecer alguma coisa que não for exatamente o que queremos, poderemos vê-la como algo a aprender – uma oportunidade para nos conhecer melhor. Nenhuma criança aprende a andar de bicicleta sem cair de vez em quando. Faz parte da curva do aprendizado. Se quisermos saber como é andar de *mountain bike*, temos de começar a pedalar.

Perguntei a George e Karen o que fariam de diferente se fosse possível reviver aquela noite no clube. George respondeu que ele teria falado a Steve e Barbara sobre o acordo entre ele e Karen: tudo era válido, menos relação sexual. Ele também teria gostado de passar alguns momentos de intimidade só com Karen; apenas algumas palavras ou alguns afagos antes que ela ficasse com Steve. Ele sentiu falta disso. Perguntei-lhe o que teria sido necessário para fazer isso acontecer. George percebeu que as suas expectativas haviam novamente predominado, pois presumira que Karen simplesmente saberia que ele precisava daquele momento com ela. Finalmente, ele entendeu que era responsável por expressar suas próprias necessidades com clareza.

Karen disse que, provavelmente, teria gostado de manter mais contato visual com George. Admitiu que, por causa da sua excitação, simplesmente se esquecera de fazer isso. Provavelmente teria ajudado se tivessem ficado mais perto um do outro, talvez a distância dos braços. (George e Barbara haviam ficado a alguns metros de Steve e Karen, em um quarto bastante escuro.) Em retrospecto, Karen concluiu que sua escolha de ficar tão distante talvez não tivesse sido a melhor ideia. Ela quis dar a George espaço para ficar com Barbara porque sabia o quanto ele estava ansioso por aquela noite e não queria ser um obstáculo. Na verdade, no início, haviam dito que "dar espaço um ao outro" era realmente muito importante para ambos.

Em seguida, voltamos a examinar os pensamentos que George expressara, começando no ponto em que Steve sugerira que subissem para o andar de cima. Pedi a George que identificasse como suas necessidades subjacentes poderiam ter sido satisfeitas se a noite tivesse corrido como ele esperava inicialmente. Começamos com a tensão e a incerteza que ele havia sentido durante os pontos 1 (Espero que tudo corra bem) e 2 (Espero que ela goste de mim), e ele achou que essas emoções ainda estariam presentes, mas que poderiam ter sido menos intensas se ele e Karen fossem mais claros com Steve e Barbara de antemão. Os pontos 3 (Posso realmente confiar nela?) e 4 (Ela nem sequer está pensando em mim), em que não estava mais seguro quanto à confiança no que Steve e Karen fariam, não teriam vindo à tona. Isso teria influenciado fortemente os pontos 6 e 7, a respeito da incerteza sobre sua capacidade de ser um bom parceiro sexual para Barbara. Examinamos a necessidade oculta sob o ponto 5 (Tenho certeza de que ele é um amante melhor do que eu). A necessidade oculta de George, que é afirmação, foi atendida imediatamente por Karen assim que a mencionei.

"George, você é um amante fantástico e você sabe disso perfeitamente. Não se preocupe. Você é maravilhoso exatamente como é."

No final da sessão, George e Karen decidiram que marcariam um novo encontro com Barbara e Steve no clube. Primeiro, teriam uma conversa enquanto tomassem uma bebida e falariam sobre suas experiências para garantir que todos pudessem se divertir no futuro. Também concordaram que, apesar do contratempo inicial, a sua experiência de *swing* havia de fato acrescentado mais paixão à vida sexual deles. A energia sexual fluía entre eles, e os dois estavam realmente adorando isso.

PARCEIROS SEXUAIS MÚLTIPLOS FAVORECEM
O CRESCIMENTO ESPIRITUAL

A troca frequente de parceiros traz benefícios crescentes...
Se uma pessoa mantém relações sexuais sempre com o mesmo parceiro, seu ching-ch'i (vitalidade sexual) torna-se fraco, e isso não só não lhe traz grande proveito, mas fará com que o seu parceiro se torne mirrado e macilento.

– SACERDOTE TAOISTA CH'ING NU
(de Os Segredos da Câmara de Jade, escrito em c. 980 d.C.)

Fazer sexo com mais de uma pessoa, seja consecutiva ou simultaneamente, não é nenhuma novidade e, na verdade, nós, seres humanos, fazemos isso desde o início dos tempos (se os nossos registros históricos merecem crédito). Todos os nossos ancestrais tinham múltiplos parceiros sexuais de uma forma ou de outra. Às vezes, essa prática se realizava em cerimônias ritualísticas para obter benefício religioso ou espiritual; outras vezes, era algo que favorecia a sobrevivência de uma cultura, garantindo que nascessem bebês, mesmo quando um casamento não era fecundo. Algumas culturas, notadamente no Pacífico Sul, aceitavam o sexo como um componente divertido, normal e saudável da existência humana e tinham uma visão bastante liberal com relação a quem dormia com quem. Em uma determinada cultura insular, as mulheres eram conhecidas por sua exaltada libido; como consequência, os homens da comunidade saíam frequentemente juntos em longas viagens para pescar, apenas com a finalidade de ter um pouco de sossego!

Isso se opõe diametralmente à culpa, à vergonha e à repressão generalizada do sexo por parte de muitas religiões organizadas e de outros "guardiões da moralidade", que transformaram em um imenso desafio falar – e também agir – de uma forma consciente e coerente sobre sexo. Quantos casais nunca conversam sobre suas necessidades, seus desejos e suas fantasias? Parece às vezes que uma das coisas mais difíceis de fazer é conversar com nosso parceiro sobre algo que é fundamental para definir quem nós somos.

Efetivamente, o sexo pode envelhecer. Fazendo a mesma coisa repetidamente, sem variação, quer se trate do modo como fazemos sexo ou do tipo de alimento que ingerimos, *ficaremos* entediados. Gostamos da diversidade, e o sexo não é exceção. Ninguém se incomoda se mudamos o nosso guarda-roupa ou experimentamos pratos diferentes de vez em quando. Tente, porém, dizer a amigos, familiares e colegas que deseja um pouco de variedade sexual depois de estar casado por alguns anos. A reação pode não ser muito positiva. No entanto, reprimir a necessidade de variação não é – em última análise e conforme observaram os taoistas – uma solução saudável.

Assim, será solução simplesmente desfazer-nos de todas as nossas inibições e de nossos ideais morais e levar uma vida sexual totalmente livre? Historicamente, parece não ter sido esse o caso na maioria das culturas e tradições favoráveis ao sexo. Se, por um lado, essas antigas tradições reconheciam a necessidade de variação, também dispunham de muitos procedimentos para preparar os indivíduos para que pudessem usufruir plenamente os frutos da sua sexualidade.

Em algumas culturas, a habilidade e a consciência sexuais estão incluídas nos ritos de passagem, tanto para homens como para mulheres. Existe uma comunidade na África Ocidental, por exemplo, onde mulheres maduras instruem os jovens na arte do amor, e um jovem pode não casar até que demonstre sua habilidade de levar uma mulher ao orgasmo.

Práticas desenvolvidas e conscientes da sexualidade, como as taoistas e tântricas, eram realizadas em determinados templos, consistindo em intercurso sexual entre parceiros múltiplos, ou pelo menos alternados. No entanto, aprofundando-se um pouco, fica evidente que não se tratava apenas de "Estou interessado em uma noite de sexo, vamos para o templo". Ao contrário, eram exigidos pelo menos dois anos de preparação sólida, na maioria das vezes, individualmente, antes que alguém pudesse participar dos ritos que se realizavam sob a orientação de mestres treinados (principalmente mulheres). Essa preparação consistia em aprender a assumir responsabilidade por sua própria sexualidade e a estar consciente do fluxo da energia sexual no próprio corpo – e, assim, ser capaz de dirigi-lo. Tanto os textos taoistas como os tântricos mostram que podemos fazer circular e armazenar a energia orgástica. A finalidade desses ritos era dar aos participantes a oportunidade de elevar ou tornar sutil o nível vibracional de suas energias sexuais autodirigidas junto aos adeptos treinados da mesma forma.

Desse modo, paradoxalmente, os praticantes de *swing* modernos estão, de diferentes maneiras, explorando algo que vem sendo praticado há séculos. Introduzindo variedade e aventura em sua vida sexual, estão atraindo novas energias e vitalidade.

A maneira como as pessoas percebem essa atividade, porém, pode fazer toda a diferença. Se for realizada sem conhecimento e sem respeito, pode – de um ponto de vista energético – causar mais mal do que bem.

Os que se preparam conscientemente e desenvolvem práticas sexuais baseadas em uma boa comunicação, em consciência, respeito mútuo e em técnicas de controle da energia sexual podem surpreender-se na companhia de adeptos do sexo sagrado que o praticam dessa forma há milênios. Apesar do condicionamento sexual negativo que predomina em nossa sociedade, estamos testemunhando um interesse cada vez maior na instalação de lugares e na realização de eventos em que podemos conhecer, praticar e usufruir os benefícios dessas técnicas milenares.

Perguntas que você pode fazer a si mesmo e um ao outro

- Como é o nosso relacionamento sexual?
- Como estamos investindo no nosso relacionamento sexual?
- Sei quais são as necessidades e fantasias do meu parceiro?
- Ouso expressar minhas fantasias e meus desejos? Em caso afirmativo, eu faço isso? Em caso negativo, do que eu precisaria para poder expressá-los?
- Como lidamos com as nossas necessidades e os desejos mútuos?
- Quais dos meus limites eu gostaria de expandir se tivesse oportunidade?
- Como lido com os limites do meu parceiro?

Sugestões para o caso de você estar pensando em aderir à prática do *swing*

- É fundamental que o seu relacionamento seja sólido e estável, com comunicação aberta e honesta. Trabalhem sobre os fatores de sucesso para uma relação sustentável.
- Conversem antecipadamente sobre os seus desejos e as suas expectativas.
- Deem-se tempo. Pensem na possibilidade de uma visita a um clube de *swing* e apenas observem antes de decidir fazer alguma coisa.

- Definam os próprios limites e respeitem os limites um do outro. Segurança é essencial, tanto ao praticar *swing* como para dar sustentação ao seu relacionamento.
- Pratiquem sexo seguro e usem preservativos. Se usarem álcool ou drogas, sejam moderados! Se não estão acostumados a usar álcool ou drogas, esse não é o momento para começar.
- Reduzam quaisquer expectativas que possam ter e desfrutem o presente.
- Mantenham contato com o parceiro e pensem em adotar uma senha caso queiram interromper a atividade.
- A estimulação sexual pode viciar. Sempre existe o risco de ultrapassarem involuntariamente os limites enquanto estiverem à procura de novos estímulos sexuais. Mantenham vivo o relacionamento sexual particular com o seu parceiro e continuem a desfrutar a intimidade e a comunicação que vocês têm juntos.

9

Separação Amorosa: Quando os Caminhos Divergem – Marilyn e William

Vocês estão juntos há trinta anos, e os filhos começaram a sair de casa. Alguns anos atrás, o seu parceiro comunicou-lhe que é poliamoroso e lhe disse que gostaria de abrir espaço para essa experiência em sua vida. Você é monogâmica, porém, e não está nada satisfeita com a relação complementar que o seu parceiro mantém há vários anos. Juntos, vocês tentaram dar sustentação ao seu relacionamento para que todos se sentissem felizes, mas sem muito sucesso. A dificuldade continua e, às vezes, as emoções se alteram. Aos poucos, os dois estão esgotando a energia do relacionamento, e isso está afetando não só vocês, mas a família como um todo. E agora?

Marilyn e William estão tentando resolver esse problema.

Marilyn, 54 anos, e William, 51, estão casados há 27 anos e têm três filhos. Oito anos atrás, William teve um caso secreto com outra mulher. Marilyn ficou arrasada ao descobrir, e quando ele finalmente terminou o romance para salvar o casamento, ela sentiu um grande alívio. Esse foi um período negro na vida de Marilyn, uma fase que ela francamente preferiria esquecer. Para William, foi uma experiência de mão dupla: a energia e a alegria que sentia com seu novo amor, e a confusão e a culpa que o dominavam quando pensava na esposa e no casamento.

Há alguns anos, William leu um artigo sobre poliamor. Em algum lugar interior recôndito, ele sempre soubera que poderia amar mais de uma mulher ao mesmo tempo. Com certa frequência, ele se sentia atraído por outras mulheres ou se apaixonava. O artigo foi o impulso para pesquisar mais sobre o assunto. Por fim, descobriu um fórum *on-line* para pessoas que se denominam poliamorosas. Foi um alívio perceber que não era o único que sentia e pensava como ele. No fórum, começou a conversar com Elisabeth, 44 anos. Logo em seguida, começaram a trocar e-mails particulares. Elisabeth incentivou William a falar com Marilyn a respeito da convicção que ele formara de ser poliamoroso. Embora achasse uma coisa muito difícil de fazer, ele tomou coragem e falou com Marilyn sobre o assunto. A conversa foi muito angustiante e perturbadora para Marilyn. Ela teve a sensação de que estava sendo envolvida em alguma coisa de que não gostaria de participar. Não tinha certeza alguma de que quisesse se envolver com algo relacionado com poliamor ou com as explorações de William sobre a questão.

Nessa conversa inicial, William disse a Marilyn que não queria mais reprimir e negar essa parte de sua identidade. Queria descobrir o que significava para ele ser poliamoroso. Queria abrir espaço em sua vida para os seus sentimentos por outras mulheres. Também queria conhecer Elisabeth pessoalmente. Eles estavam trocando e-mails fazia algum tempo e ultimamente haviam conversado por telefone. Estava claro que tinha algo acontecendo entre os dois. William não queria fazer mais nada às escondidas de Marilyn. Como sabia das consequências danosas da mentira e da traição, preferiu ser aberto e honesto a partir de então. Marilyn gostou muito disso. Entendeu que era difícil para William e que ele estava tentando ser honesto com ambos. Uma parte dela queria dar-lhe essa liberdade para amar outras mulheres. Finalmente, ela disse que não iria se opor se ele quisesse encontrar-se com Elisabeth.

William e Elisabeth logo perceberam que estavam apaixonados e que queriam se encontrar regularmente. Marilyn ficou em dúvida, mas também queria deixar espaço para William ser ele mesmo. Enfim, quem era ela para tolhê-lo? Acima de tudo, sabia que, se quisesse manter seu relacionamento com ele, precisava deixá-lo ver Elisabeth. Ela ama William, e como família e como casal eles formam uma ótima equipe. Ela não queria perdê-lo.

Enquanto o relacionamento de William com Elisabeth se desenvolvia, também aumentava a capacidade dele de definir claramente o que queria para sua vida. Marilyn começou a sentir que não havia como detê-lo. Ela não podia mudar o fato de que ele estava apaixonado por outra mulher e, apesar de ser doloroso, aceitou. Durante dezoito meses, eles trabalharam para garantir que suas interações emocionais fossem positivas. Mesmo tendo sido um processo difícil, tiveram sucesso.

O principal problema que enfrentaram foi o fato de Marilyn ser muito ciumenta. Ela se angustia muito quando William se põe diante do computador e fica conversando com Elisabeth e enviando e-mails. Nesses momentos, ele se torna totalmente inacessível a ela. Sempre que William tem um encontro com Elisabeth, Marilyn se aborrece vários dias antes; e se ele passa a noite com Elisabeth, Marilyn dorme mal. Depois que ele volta para casa, ela sempre precisa de alguns dias para ter com ele alguma intimidade novamente. Além disso, às vezes, Elisabeth vai à casa deles. William a está ajudando a escrever textos promocionais para instituições de caridade. Elisabeth quer criar sua própria fundação, e ele está apoiando o seu esforço. Marilyn gosta de Elisabeth e a considera atraente, simpática e divertida. É claro que isso dificulta ainda mais a situação.

Há algumas semanas, quando William comunicou a Marilyn que queria sair de férias com Elisabeth, o impacto foi forte demais para ela. Marilyn tem a sensação de que está constantemente estendendo seus limites e que o processo parece interminável. Ela não consegue suportar a ideia de William e Elisabeth saindo de férias juntos. O que diria às suas amigas e aos seus familiares? Quase nenhum deles sabia da relação complementar de William. A tensão em casa tornou-se quase insuportável, e o filho, o único que ainda morava com eles, começou a ficar na casa da namorada para fugir das brigas entre o pai e a mãe. Marilyn finalmente decidiu marcar uma sessão introdutória com Leonie para ver se conseguiria receber alguma ajuda.

Descobrindo-se poliamoroso

Muitas pessoas que descobrem a possibilidade da experiência poliamorosa vivem o seu momento "Eureka!". De repente, percebemos sentimentos que nutrimos durante algum tempo como reais e sentimos que, de um momento para o outro, os nossos desejos têm o direito de existir. Não precisamos mais reprimir ou negar essa parte de nós mesmos. "É assim que eu sou, é isso que sempre senti em minha vida. Meus sentimentos são normais e há outras pessoas iguais a mim!" Sentimentos decorrentes de afirmações como essas podem produzir uma verdadeira explosão de energia. O peso cai dos nossos ombros e às vezes temos até a sensação de estar gritando de cima dos telhados, e imediatamente queremos fazer alguma coisa com a nossa nova autoidentificação. Isso pode virar um grande problema se já tivermos um relacionamento com alguém que é monogâmico, que não se sente poliamoroso e que não fica nada feliz com o nosso senso de identidade recém-descoberto. Essa dupla existência – sentir-se poliamoroso, mas viver uma relação monogâmica – pode levar a conflitos internos e a desavenças externas. Nós nos perguntamos: "Devo ceder aos meus sentimentos poliamorosos ou não?". Entrementes, o impulso para nos unir ao nosso ser essencial e os nossos desejos de viver uma vida baseada em quem realmente somos em geral continuam a aumentar. Queremos explorar modos de sermos autênticos sem sermos infiéis ao nosso parceiro. Muitas pessoas poliamorosas que se encontram nessa fase tendem a ficar totalmente absorvidas no seu processo de desenvolvimento pessoal. Pesquisamos o máximo possível e tentamos encontrar pessoas que nos compreendam. Então, quando finalmente revelamos ao parceiro que somos poliamorosos, às vezes, estamos – em termos de informações e de conhecimento do assunto – bem adiante dele. Para nosso parceiro, a notícia de que nos autoidentificamos como poliamorosos pode ser um grande choque, e com frequência bastante desagradável. Para quem é monógamo – alguém que assumiu o compromisso de amar uma única pessoa por vez e que deseja relacionar-se com um parceiro apenas –, o conceito de poliamor se opõe totalmente ao seu paradigma relacional.

Minutos depois que William e Marilyn chegaram ao meu consultório, pedi que cada um contasse o seu lado da história, sem interrupções do outro. Marilyn antecipou-se. Enquanto falava, notei que era muito difícil para os dois não se interromperem. William queria muito ressaltar o seu lado da história, mesmo enquanto Marilyn falava, e tinha a tendência a assumir a conversa se não fosse contido. Seu comportamento deixou claro que ele tendia a dirigir o relacionamento. Acontece que Marilyn sente às vezes que não tem espaço suficiente ou oportunidade para descobrir o que realmente quer no relacionamento. Ela tem a sensação de que foi forçada a entrar no relacionamento aberto em que se encontra, apesar de saber que concordou com isso. Quando casou com William, definitivamente não escolheu estar num relacionamento aberto. Casou com ele porque o amava e queria envelhecer com ele. Ela ainda quer isso, e é por esse motivo que está fazendo todo o possível para manter seus sentimentos negativos controlados e para encontrar uma maneira de continuar de alguma maneira comprometida com a relação. Ela quer dar a William espaço e liberdade, mas acha muito difícil e doloroso fazer isso. Seu ciúme a domina cada vez mais à medida que se sente exaurida por ele.

A questão do poliamor de William levou-os a conversar muito nos últimos anos. A comunicação entre eles melhorou e seu relacionamento íntimo também se beneficiou. Marilyn vê esses aspectos como positivos e está feliz com o modo como essa experiência os fez crescer. Mas ela se pergunta se seria necessária a relação com Elisabeth para que isso acontecesse. Não poderiam ter feito isso sem ela? Se o seu relacionamento com William tivesse sido melhor, ele teria sentido necessidade de relacionar-se com Elisabeth? Marilyn tem a sensação de que não é boa o suficiente como mulher. Por mais que William lhe diga que a ama por ela ser quem é, seu senso crítico interno diz que, se ela fosse um pouco melhor, William ficaria satisfeito apenas com ela.

Esse sentimento de inadequação é reforçado sempre que William passa a noite com Elisabeth. Depois de uma noite dessas, às vezes ele chega em casa e quer fazer amor com Marilyn, para mostrar que ainda a ama; mas Marilyn não tem disposição para isso e ainda tende a se afastar. Ela não consegue entender o fato de ele querer intimidade com ela logo depois de ter estado com outra mulher, mas, no entanto, ele claramente quer. Isso aumenta ainda mais a sua sensação de não ser boa o bastante para ele. Ela se sente presa num círculo vicioso, pois, quanto mais William quer ver Elisabeth, mais Marilyn se retrai e menos disposta se sente a atender aos desejos de intimidade dele. O maior medo de Marilyn é que Elisabeth acabe por atrair William para ela e que Marilyn o perca totalmente. Por que ele ficaria com uma mulher que está sempre com ciúme e quer cada vez menos ter relações sexuais?

Marilyn tentou tudo o que pôde para refrear seu ciúme, mas teve pouco sucesso. No início, ela simplesmente ficava em casa quando William saía, mas percebeu que não fazia muito mais do que se preocupar e chorar. Então procurou se distrair. Às vezes, visitava amigas, mas, como estava sempre pensando em William, não ficava totalmente presente, e assim achava que não era justa com as amigas. Atualmente, ela em geral vai ao cinema. Pelo menos, sua atenção está em outra coisa, e, se começa a pensar em William, não incomoda ninguém com isso. No entanto, ela realmente não gosta de usar as escapadas de William e Elisabeth como desculpa para ver filmes, e agora um passatempo que ela costumava apreciar também parece ter se contaminado. Na verdade, Marilyn só quer uma coisa: livrar-se do seu ciúme. Ela ouviu falar em "compersão" (contentamento ou alegria que se sente quando o parceiro vive uma relação feliz com outra pessoa), mas ela ainda não tem esse sentimento. No entanto, já chegou ao ponto em que consegue aceitar William e Elisabeth se abraçando na presença dela. Marilyn admite que Elisabeth é, definitivamente, uma mulher que se pode amar.

A experiência de William é totalmente diferente. Ele está feliz por poder ser aberto e honesto com Marilyn e por terem progredido tanto em seu relacionamento. Ele fica profundamente aborrecido vendo o sofrimento de Marilyn, mas também acha que não pode mais ser infiel a si mesmo e que não pode e não quer negar o que sente por Elisabeth. Ele também acredita que, mesmo se não tivesse conhecido Elisabeth, teria se apaixonado por outra pessoa. William não quer mais negar suas inclinações poliamorosas. Ele se sente muito mais leve por ter identificado seus sentimentos e se sente muito mais honesto consigo mesmo. Mencionou que seus problemas crônicos de torcicolo desapareceram desde que descobriu sua identidade poliamorosa e começou seu relacionamento complementar com Elisabeth.

William admitiu que seu relacionamento com Marilyn tem exigido muita atenção ultimamente, pois está mudando. Ele acha que Marilyn sempre foi muito dependente dele, que estava feliz com isso e que gostaria de continuar assim. No entanto, no que lhe diz respeito, eles agora passaram para uma nova fase da relação. Ele percebeu em si um grande desenvolvimento e crescimento pessoal desde que conheceu Elisabeth e, evidente, isso está também causando um impacto sobre seu relacionamento com Marilyn. Marilyn e ele têm conversado muito mais e a comunicação entre eles melhorou sensivelmente, mas ele notou que ultimamente está ficando um pouco impaciente. Ele está fazendo todo o possível para que Marilyn acerte o passo, mas tem a sensação de que, se dependesse dela, ele jamais veria Elisabeth novamente e, como consequência, todo o crescimento no seu relacionamento com Marilyn seria interrompido. Além de tudo, por mais que se esforce, nunca está bom. Se ele opta por ver Elisabeth, magoa Marilyn. Se ele opta por não ver Elisabeth fica chateado. A situação parece sem saída.

A tentativa de encontrar maneiras de lidar com a situação com as duas mulheres está começando a afetar William fortemente. Ele se sente impaciente e às vezes não quer mais se aborrecer por levar Marilyn em consideração. O fato de estar optando por fazer o que deseja deixa-o com um tremendo sentimento de culpa assim que percebe o que está fazendo. As discussões desencadeadas quando ele perde a paciência são intensas às vezes e ele sucumbe a explosões impetuosas de raiva, que não são característica sua e o inquietam muito. Ele acha que ajudaria muito se Marilyn conseguisse aprender a controlar o seu ciúme um pouco mais. Isso tornaria a vida mais fácil para todos e, sobretudo, manteria o ambiente em casa mais descontraído. Ele tem a sensação de que não há como manter a situação atual por mais dezoito meses. No entanto, não quer perder Marilyn, absolutamente. Ela é sua esposa, sua amiga, a mãe de seus filhos e sua companheira de vida. Ele acredita que deve ser possível encontrar uma solução. Sua confiança no amor que sentem um pelo outro é enorme.

O relacionamento mono/poli

Podemos chamar uma relação entre alguém que é "monoamoroso" e alguém que é "poliamoroso" de "relacionamento mono/poli".

Essa não é uma das combinações mais fáceis. É uma forma de relacionamento que normalmente exige muito de ambos os parceiros, pois cada um tem visões muito diferentes do que seja um relacionamento. Há monos que conseguem encontrar uma forma de relacionamento que pode acomodar esses conflitos de paradigma; no entanto, dar-se bem como mono numa relação aberta requer certa dose de independência e autonomia. Ajuda bastante se nos sentirmos bem conosco e não dependermos do parceiro para nossa própria felicidade e nosso entretenimento. Igualmente úteis são uma boa dose de flexibilidade e a capacidade de ver as coisas do ponto de vista de outras pessoas; autocompaixão e empatia por nosso parceiro são indispensáveis. Além disso, é importante cultivar bons vínculos com nosso parceiro. Além de amor e apoio emocional, é interessante descobrir outros interesses que nos unem.

Pessoas diferentes encontram diferentes soluções para o enigma mono/poli. Às vezes, um poli resolve não expressar seu lado poliamoroso e, em vez disso, envolve-se numa relação monogâmica. Ele (ou ela) pode sentir amor por alguém que não é sua parceira ou seu parceiro, mas nunca teria uma relação íntima ou sexual fora do relacionamento de compromisso. O máximo que a relação de compromisso pode acomodar é uma estreita amizade com a terceira pessoa dentro de limites claramente definidos. Nesses casos, o poli adapta o seu desejo de expressar amor por mais de uma pessoa às necessidades do mono, que quer um relacionamento monogâmico.

Pode acontecer também que os limites monogâmicos sejam ampliados para incluir um relacionamento sexual limitado fora da parceria oficial, ou que sejam estabelecidos de modo que uma relação complementar possa incluir carícias e beijos. Outros monos dão a seus parceiros poliamorosos mais liberdade e tentam encontrar sua própria maneira de lidar com o ciúme. Outros ainda optam por uma "tríade" em forma de "V", em que o parceiro poliamoroso atua como "pivô". Mesmo nesse caso, o mono talvez precise se esforçar para resolver seus problemas de ciúme. Às vezes, um relacionamento mono/poli simplesmente deixa de existir quando a pessoa mono fica sabendo que seu parceiro está apaixonado por outra pessoa e quer abrir espaço no relacionamento para isso. Para alguns monos, não há soluções mono/poli aceitáveis.

Situações mono/poli são complexas e, como tais, beneficiam-se de decisões bem ponderadas. Isso inclui dar a todos os envolvidos todo o tempo e o espaço necessários para descobrir o que realmente favorece a todos, e não simplesmente tomar decisões baseadas em fortes emoções iniciais. Alguns casais levam anos para chegar a um ponto de equilíbrio em suas novas formas de relacionamento. Outros acabam chegando à conclusão de que nunca serão felizes em uma relação mono/poli. É importante esperar um tempo para tomar a decisão, mesmo que anos sejam necessários.

Muitas pessoas poliamorosas tendem a movimentar-se rápido demais ao tentar encontrar maneiras de inserir o poliamor em relacionamentos monogâmicos já existentes. Isso pode ocorrer especialmente quando estão apaixonadas e cheias da ENR (Energia do Novo Relacionamento). Muitas vezes, monos acham difícil reconhecer e aceitar que os seus parceiros sejam poliamorosos. É incompreensível para eles que seus parceiros possam amá-los e amar outra pessoa ao mesmo tempo, e muito menos compreensível ainda que queiram expressar esse poliamor de alguma maneira. A imagem que têm do relacionamento a dois desagrega-se quando seus parceiros fazem revelações poli. Essa mudança pode destruir a confiança e as expectativas concernentes ao relacionamento. Isso é realmente difícil para muitos monos. Não é, pois, de estranhar que muitos monos em relacionamentos mono/poli mantenham um estado prolongado de negação com relação às tendências poli de seus parceiros. Com efeito, não é fácil movimentar-se no mesmo ritmo.

Para Marilyn, William se movimentou rápido demais quando seu novo amor entrou em cena. Ele já havia iniciado uma relação nova, complementar, com Elisabeth, enquanto Marilyn mal havia se acostumado à ideia de que seu marido é poliamoroso. Na verdade, ela realmente não queria reconhecer a decisão dele de se identificar como poliamoroso. Em algum lugar no seu íntimo, ela achava que a única razão para William dizer isso se devia ao fato de o relacionamento deles não ser bom o suficiente para ele. Ela também pensava que, se não aceitasse Elisabeth na vida de William, mais cedo ou mais tarde, iria perdê-lo, pois ele deixara bem claro que não queria voltar a um relacionamento monogâmico. Marilyn tinha a sensação de que havia sido colocada num beco sem saída e que era a vítima. Mesmo concordando com o primeiro encontro de William e Elisabeth, em seu coração ela deu um grito de protesto.

Na sessão seguinte, aplicamos *O Jogo do Relacionamento*. A técnica destacou o fato de que William e Marilyn têm fortes laços emocionais e de que são ótimos parceiros. Essa sessão evidenciou a ligação entre eles e, como resultado, eles perceberam que valia a pena prosseguir com o processo de encontrar uma solução. As "Cartas de Comportamento" que escolheram ajudaram a ver que Marilyn acha difícil compartilhar seus sentimentos com outras pessoas e expressar suas necessidades. Quando examinamos o comportamento de Marilyn mais de perto, ficou evidente que muitas vezes ela seguia em frente, em vez de alertar os outros para o fato de que não se sentia à vontade. Desafiei Marilyn a autoafirmar-se e a ser mais direta com seus sentimentos. Durante essa sessão, concentrei a atenção principalmente em Marilyn. À medida que progredíamos, William começou a perceber que a diferença entre suas respectivas velocidades de mudança era muito maior do que ele pensara inicialmente. Ele estava constantemente pedindo a Marilyn que ampliasse seus limites; como consequência, ela muitas vezes ficava com a sensação de que mal tivera tempo de pensar se realmente conseguiria lidar com isso. Frequentemente Marilyn concordava com William apenas porque não queria perdê-lo.

Perguntei a Marilyn o que ela precisaria para poder saber onde estavam seus limites. Ela respondeu que o que realmente precisava era de um pouco de paz e tranquilidade para poder pensar e sentir – um espaço de quietude interior. As principais fontes do caos interno e da constante preocupação de Marilyn eram as noites que William passava com Elisabeth e a angústia recorrente que se seguia. Foi difícil para William ouvir isso. Ele tinha a sensação de que sempre precisava limitar seu contato com Elisabeth. Se dependesse dele, preferiria passar mais tempo, não menos, com Elisabeth, mas isso não era possível nas circunstâncias em que as coisas estavam. Nesse ponto, Marilyn perguntou a William se ele colocaria seu relacionamento com Elisabeth temporariamente em banho-maria. William sentiu que agora era ele quem estava recebendo um ultimato. Ele temia que, se concordasse com o pedido, Marilyn se sentisse vencedora e tudo voltasse a ser como antes.

Perguntei a William o que seria necessário para que ele acreditasse que essa seria uma boa decisão em benefício do seu relacionamento com Marilyn. Ele disse que precisaria saber que se tratava de uma decisão temporária. Ele queria saber se Marilyn iria fazer um esforço sério para resolver a questão do ciúme. Depois de uma longa discussão, fizeram um acordo para os próximos três meses. Esse era um tempo terrivelmente longo para William, mas ele entendeu que Marilyn precisava disso. Eles concordaram nos termos do acordo: William só manteria contato com Elisabeth por e-mail, de casa, mas não por telefone. William não veria Elisabeth pessoalmente mais de uma vez por mês e não pernoitaria na casa dela. William e Elisabeth poderiam se beijar e abraçar quando se encontrassem, mas se absteriam de sexo. William e Marilyn reservariam uma noite por semana para conversar. Marilyn teria algumas sessões de orientação individual para trabalhar sobre seu ciúme e contaria a William o que acontecesse durante as sessões. Todos nós concordamos que isso ocorreria numa base de total abertura e transparência um com o outro.

Olhando no espelho

Toda relação em que nos envolvemos oferece-nos oportunidades de olhar no espelho: refletir sobre o nosso comportamento e examinar os nossos sentimentos. Os relacionamentos normalmente nos proporcionam oportunidades de crescimento, pois destacam as nossas imperfeições. Em relacionamentos abertos ou poliamorosos, esse processo pode se intensificar e em geral é quase impossível não refletirmos sobre a situação. O número de parceiros com quem podemos aprender é maior e, metaforicamente falando, não há onde se esconder. Infelizmente, quanto maior o número de pessoas envolvidas, mais oportunidades aparecem para manifestações de ciúme. A pergunta verdadeira que deve ser feita quando isso começa a acontecer é: Queremos realmente olhar no espelho? Nem todos estão dispostos a fazer isso, especialmente quando se trata de ciúme. Para muitas pessoas, analisar o ciúme é tarefa árdua demais. Elas veem à sua frente montanhas enormes de problemas não resolvidos e acham que não há modo de solucioná-los. Em vez disso, esperam encontrar maneiras de contornar o exame de suas preocupações ou simplesmente de fugir delas.

Estratégias de fuga

A tentativa de evitar abordar a angústia numa determinada situação pode ser feita de várias maneiras. A experiência mostra que, no longo prazo, nenhuma delas acaba dando resultado. É muito útil conhecer essas táticas, porém, pois a fuga é um modo humano de lidar com situações difíceis e é muito fácil surpreender-nos tentando fugir. Em termos gerais, há nove estratégias diferentes de fuga:

1. FUGA PARA O PASSADO. Voltamos constantemente a pensar no tempo em que tudo era melhor, quando parecia que havia limites bem definidos e clareza em relação ao futuro. Bons tempos aqueles! Ah, como seria ótimo se hoje tudo pudesse ser como era! Esperamos que ainda haja uma possibilidade de nosso parceiro mudar ao perceber as dificuldades que estamos tendo e que tudo volte a ser como era.

2. FUGA PARA ESPERANÇAS IRREAIS NO FUTURO. Acreditamos que, depois de passado algum tempo, as coisas certamente

irão melhorar. Talvez o novo amor do nosso parceiro se canse de ser "a outra" e desista, e então nosso parceiro voltará só para nós.

3. CULPAR A OUTRA PESSOA. Não há nada de errado conosco. Se nosso parceiro percebesse o problema que está causando, acabaria imediatamente com todo esse absurdo. Se nos amasse realmente, não faria isso conosco. Tudo é culpa dele, e de qualquer modo está esperando de nós o impossível.

4. FUGA PARA A PASSIVIDADE. Qual é o problema, afinal? Por mais que tentemos, tudo acabará em fracasso. Quantos relacionamentos como esse dão certo, enfim? Provavelmente, não muitos. Então, por que se preocupar com isso ou com qualquer coisa ligada a essa situação? Nós nos recolhemos na passividade e nos afastamos da situação. Falamos cada vez menos, e como consequência dessa atitude nosso parceiro se desespera cada vez mais.

5. FUGA PARA CRENÇAS NEGATIVAS SOBRE NÓS MESMOS. Olhe para nós – somos inúteis! Não somos bons o suficiente; assim, quem nos amaria, afinal? Se fôssemos bons o bastante para o nosso parceiro, ninguém mais seria necessário. Enfim, somos feios e sem graça, não? Concentramos a atenção em nossos aspectos negativos e nos atormentamos quando algo desagradável acontece. Nossas crenças negativas nos levam a não ver opções para seguir em frente, e então desanimamos e nos deprimimos.

6. FUGA PARA UM COMPORTAMENTO SUBSERVIENTE. Se nos empenharmos ao máximo, nosso parceiro nos amará tanto que não precisará de mais ninguém. Para nos sentirmos bem com nós mesmos, buscamos elogios e afirmações em nosso parceiro. Tornamo-nos tão dependentes disso que começamos a mudar de comportamento para atender aos seus pedidos ou às suas exigências e acabamos sendo menos verdadeiros com nós mesmos.

7. FUGA PARA UMA FALSA AUTONOMIA. Está tudo bem conosco. Não, não há nada nos incomodando, por que você pergunta? A vida é magnífica e tudo está dentro de nosso controle. Concentramo-nos em outras coisas e deixamos que todos saibam que podemos controlar tudo sozinhos. Qualquer ajuda oferecida é recusada com delicadeza, mas firmemente.

8. FUGA PARA O HUMOR. Se as coisas ficam difíceis, sempre brincamos com isso para que ambos possamos rir. Evitamos conversas sérias com uma ou duas piadas. Tentamos encontrar algo engraçado em qualquer situação e usamos constantemente o humor como desculpa.

9. FUGA PARA SUBSTÂNCIAS ENTORPECENTES OU PARA COMPORTAMENTO COMPULSIVO. Tomamos muito álcool, usamos drogas que alteram a mente ou adotamos comportamentos compulsivos, como jogos de azar ou de computador para fugir da realidade. Nossos sentimentos e pensamentos negativos são anestesiados ou reprimidos.

Aceitando a realidade

Todas as formas de reação e fuga relacionadas anteriormente visam abrandar a angústia criada por uma nova dimensão em nossos relacionamentos. Quando fugimos, colocamos a culpa da nossa situação em alguém ou em alguma outra coisa. Roubamos, assim, de nós mesmos, a possibilidade de afirmar a nossa força e de investir em nós mesmos e, por extensão, em nossos relacionamentos. A única maneira de ter clareza sobre um plano para o futuro, seja ele qual for, é realmente enfrentar o sofrimento. Só quando conseguimos encarar a realidade é que podemos dar adeus à relação que existia. Deixando de resistir, perceberemos que, de repente, ganhamos espaço para sentir e refletir sobre como gostaríamos de lidar com a nova situação. Quando reconhecemos e aceitamos a realidade, ficamos livres para investigar todas as possibilidades e impossibilidades e tomar decisões bem ponderadas.

O primeiro passo que demos para ajudar Marilyn a trabalhar sobre o seu ciúme – e tornar-se inteiramente presente e consciente da realidade da sua situação – foi melhorar sua autoimagem. Usando o *Core Qualities Game* [*Jogo das Qualidades Essenciais*], de Daniel Ofman, destacamos as qualidades que fazem de Marilyn uma pessoa única. Marilyn descobriu que tinha mais virtudes do que imaginava. Até o momento, sua tendência era reconhecer apenas suas facetas negativas – como o fato de deixar que as pessoas desconsiderassem os desejos dela frequentemente. Marilyn começou a construir uma imagem mais positiva de si mesma quando percebeu suas qualidades favoráveis que correspondiam a cada aspecto negativo, como sua atitude solícita e sua capacidade de empatia. Como tarefa prática, pedi-lhe que solicitasse a algumas pessoas conhecidas que lhe dissessem como a viam, o que acabou sendo uma experiência positiva. Ela recebeu muitas respostas amáveis e bem-intencionadas e sugestões de pessoas que lhe são próximas.

Depois, ajudei Marilyn a aprofundar-se sobre os seus pontos cegos e mostrei a ela como poderia lidar com eles. Ela percebeu que queria afirmar-se mais e definir melhor seus limites. Também aprendeu que é melhor dizer antes, e não depois, o que a incomoda. Assim ela pode demonstrar o seu autorrespeito. Descobriu ainda que pode usar seu senso de humor para tornar as situações um pouco mais leves e suportáveis.

Durante as sessões seguintes, começamos a trabalhar diretamente sobre seu ciúme. Fizemos isso com uma meditação dirigida. Essa foi uma sessão difícil para Marilyn, com muitas lágrimas. Ela expôs toda uma lista de pensamentos negativos com os medos correspondentes. Estava convencida de que Elisabeth era melhor do que ela na cama, proporcionando a William o que ele precisava: uma mulher ardente que adora carinho e sexo. Ela também se agarrara à ideia de que não tinha nada a dizer sobre o rumo que seu relacionamento com William havia tomado, e que era ele quem deveria decidir sobre os principais assuntos com base no que ele queria: espaço para Elisabeth em sua vida. Marilyn tinha medo de não ser boa o suficiente para existir; medo de não ser ouvida, de ser abandonada e de perder seu lugar na vida; e ainda de não ser única e, portanto, de ser facilmente substituível.

Marilyn achou difícil ver essa lista exposta com tanta clareza. Ela resistiu bastante à ideia de começar a examinar os seus pensamentos e medos nas suas origens. Apesar disso, depois de examinar, reconheceu que tinha tendência a criar crenças negativas sobre si mesma. Entendeu também que muitas vezes empregava a estratégia de fuga para comportamentos subservientes e que sempre cedia aos desejos de William. No entanto, suas estratégias de fuga usadas com maior frequência eram a de refugiar-se no passado e de ter expectativas irreais.

Fizemos uma curta viagem ao passado para examinar a origem dos seus medos. Não foi fácil, porque Marilyn não gostava de falar sobre a infância. Ficou claro para ela que seu comportamento subserviente era algo que trazia desde a juventude. Ela tivera um pai dominador e perfeccionista, cujos desejos eram ordens, e uma mãe submissa que gostava de deixar o pai feliz. Sendo gentil com os outros, Marilyn conquistara o apreço da mãe que ela tanto almejava. O pai nunca elogiou Marilyn, mas sempre alimentou expectativas muito elevadas para ela, e por isso ela nunca se sentiu à altura do que ele esperava dela. Ele frequentemente gritava com ela e com as irmãs, dizendo-lhes que eram todas iguais. Elas não deviam se queixar tanto; deviam calar a boca e deixar de ser tão bobas. Se Marilyn protestasse, o pai a mandava ficar quieta e às vezes batia nela. Assim, Marilyn aprendeu a guardar as coisas para si mesma desde muito cedo.

Sugeri a Marilyn que poderíamos agendar uma sessão separada na qual, com a ajuda de uma visualização, ela voltaria à juventude. Ela poderia, então, reconhecer a sua dor e colocar alguns eventos nos seus devidos lugares, como forma de curar o trauma. Hesitante, ela concordou. Duas semanas depois, porém, informou-me que, depois de pensar bastante, resolvera que não tinha vontade de voltar e examinar o passado como forma de lidar com o que estava acontecendo. Já tinha problemas suficientes no presente e queria usar a calma relativa que conseguira com William, agora que ele não estava fazendo sexo com Elisabeth, para olhar para o futuro. Ultimamente, ela estivera se perguntando se não seria melhor que ela e William seguissem caminhos diferentes. Como resultado de todas as conversas, ela havia percebido que estava cansada de lutar. Por outro lado, não queria simplesmente desistir do relacionamento. Sentia que estava num beco sem saída e me perguntou se eu conhecia alguma maneira que lhe permitisse olhar a vida de forma diferente.

Exercício: A minha vida de sete em sete anos

Eu lhe passei o exercício "A minha vida de sete em sete anos". Essa era uma maneira prática de Marilyn examinar sua vida em retrospecto, como se fosse um livro. O exercício consiste em dividir a vida em períodos de sete anos. Cada um desses períodos se torna um capítulo com título próprio, e esse título representa a essência do período. Às vezes, é bom escrever algumas palavras-chave para cada período. É importante ponderar cuidadosamente e intitular adequadamente cada período. O processo continua até chegar ao momento presente da vida.

Depois de feito o esquema, Marilyn e eu examinamos sua vida desde o nascimento até o presente. Era difícil para ela sugerir títulos, por isso conversamos e fizemos um resumo de cada capítulo. Com isso ela teve mais facilidade para escolher títulos que correspondessem aos seus sentimentos. Escrevemos os títulos num quadro e Marilyn teve uma visão geral de sua vida. Primeiro, ela viu como sua juventude influenciou sua vida adulta. Também ficou muito claro que os anos em que os filhos eram crianças haviam sido os mais felizes. Ela conseguira deixar as preocupações de lado e se concentrara na formação de uma família com William. Com isso, sua vida recebeu estrutura e significado. No período atual de 49 a 56 anos, estava ocorrendo uma inversão total. Ela brincou dizendo que o título desse período devia ser "De cabeça para baixo". Propus que fizesse exatamente isso. Ela pegou a caneta, virou o quadro de cabeça para baixo e escreveu o título. Quando olhou para o quadro em sua posição original, ela começou a chorar. "É exatamente isso. Não quero mais sentir como se minha vida estivesse sustentada sobre a cabeça." Então paramos e examinamos o que "sustentada sobre a cabeça" significava exatamente para ela. Como resultado, ficou claro que um relacionamento aberto simplesmente não combinava com ela. Ela tentara sobreviver esforçando-se para superar sua posição embaraçosa. Sentia-se como uma tartaruga deitada sobre sua carapaça, agitando as pernas, sem poder se mover. Ela queria voltar a viver, e não apenas sobreviver.

Pedi-lhe que pensasse como gostaria de preencher os períodos seguintes da sua vida. Como gostaria que a história da sua vida continuasse? O que gostaria que seus netos lessem sobre sua vida se porventura eles encontrassem a sua história? Como seria sua história se ela simplesmente continuasse a esperar pelos acontecimentos, como fizera até agora? Como poderia decidir por si mesma o caminho que sua vida iria seguir? Qual seria o título do capítulo seguinte se ela não quisesse mais a sua vida de cabeça para baixo? Qual seria o título do capítulo seguinte se ela continuasse seu relacionamento com William?

Examinamos as duas possibilidades: a vida com William e a vida sem ele. Marilyn percebeu que, se terminasse a relação, haveria um período de lamentação e despedidas, mas ela teria possibilidades de orientar a sua vida para novas direções. O título, nesse caso, seria "Partindo e recomeçando". Se ficasse com William, a vida continuaria de cabeça para baixo, e o título seria "A dor continua". Mas ela não queria mais isso. Essa constatação deixou Marilyn triste, mas também lhe trouxe clareza e uma sensação de alívio. Ela disse que queria continuar com o exercício em casa e que desejava conversar com William sobre o caso. A nossa sessão seguinte reuniria os três.

Aceitando que somos diferentes uns dos outros

É preciso coragem para examinar a realidade a fundo, especialmente quando duas pessoas se amam muito, mantêm um relacionamento durante muito tempo e construíram um passado comum juntas. No entanto, às vezes, amar-se muito não é suficiente para ficar junto de alguém. Se as necessidades e os desejos de relacionamento de cada pessoa começam a divergir tanto, a ponto de não restar uma estrutura saudável, o melhor é separar-se. A escolha de permanecer junto como casal mono/poli significa que ambos os parceiros precisam estar preparados, por amor mútuo, para sacrificar uma parte das próprias necessidades. Certamente esse é o caso quando uma relação começa a mudar. Pessoas poli precisam levar em conta os sentimentos dos seus parceiros mono e assim aceitar que esses talvez não consigam desenvolver suas relações poli na velocidade e da maneira que gostariam. Também precisam estar preparadas para ser constantemente lembradas de que suas escolhas podem ser dolorosas para o parceiro, por mais ilógico que isso possa parecer. Saber que estão magoando o parceiro também as levará inevitavelmente a sofrer, especialmente se devotam grande amor a esse parceiro. Assim, precisam estar preparadas para oferecer ao parceiro mono apoio e reconhecimento por seu sofrimento.

Por outro lado, pessoas mono vão precisar de coragem para aceitar que o parceiro poli vê sua forma de relacionamento de maneira diferente. Pessoas mono precisarão estar preparadas para lidar com as questões inevitáveis que surgirão. Além disso, precisarão aceitar a dor dos seus parceiros poli, porque esses estão sempre tentando acomodar os sentimentos do parceiro mono e, como consequência, podem muito bem estar reprimindo suas próprias necessidades no que diz respeito a outros relacionamentos.

Embora muitas pessoas consigam conduzir adequadamente relacionamentos mono/poli por meio de uma grande dose de compaixão e empatia, outras não conseguem. Nem todos estão preparados para fazer os sacrifícios e os esforços necessários, ainda que muitos problemas se resolvam com o tempo. A dor que um relacionamento mono/poli tem possibilidade de criar pode ser tão intensa que as partes percebem que é melhor para ambos começar a construir vidas mais autênticas, separadas.

Marilyn conversou longamente com William sobre o exercício dos sete anos. O período de três meses de afastamento entre William e

Elisabeth, somado ao exercício dos sete anos, deixou claro para Marilyn que ela não queria mais dar espaço para que William visse Elisabeth ou qualquer outra mulher. Ela não queria mais deparar-se constantemente com a dor que isso lhe causava. Ela perguntou a William se ele estava disposto a voltar a um casamento monogâmico.

A verdade era que, nos últimos anos, William se fizera a mesma pergunta muitas vezes. Já fazia muito tempo que ele havia chegado à conclusão de que não queria voltar a um relacionamento monogâmico, mesmo que Marilyn não conseguisse lidar com isso. Pela primeira vez na vida, ele se sentiu livre e percebeu que estava sendo honesto consigo mesmo. E isso era bom para ele. "Não se pode recolocar uma borboleta no seu casulo", ele disse. "Ela cresceu e passou por um processo de metamorfose, e é isso. Se você tenta devolvê-la ao casulo, ela sufoca e morre." William achou que havia se adaptado às necessidades conjugais de Marilyn durante anos. Havia reprimido e negado muitas vezes seus sentimentos por outras mulheres por causa dela, e isso criara sintomas físicos de estresse. Ele não queria mais isso. Sabia que um estilo de vida monogâmico não servia para ele e que, quando fingia ser uma pessoa monogâmica, negava a sua verdadeira identidade. Ele estava muito feliz por finalmente ter clareza sobre isso. Sua relação com Elisabeth mostrou-lhe que cada relação lhe dá oportunidade de crescer e praticar a autorreflexão. É uma forma de ele se conhecer melhor e de encontrar plenitude interior. Elisabeth é muito diferente de Marilyn, e ele gostava disso. Para ele, uma não era melhor do que a outra, pois amava as duas. Mas nesse momento Marilyn (na visão dele) o forçava a fazer uma escolha, e ele entendeu que teriam de acabar com seu casamento. Refletindo sobre a situação, ele sentiu o quanto a amava e como seria doloroso deixá-la, mesmo que fosse para ser verdadeiro consigo mesmo. Ele não tinha ideia de como lidaria com a dor e a tristeza que sentia, e um sentimento de desespero o invadiu.

O processo de separação

A decisão de terminar um relacionamento e de cada um seguir seu caminho é normalmente acompanhada de sentimentos intensos e variados: descrença, negação, impotência, tristeza e raiva se revezam. Considerando todas as coisas boas que vivemos juntos, por que não podemos continuar? Sentimo-nos frustrados, pois fizemos de tudo para salvar nossa relação e mesmo assim ela se desfaz. Percebemos os limites das nossas capacidades. E sentimos a tristeza da despedida que se aproxima. Podemos ter a sensação de que o chão se abre sob os nossos pés, ao mesmo tempo que todos os planos que tínhamos para o futuro de repente deixam de existir. Sentimentos de vazio e solidão também têm sua força. Não é só ao nosso parceiro que estamos dizendo adeus; é também um adeus a uma estrutura familiar que conhecíamos, a uma unidade econômica e a uma unidade social. Nossa rede social pode reagir de maneiras diferentes. Às vezes, recebemos apoio de uma direção que nunca teríamos imaginado; outras vezes, nos sentimos abandonados por amigos que tomam partido. Além disso, o divórcio em si e a saída de casa têm repercussões que precisam ser consideradas. A separação implica um longo período em que muitas coisas acontecem. Por isso, é importante realizá-la passo a passo. Esse é um processo em que a angústia ocupa um espaço significativo.

Separando-se conscientemente

Terminar um relacionamento e separar-se de alguém de forma consciente não é um costume em nossa cultura. Quando deixamos um emprego, os colegas às vezes promovem festas e celebrações em nossa homenagem – complementadas com discursos e elogios. Às vezes, os nossos vizinhos organizam festas de despedida quando mudamos de cidade. Se vamos casar, deixamos conscientemente a nossa vida de solteiros com despedidas de solteiro. Se alguém morre, temos muitos rituais que nos ajudam a demonstrar com outros a nossa dor. Mas afastar-se conscientemente de um relacionamento não é um ato muito frequente. Ainda assim, pode ser bom dedicar algum tempo para dizer adeus a um relacionamento íntimo e, se possível, até mesmo celebrar o acontecimento com um ritual de separação.

Rituais de separação

Um ritual de separação é um momento para deter-se ante a passagem de uma fase da vida para outra. Optando por lamentar juntos, podemos também lidar melhor com nossa tristeza. Que tal tirar um tempo juntos para rever todos os períodos em que nos amamos, rimos, nos divertimos, discutimos e cuidamos um do outro? Podemos optar por uma separação consciente, amorosa. Não há nada de errado em lamentar por uma relação como ela foi ou lastimar-se pela perda de nosso futuro comum à medida que nosso senso de segurança desaparece. Quando nos permitimos aceitar e viver os sentimentos e as emoções que a separação desperta, podemos admitir tanto as nossas perdas como as novas possibilidades que se apresentarão. Podemos separar-nos dos apegos que não são mais saudáveis. Podemos também separar-nos de determinadas fases da vida. Deixamos o velho para trás. Fazendo isso conscientemente, criamos espaço para coisas novas e aceleramos a nossa recuperação.

Existem vários rituais que podemos realizar conscientemente para encerrar um relacionamento. Podemos comprar um belo arranjo de flores e prender um pequeno cartão em cada flor com um texto ou um símbolo que representa um determinado período da nossa vida. Quando as flores fenecerem, poderemos enterrá-las ou queimar os cartões. Por meio dos cartões, podemos expressar nosso apreço por tudo o que a relação nos proporcionou, e depois soltar. Ou podemos pintar um quadro um para o outro e expressar visualmente o tempo que passamos juntos durante a relação. Podemos criar uma colagem de fotografias antigas, de momentos vividos um com o outro. Podemos criar (ou pedir a um artista ou a um amigo com tendências artísticas que crie) uma escultura com itens que tenham significado para nós dois. Podemos escrever uma carta um ao outro, despedindo-nos do nosso relacionamento como ele era, ler as cartas um para o outro e, em seguida, queimá-las com um cerimonial.

Se não estivermos em condições psicológicas de realizar alguma espécie de ritual no momento da separação, poderemos sempre fazer isso posteriormente, quando estivermos com mais energia ou já tiverem passado os momentos de maior aflição e tristeza. Durante esse período de angústia, podemos fazer uma caminhada juntos, pegar uma pedra e confiar a ela em voz alta todos os nossos pensamentos, as nossas tristezas e os nossos sofrimentos, e depois jogá-la num rio ou riacho. Que a terra recicle nossa dor.

Alguns rituais de separação são também uma forma de reconhecer e aceitar, de modo digno e suave, que pode haver um sofrimento que causou o fim do relacionamento ou que foi causado por ele. Esse pode ser um passo importante para seguir em frente e liberar esse sofrimento. Se a dor é tão grande que torna impossível organizar rituais, ou se simplesmente não queremos realizá-los, pode ser útil contar com a presença de um amigo que participe conosco de algum tipo de cerimônia de despedida. A maneira como fazemos isso não é tão importante, mas pode ser de grande ajuda reservar um tempo para despedir-se e seguir em frente conscientemente.

Saia o velho e entre o novo.
– ANTIGA EXPRESSÃO INGLESA

William e Marilyn dedicaram um tempo para lamentar o fim do seu relacionamento íntimo e da vida familiar em comum. Primeiro, fizeram isso juntos escrevendo uma carta um para o outro. Em seguida, saíram para uma caminhada na praia e leram partes de suas cartas um para o outro. Todos os períodos de sua vida conjugal foram mencionados: quando se conheceram, o casamento, o nascimento dos filhos, as férias juntos e os últimos anos juntos. Ao término da leitura, amarraram as cartas em uma pedra e a jogaram ao mar. Depois voltaram em silêncio, cada um perdido em seus próprios pensamentos. Nesse meio-tempo, começou a chover. Eles sentiram como se o vento e a chuva estivessem lavando seus pensamentos e suas emoções.

Só depois que William e Marilyn se despediram do seu casamento foi que chegou o momento certo para falar com os filhos, que ficaram chocados. Com exceção do filho que ainda morava em casa, os outros tinham pouco contato com os altos e baixos da relação entre os pais. Nem todos reagiram positivamente. Houve várias discussões entre os pais e os filhos. Para William e Marilyn estava claro: essa era uma questão que dizia respeito apenas a eles dois. Eles sempre estariam presentes para os filhos e sempre seriam seus pais. O fato de estarem se divorciando não significava que iriam desaparecer um da vida do outro. Na verdade, William precisou de nove meses para encontrar um novo lugar para morar.

Durante esse período, Marilyn continuou suas sessões de aconselhamento como apoio para seu processo emocional e para definir uma nova vida para si mesma. Muita atenção foi dedicada aos seus sentimentos de solidão. Ela aprendeu a prestar mais atenção em si mesma e menos em William, de quem se sentia dependente, e aos poucos sua situação foi melhorando.

Quando William finalmente se mudou para o novo apartamento, ele e Marilyn entraram em uma nova fase de separação, despedindo-se de sua vida juntos. Marilyn e William disseram aos filhos que seria bom se eles também participassem de uma cerimônia de despedida. Dois dos três concordaram; o terceiro recusou o convite. Juntos, tiveram um último domingo em casa. William preparou uma refeição maravilhosa, e Marilyn havia dedicado um tempo durante as últimas semanas para reunir todas as fotos da família e colocá-las em álbuns. Assim, aproveitaram o tempo para parar e apreciar sua vida como uma família.

Quando William saiu, Marilyn decidiu conscientemente manter distância dele. Ela queria entrar em contato consigo mesma e descobrir que parte da sua autoimagem era realmente dela, qual era a de William e qual era a de ambos. William ficou muito aflito pelo fato de Marilyn não manter contato durante um tempo, mas compreendeu. Eles concordaram que Marilyn restabeleceria contato quando sentisse que havia chegado o momento oportuno. Depois de alguns meses, Marilyn telefonou para William, e eles se encontraram e conversaram. Havia sentimentos de tristeza, mas também de felicidade e gratidão por poderem compartilhar tantas coisas juntos. Eles achavam que o vínculo entre eles estaria sempre presente e que, apesar do sofrimento associado ao fim do relacionamento, haviam feito a escolha certa. Cada um avistava um futuro mais coerente com seu verdadeiro eu e, ao mesmo tempo, ambos encontraram uma maneira de manter em seus corações o amor que sentiam um pelo outro.

CELEBRAÇÃO DE PASSAGENS
NA CULTURA NA

A cultura Na, na China, também conhecida como Moso, lida com o fim de um relacionamento de modo muito diferente do que o fazemos no Ocidente. Na cultura Na, a unidade familiar primária baseia-se nas mulheres; e relacionamentos com homens se baseiam puramente no amor e no afeto. Em outras palavras, para os Na, o fim de um relacionamento não é a catástrofe que é para as mulheres em culturas em que muitas delas tendem a depender dos homens para sua segurança financeira e cotidiana. A forma como iniciam e terminam os relacionamentos na cultura Na é bonita e comovente em sua clareza e simplicidade. Eles simplesmente cantam um para o outro! Quando um relacionamento está começando, um casal pode cantar:

"Tu és o sal do meu chá" (os Na põem sal no chá);
para indicar que o romance está em formação.

Quando um relacionamento Na chega ao fim, a canção reflete a separação:

Se não há amor
Meu coração não sentirá
Se não há vento
As nuvens sobre a montanha não se moverão
Como somos árvores de duas montanhas diferentes
Nossos ramos nunca se tocarão
A água corre no riacho
Mas o riacho não se curvará para a água.

Recentemente, quando perguntado sobre o costume do "casamento itinerante", um homem Na falou sobre o que ele chamava de visão irrealista do casamento em outras culturas. "Para os Na, a busca do verdadeiro amor é mais importante do que qualquer outra coisa", explicou. "Por isso nossos relacionamentos são abertos. Temos assim a oportunidade de continuar a procurar o parceiro perfeito. Consideramos outras culturas hipócritas quando esperam verdadeiro amor na primeira vez.... Os Na não são obcecados por sexo, que é apenas uma parte natural das coisas." Quando o fim de um relacionamento é considerado parte normal da vida, como entre os Na, a separação não precisa ser um evento dramático e traumático, como costuma acontecer no Ocidente.

Perguntas que você pode fazer a si mesmo

- Como lido com a insatisfação no meu relacionamento?
- Como reconheço os diferentes modos de ver o mundo do meu parceiro?
- Que necessidades psicológicas básicas não foram atendidas quando eu era criança? Que mensagens eu recebi dos meus pais?
- Que estratégias de sobrevivência reconheço desde a minha infância? Como elas se aplicam ao meu relacionamento?
- Como me separo de coisas que fizeram parte do meu relacionamento, mas que agora já se foram?

Sugestões para separar-se amorosamente

- Ouse lutar por seus sentimentos e experimente as sensações ligadas a eles. Eles têm o direito de existir. Lembre-se de que você tem sentimentos, mas eles não definem quem você é.

- Dê tempo à angústia. Ela não acontece em um dia, podendo prolongar-se até por um ano ou mais. À medida que você passar pelas estações do ano, pelas férias e pelos aniversários, haverá lembranças e emoções renovadas que precisarão de tempo para ser absorvidas.

- Não queira reprimir seus sentimentos; deixe que as lágrimas corram. Permita-se ficar triste, mesmo quando a tristeza parecer esmagadora.

- Descubra uma cerimônia ou um ritual de separação apropriado ao seu relacionamento. Tenha coragem de se entregar totalmente ao ritual e à sua energia de cura.

- Procure apoio e consolo. Amigos ou familiares podem ajudar. Você também pode fazer isso sendo amável consigo mesmo – por exemplo, agende uma massagem, faça um retiro, desfrute de um dia de *spa* etc. Um animal de estimação também pode proporcionar consolo.

- Registre suas tristezas e alegrias. Inicie um diário e no fim de cada dia anote algo de positivo que encontrou no decorrer do dia. Pode ser uma coisa pequena, como a cor de uma flor, o sabor de uma boa xícara de café; ou pode ser uma coisa grande, como o riso de alguém com quem você se preocupa.

- Peça ajuda, caso se sinta tolhido e não consiga resolver a situação sozinho.

10

Fim do Sexo, ou Talvez Não? – David e Sue

Vocês construíram um bom relacionamento e estão juntos há anos. Houve muitos altos e baixos no decorrer do tempo, mas vocês os superaram, por isso estão mais fortificados agora. Como mulher, você está no auge e ama a sua família, o trabalho, os amigos e as férias. A verdade é que você não tem nada do que reclamar – exceto da sua vida sexual. Tudo bem com você, mas o seu parceiro, em consequência de inúmeras circunstâncias, não é mais o que era. Para ser honesta: vocês não fazem mais sexo, e a possibilidade de tomar alguma providência nesse sentido é próxima de zero. Está ficando evidente que, com toda probabilidade, você se privará de sexo por completo se ficar com seu parceiro atual. Mas abandoná-lo com a alegação de falta de sexo lhe parece loucura. Então, o que você pode fazer com relação a isso? Você terá de se resignar com a ideia de não ter mais uma vida sexual ativa pelo resto da vida?

David, 39 anos, e Sue, 37, estão juntos há quinze anos e têm uma filha de 11 anos de idade, Lucy. David é gerente do departamento de atendimento ao consumidor de uma grande empresa multinacional. Sue trabalha no setor de vendas de uma agência de publicidade. Em muitos aspectos, eles são opostos. David é a calma em pessoa. Está sempre no controle das coisas e provê uma base estável, emocional e prática para a família e o relacionamento. Ele gosta de mexer com computadores e eletrônica e é muito prestativo em casa. Sue, por outro lado, prefere sair com as amigas. Ela é uma mulher expansiva e expressiva, que toma facilmente a iniciativa e gosta de entretenimento e diversão. Eles se complementam perfeitamente.

David, entretanto, teve um problema de saúde, sete anos atrás. O homem equilibrado que sempre conseguia acalmar a todos em momentos de estresse e de crise foi se tornando cada vez mais retraído. Deixou de ser o mesmo. Por fim, seu médico diagnosticou depressão severa. Parece que há um histórico de depressão na família de David. Seu pai vivia deprimido e o avô cometeu suicídio durante uma crise depressiva. David foi encaminhado a um psiquiatra, que prescreveu antidepressivos e terapia. Ele acabou saindo desse estado melancólico, mas, quando tentou abandonar os medicamentos, o problema voltou. O psiquiatra aconselhou-o a continuar tomando a medicação e sugeriu que ele provavelmente teria de fazer isso pelo resto da vida. David ficou muito aborrecido ao ouvir isso, pois os antidepressivos têm um efeito devastador sobre a libido. Seus pensamentos e sentimentos depressivos de fato desapareceram, mas com eles desapareceu também o desejo sexual. O sexo se tornou um esforço e uma experiência frustrante para David e Sue. Nos últimos anos, ele trocou a medicação, esperando que as coisas pudessem melhorar, mas em vão. Finalmente, resolveu que prefere ter uma vida ativa sem sexo do que uma vida letárgica que inclua sexo.

Sue está feliz porque a paz e a calma se restabeleceram em casa, e ela dispõe de mais tempo e espaço para si mesma, agora que David retomou o ânimo. Ter um parceiro profundamente deprimido havia sido muito difícil.... Mas ela não aceita bem a falta de sexo nessa parceria, que nos demais aspectos vai bem.

Certa noite, não muito tempo atrás, quando estava com um grupo de amigas, o tema da conversa foi direcionado para a vida sexual das pessoas. Foi realmente difícil para Sue tomar consciência de que outras mulheres viviam uma vida sexual plena – e ela não. Sentiu-se como uma intrusa, pois não fazia sexo havia anos. Ela e David ainda se acariciavam, mas um sexo intenso e apaixonado era simplesmente impossível. Uma das amigas falou sobre a redescoberta da paixão sexual em um novo relacionamento e brincou: "Sim, senhoras, a vida começa aos 40!". Um nó se formou na garganta de Sue e seus olhos lacrimejaram quando ela pensou que sua vida sexual houvesse terminado antes que ela chegasse aos 40 anos. Uma das amigas percebeu isso, e a conversa ficou séria. Como resultado das perguntas atenciosas e amáveis do grupo, Sue falou da sua situação e dos seus sentimentos. As amigas foram muito compreensivas e solidárias.

A conversa com as amigas produziu muito material para reflexão. Sue realmente queria ser celibatária para o resto da vida? Sim, claro que ela poderia satisfazer a si mesma, mas isso não era a mesma coisa que entreter-se com um homem – um tocando o corpo do outro e praticando sexo de verdade. Num esforço para reavivar seu relacionamento sexual com David, ela começou a falar-lhe mais seguidamente sobre seus problemas em torno da sua vida sexual, ou da falta dela. O resultado não foi o que ela esperava. Em vez de resultar em uma discussão construtiva, o assunto provocou maior atrito e irritação entre eles. Nesse meio-tempo, Sue sentia um desejo tão intenso de sexo que se surpreendia fantasiando seduzir o atraente rapaz que entregava encomendas em sua casa. É claro que não se faz esse tipo de coisa! De qualquer modo, ela não queria trair, não suportava a ideia de dissimular ou mentir. Como outras mulheres na mesma situação lidavam com esse problema? Ela não podia ser a única com esse dilema! Certa noite, Sue encontrou o site de Leonie na internet e convenceu David de que poderia valer a pena conversar com uma profissional sobre a situação deles. Ela, então, telefonou para Leonie.

A ausência de relações sexuais

Existem inúmeros casais que se amam com todo afeto, mas mantêm relacionamentos que não incluem relações sexuais. Às vezes, há razões médicas, mas pode acontecer também de a paixão sexual entre os parceiros simplesmente desaparecer com os anos. Em geral, são casais ótimos que trabalham bem em equipe e como pais e que estão satisfeitos com o que construíram juntos. Se ambos os parceiros estão satisfeitos com sua relação sem sexo, tudo bem. No entanto, se um dos parceiros precisa de sexo, problemas podem surgir. As necessidades sexuais são bem humanas e muitas pessoas sentem necessidade de contato sexual, erotismo e intimidade durante toda a vida. O sexo é uma fonte de energia vital e de saúde. De fato, pesquisas mostram que homens e mulheres que gostam de sexo tendem a viver mais tempo.

Em casos de relacionamento sem sexo, não há uma solução pronta para o parceiro que precisa de sexo para satisfazer as suas necessidades. Afinal, quase todos nós fomos educados com o conceito de que devemos fazer sexo com nosso parceiro ou não faremos com mais ninguém. Sexo é algo íntimo que só compartilhamos com nosso companheiro. Não é verdade?

Uma das primeiras coisas que fiz quando David e Sue chegaram ao consultório foi ajudá-los a formar uma ideia geral de suas necessidades sexuais individuais em relação às outras necessidades da sua vida. Qual era a importância do sexo para cada um deles? Como o sexo os fazia felizes? Com a ajuda de *O Jogo do Desejo*, de Peter Gerrickens, criamos uma visão de vida para cada um deles. David e Sue escolheram dez "Cartas das Necessidades" cada um, cartas que representavam as principais necessidades de suas vidas naquele momento.

David escolheu:
- Não muita Pressão
- Movimento
- Um Ambiente Agradável onde Viver
- Paz e Sossego
- Um Corpo Saudável
- Conforto
- Humor
- Relaxamento

Ambos escolheram:
- Amor
- Toque

Ao passo que Sue escolheu:
- Divertir-se
- Sexo
- Compartilhar ou Expressar Sentimentos
- Luz do Sol

- Uma Boa Relação Comigo Mesma
- Sentir-me Acolhida e Afetuosa
- Intimidade e Afeto
- Aventura ou Desafio

Examinamos cuidadosamente as cartas e conversamos sobre o que elas significavam tanto para Sue como para David. Com isso, eles começaram a perceber como essas necessidades são ligadas. Por exemplo, reduzir o estresse havia sido muito importante para David depois da depressão, e isso tem relação óbvia com suas necessidades de movimento, cuidados com a saúde e a garantia de um bom ambiente doméstico para si mesmo. Para ele é muito importante que a casa esteja organizada e bem equipada. Sue viu ainda mais claramente que ela gosta de variedade em sua vida, de passar o tempo com outras pessoas e de ser inspirada. Conversamos bastante sobre as cartas Amor, Toque e Sexo. Ambos concordaram que são pessoas que gostam de carinhos e abraços.

Durante a conversa, David disse que gostava muito da jovialidade de Sue, e Sue disse que valorizava a firmeza de David e que se sentia feliz com ele como sua fonte de segurança e proteção. A depressão de David trouxera algumas coisas positivas: Sue se tornara muito mais independente, e David, em consequência da terapia, aprendeu a falar mais sobre seus sentimentos. A comunicação entre eles melhorou muito com tudo isso e o relacionamento estava muito mais agradável – com exceção da vida sexual deles.

Então perguntei a Sue o que significara para ela ficar sem fazer sexo durante tantos anos. Quais eram suas reações a essa situação? Como ela lidava com as frustrações? Examinamos os efeitos que o desejo sexual insatisfeito tinha sobre o comportamento dela usando o segundo conjunto de cartas, as "Cartas dos Efeitos", de *O Jogo do Desejo*. Ela observou as cartas em silêncio, pôs de lado as dez que mais identificou em seu próprio comportamento e ao terminar me devolveu o baralho. Pedi-lhe que virasse as cartas para cima e as colocasse próximas umas das outras, em fileira, para que nós três pudéssemos vê-las. David não conseguiu controlar o riso quando viu a carta Gastar Dinheiro, porque lembrou-se das compras por impulso com que Sue às vezes chegava em casa. Ele voltou a silenciar quando viu as demais cartas e recebeu as mensagens que transmitiam. Pedi a Sue que colocasse as "Cartas dos Efeitos" em ordem cronológica. O que aconteceu primeiro quando ela começou a sentir a falta de atividade sexual? E em seguida? Ela distribuiu as cartas na seguinte ordem:

- Preocupação
- Culpar Outros
- Mau Humor
- Reprimir Sentimentos
- Começar Discussões
- Comer Demais ou Muito Pouco
- Gastar Dinheiro
- Não Aplicar as Minhas Boas Qualidades

Repassamos as cartas uma por uma. Sue contou que estivera se preocupando cada vez mais nos últimos anos, e especialmente desde a conversa com as amigas. O que ela deveria fazer? Como poderia lidar com seus desejos sexuais?

Quando se fez essas perguntas, ela percebeu que seus pensamentos se voltavam imediatamente para David. De qualquer ângulo que olhasse, a verdade era que, pelo fato de David não poder mais satisfazê-la, sua tendência era culpá-lo pela situação. Ela sabia que isso não era justo, pois compreendia perfeitamente que não havia nada que ele pudesse fazer a respeito. Eles tentaram muito e nada parecia dar resultado. Perguntei o que ela sentia quando estava preocupada. Respondeu-me que se sentia culpada, frustrada e irritada. Então, entreguei-lhe o terceiro conjunto de cartas do jogo, as "Cartas dos Sentimentos", dos efeitos sobre os sentimentos, e pedi que escolhesse aquelas que ela reconhecesse na sua situação. Sue ficou surpresa com o número de cartas que escolheu:

- Tensa ou Estressada
- Abandonada
- Triste
- Sem Atrativos
- Rejeitada
- Impotente
- Culpada
- Sem Saída
- Insatisfeita ou Vazia

"Nossa...", ela disse, "não fazia ideia de que tinha tantos sentimentos! Não é de admirar que eu tenha comprado tanta roupa ultimamente!"

Os efeitos colaterais das necessidades não atendidas

É bastante comum subestimar os efeitos que as necessidades não atendidas e os desejos não realizados podem ter sobre nós. Superficialmente, pode parecer que está tudo bem, mas, sob a superfície, sentimentos e frustrações começam a se formar e acumular. Queiramos ou não, essas emoções reprimidas podem assumir vida própria e começar a se manifestar de todas as formas e maneiras. Muitos compensam com outras as importantes necessidades da vida que ficaram muito tempo sem ser atendidas. Essas necessidades são em geral mais superficiais e, na verdade, não atendem à necessidade subjacente. Sue nos oferece um exemplo de como compensa as necessidades sexuais insatisfeitas, substituindo-as pela necessidade de fazer compras. Mesmo assim, a necessidade não satisfeita continua ali.

Pedi a Sue que dividisse as "Cartas dos Sentimentos" em dois grupos, um para os sentimentos que surgem como resultado da ausência de sexo em sua vida e o outro para os sentimentos relacionados com David. O grupo da ausência de sexo continha:

- Frustração
- Insatisfeita ou Vazia
- Sem Atrativos
- Rejeitada
- Abandonada
- Impotente
- Triste

Enquanto ela arrumava as cartas, David interferiu e começou a se defender. Ele não achava certo Sue sentir-se abandonada e rejeitada. Não era culpa dele o fato de não sentir mais vontade de fazer sexo. Eles haviam falado tanto sobre isso! Ele não podia simplesmente decidir, de repente, aumentar o seu impulso sexual e, como mágica, fazer isso acontecer! Ele teve perda da libido como efeito colateral enquanto estava sendo medicado!

Depois desse desabafo, perguntei a David sobre seus sentimentos diante dessa situação de não conseguir fazer sexo e em relação a Sue sentir falta de sexo. Entreguei-lhe as "Cartas dos Sentimentos", e ele escolheu algumas que eram as mesmas de Sue:

- Frustração
- Tenso ou Estressado
- Sem Saída
- Impotente

Além dessas que coincidiam com as de Sue, ele escolheu:

- Inferior
- Triste
- Deprimido

Em seguida, nos dedicamos aos sentimentos de David: ele se sentia como se não fosse realmente um homem completo, pois não conseguia dar a Sue a satisfação que ela desejava. Ele se sentia um fracasso. Ficava triste quando pensava sobre a situação e, acima de tudo, não via saída. Ele precisava continuar tomando antidepressivos e, assim, sentia que não havia nada que pudesse fazer com relação ao problema.

Perguntei-lhe, então, como ele reagia quando eles discutiam sobre a falta de sexo no relacionamento. David respondeu que tendia a se fechar em seu próprio mundo. Ele se concentrava no trabalho ou sentava durante horas na frente do computador para que Sue o deixasse em paz. Perguntei o que aconteceria se Sue conseguisse de alguma forma satisfazer as suas necessidades sexuais. O que seria diferente entre eles? Sue pôs imediatamente as cartas do sentimento de Ausência de Sexo de lado e voltou-se para os seus sentimentos por David. Ela disse que não tinha certeza, mas achava que seus sentimentos de rejeição e de abandono deixariam de existir. Em última análise, não havia razão para culpar David por algo sobre o qual ele não podia fazer nada e, assim, ela não se sentiria mais culpada. Seu sentimento de impotência desapareceria, como também a sua tristeza. Ela ficou surpresa com a magnitude do efeito emocional que essa mudança traria.

Quando perguntado, David imaginou que parte do seu estresse desapareceria, bem como seus sentimentos de não ter saída e de não saber o que fazer, caso Sue tivesse sua sexualidade satisfeita. Se não por outra razão, ela pararia de importuná-lo sobre o assunto, e tudo ficaria mais sossegado. David também achava que se sentiria bem menos triste. Ele não tinha certeza sobre os seus sentimentos de inferioridade, frustração ou sua depressão. "Por outro lado, ainda sou um homem orgulhoso e respeitado, e isso seguramente já é bastante", ele disse, rindo.

Ao término do exercício, ambos disseram que estavam surpresos com o impacto que o desejo insatisfeito de Sue tinha sobre ela e sobre o relacionamento deles. Perguntei-lhes até que ponto estavam abertos para analisar possíveis soluções que permitiriam a Sue ter uma vida sexual ativa e satisfatória. Sue respondeu: "Sim, veja, eu sabia, claro, por que escolhemos você como orientadora. Eu soube que você é aberta a formas não convencionais de relacionamentos e vínculos, e eu estou interessada em conhecer as opções que existem." David brincou: "Claro, vamos encontrar um gigolô! É uma ideia divertida, mas, se a levasse realmente a sério, eu ficaria horrorizado." Concordamos em discutir diferentes opções na sessão seguinte.

Julgar é o que acontece
quando não se levam em conta
noventa e nove por cento das possibilidades.
– EXTRAÍDO DE *THE DAILY THOUGHT*

O caminho para a solução desejada

O importante é não parar de questionar.
– ALBERT EINSTEIN

É uma verdadeira arte a capacidade de abrir-nos para novas ideias, especialmente se parecem assustadoras ou impossíveis quando as ouvimos pela primeira vez. Porém, a cada dia que passa, mais pessoas estão descobrindo que os conceitos rígidos com que fomos educados já não nos servem mais ou estão bloqueando o nosso caminho. Precisaremos de alguma coragem se quisermos ter condições de avaliar possibilidades que podem estar além dos nossos quadros de referência normais. Também precisaremos ter coragem para ver o que realmente pode acontecer – reconhecer que nossa situação do momento pode não ser inteiramente satisfatória, apesar de termos tentado corrigi-la. Criar uma situação nova também requer coragem – e criatividade, claro. Com criatividade e liberdade, podemos ser capazes de levantar todas as ideias possíveis e ter coragem para abandonar padrões de pensamento antigos e angústias atuais.

David e Sue haviam se empenhado durante anos para encontrar uma solução para a ausência de sexo em seu relacionamento, até finalmente chegarem a um beco sem saída. As sessões que tivemos os ajudaram a distanciar-se um pouco, a examinar sua vida e a pensar sobre o que realmente queriam. Sue não queria passar o resto da vida sem sexo, mas também não queria terminar seu relacionamento com David. Com a única exceção de que não faziam sexo, ela não tinha nada a reclamar. Ela estava feliz com David e o amava muito. David não queria perder Sue por nada no mundo e, quanto ao sexo... bem, se era tão importante para ela, então talvez valesse a pena pensar em alternativas. Ele a amava; e "não é um sinal de amor verdadeiro estarmos dispostos a fazer sacrifícios?", ele perguntava.

No encontro seguinte, aplicamos a técnica da troca de ideias e levantamos todas as possibilidades que poderiam contribuir para resolver a situação. Nada era absurdo demais para ser considerado, e colocamos todas as ideias sobre a mesa, sem julgamentos. Sue poderia:

- ir a um bar e seduzir alguém para passar uma noite;
- contratar um garoto de programa profissional;
- encontrar um amante permanente;
- seduzir um dos colegas durante uma viagem de negócios;
- alugar filmes eróticos e comprar alguns brinquedos sexuais;
- frequentar um clube de *swing*;
- seduzir o carteiro.

À medida que a lista aumentava, as ideias foram se tornando cada vez mais absurdas, e todos nós ríamos mais ainda. Quando a lista ficou longa o suficiente, analisamos os prós e os contras de cada ideia. Logo ficou evidente que Sue não estava interessada em simplesmente fazer sexo com qualquer um e com todos. Ela queria ter intimidade com alguém com quem pudesse se sentir bem e compartilhar mais do que apenas sexo. Essa ideia assustou David. Para ele, o contato com um profissional do sexo seria mais simples. Então tudo ficaria claro: seria sexo e nada mais. Sue compreendeu esse modo de pensar, mas explicou que ela precisava mais do que contato sexual; no mínimo, precisava ser amiga da pessoa antes de fazer sexo com ela. Depois de algumas idas e vindas, finalmente concordaram com a ideia de encontrar um parceiro sexual para ela pela internet. O ideal seria alguém exatamente na mesma situação e que entendesse o que eles estavam fazendo e por quê. Isso também reduziria as possibilidades de um homem que vivesse sozinho querer ultrapassar os limites.

Em seguida, interrompemos e nos dedicamos às preocupações de David e de Sue. Ele temia que ela acabasse se apaixonando por outro homem, o que não seria bom. Ele também queria conhecer o homem. Ele não estava preparado para simplesmente deixar que outro homem tocasse nela; precisava ser alguém em quem ele confiasse. Além disso, não queria se sentir excluído, por isso pediu para participar da pesquisa. Para Sue, era essencial ter pleno conhecimento da situação pessoal do amante em potencial. Ela não queria criar problemas para o relacionamento já existente e só queria se envolver numa situação totalmente aberta e honesta. David estava disposto a tentar, mas pediu o direito de veto. Se a tentativa lhe parecesse inadequada, ele gostaria de estar na posição de poder dizer "pare" e de saber que seria ouvido e respeitado. Sue concordou com isso, com a condição de que fariam a experiência por um período de seis meses. Eles concordaram em esboçar um perfil juntos e postá-lo num site de encontros para relações complementares ou poliamorosas.

Descobrindo por meio da experiência

Coragem é continuar depois de descobrir
que é possível perder.
– T. KRAUSE

Ponderar as opções e falar sobre elas é sempre proveitoso quando nos deparamos com uma nova situação. Quais são as vantagens de uma determinada decisão? Quais são as nossas necessidades e quais são as necessidades de nosso parceiro? O que é importante para cada um de nós? Como podemos evitar o maior número de dificuldades possível? Uma das maneiras é usar a nossa intuição quando examinamos as nossas próprias necessidades e ouvimos e reconhecemos as preocupações dos outros. Porém, pode ser difícil chegar a um equilíbrio ideal, porque não é realmente possível saber como as coisas se desdobrarão de fato. Algo que parece totalmente lógico e direto pode de repente se transformar num obstáculo, e o que parece um impasse pode na realidade ser facilmente superado. A única maneira de descobrir é tentando!

Um mês depois, voltei a ver David e Sue. Nesse meio-tempo, eles haviam se inscrito num site de encontros e alguns homens haviam respondido ao perfil de Sue. Algumas respostas eram claramente despropositadas, mas a maioria era séria. Duas em particular se destacaram. Uma era do proprietário de uma galeria de arte cuja esposa havia passado por uma cirurgia em consequência de uma lesão grave e que, posteriormente, perdera todo o interesse por sexo. A outra era de um jornalista cuja esposa não podia mais fazer sexo depois que uma doença fatal a deixara paralisada. Sue decidira corresponder-se por e-mail com ambos, com a finalidade de obter uma impressão melhor. Perguntei como andavam as pesquisas. David e Sue se entreolharam e riram. Ambos estavam achando tudo muito interessante. Já haviam lido alguma coisa sobre namoro via internet, mas eles mesmos fazerem isso já era outra história. Os dois estavam surpresos ao constatar como era divertido. O ambiente em casa também havia mudado para melhor, agora que estavam trabalhando juntos na busca de uma solução. A pressão da situação fora aliviada e eles estavam novamente se divertindo juntos. Ainda assim, David estava um pouco temeroso em relação aos seus sentimentos quanto ao momento em que Sue fosse realmente encontrar-se com alguém. De todo modo, ele concordou em passar para a etapa seguinte.

Namoro e encontro pela internet

Muitas pessoas descobriram que o namoro *on-line* se desenvolve melhor quando elas, de preferência, se encontram logo no início, em vez de mais tarde. Para quase todas, o e-mail não é suficiente quando se trata de decidir sobre um contato sexual, pois também precisamos de compatibilidade física. O perfil de uma pessoa num site de namoro pode oferecer um vislumbre da personalidade de alguém e do que é importante para ele; mas conhecer o indivíduo pessoalmente pode ser muito importante para se definir as impressões gerais. Alguém pode parecer bastante agradável por e-mail, mas, ao encontrarmos essa pessoa, podemos imediatamente rejeitá-la (ou aceitá-la!) por uma grande variedade de razões.

Às vezes, logo nos primeiros minutos depois de conhecer alguém, podemos dizer se estamos interessados ou não.

Sue e David decidiram ir juntos ao encontro com o dono da galeria e também ao outro, com o jornalista. David achou o dono da galeria um tanto egocêntrico e não gostou do jeito ostensivo por meio do qual demonstrou seu interesse sexual por Sue. Sue o achou bastante agradável, mas queria respeitar os sentimentos de David, por isso não fizeram mais contato com ele. O encontro com o jornalista, Paul, foi muito melhor. Sue já estava impressionada com seus e-mails, pois achava muito alentador o modo como ele se referia afetuosamente à esposa. Sua esposa, Chisa, estava na cadeira de rodas havia anos. A paralisia começou na parte inferior do corpo e aos poucos foi se alastrando para a região superior. Agora estava claro que ela não sobreviveria. Chisa tinha conhecimento da correspondência eletrônica que Paul mantinha com Sue, mas disse que preferia não conhecê-la pessoalmente. Por outro lado, ela não queria limitar a felicidade do marido. Ele sempre lhe dera todo o apoio possível e tivera a sua vida alterada pela doença quase tanto quanto ela teve transformada a vida dela. Chisa concordou em dar a Paul espaço para que ele desfrutasse da companhia de outra mulher, mas ela mesma preferia não se envolver. Sue percebeu imediatamente que eles tinham um elevado nível de integridade em seu relacionamento.

Sue achou Paul muito atraente e David imaginou Paul como um bom companheiro. Todos concordaram em comunicar uns aos outros, por e-mail, as impressões que tiveram.

Depois de trocarem ideias por e-mail, todos concordaram em dar uns passos a mais. Sue e Paul programaram alguns contatos, quando se encontraram para um cafezinho e para conversar, até que por fim resolveram passar parte da noite em um *spa* local. Puderam assim estar mais próximos um do outro, num ambiente descontraído, com menos roupa. Eles acabaram trocando um rápido beijo no chuveiro e, depois, no carro, se deram um beijo mais prolongado. Ambos sentiram que queriam mais. Paul reservou um quarto de hotel para a sexta-feira seguinte. Sue estava bastante nervosa com a aproximação do momento do encontro, mas também muito animada. David precisava trabalhar até às 23 horas naquela noite e havia contratado os serviços de uma babá. David e Sue haviam combinado que ela estaria em casa até a meia-noite e que praticaria sexo seguro, mesmo que Paul tivesse feito vasectomia. Também concordaram que Sue não contaria a David todos os detalhes do encontro, mas apenas lhe diria caso gostasse e ficasse satisfeita e se sentisse bem com Paul.

Quando David chegou em casa, ao voltar do trabalho, encontrou Sue sentada no sofá, de roupão, com um copo de vinho na mão, as faces rosadas e os olhos brilhantes. Vendo a esposa assim, sentimentos confusos o invadiram, mas sua curiosidade e seu amor por ela prevaleceram. "Dá para perceber que você aproveitou bem!", ele comentou. "Ótimo. Ele foi bem? Não, não me diga, não quero saber. Vamos deixar as coisas como estão."

Privacidade

O que dizemos, ou não dizemos, um para o outro sobre os nossos contatos com terceiros é uma decisão de foro íntimo. Alguns parceiros querem saber todos os detalhes, outros preferem não saber nada. Alguns não querem saber nem mesmo quando os seus parceiros tiveram contato com alguém, preferindo não correr o risco de passar por algum sofrimento. É mais fácil assim. Outros querem saber apenas superficialmente o que está acontecendo, deixando que o parceiro guarde os detalhes para si mesmo. Enfim, todos nós acabamos descobrindo o que nos é mais adequado, seja respeitando os desejos do nosso parceiro, seja, às vezes, por tentativa e erro.

Sue e David haviam combinado que os três se encontrariam depois do primeiro encontro sexual para decidir como proceder. Paul ficou profundamente impressionado com a coragem e a disposição de David de conhecê-lo e lhe disse isso claramente. David gostou de ouvir essas palavras e se sentiu considerado, reconhecido e envolvido. Os três combinaram que Sue e Paul se veriam a cada duas semanas. Sue e Paul também manteriam seus contatos por e-mail limitados, não mais do que duas ou três vezes por semana. David não queria que Paul se aproximasse muito, um pedido que Paul garantiu-lhe que iria honrar. Paul disse a David que a última coisa que queria era se interpor entre ele e Sue. Ele respeitava David demais para fazer isso e também amava demais a própria mulher para pensar em algo assim.

David e Sue tiveram pouco contato comigo durante esse período. Eles me mandaram alguns e-mails para me manter informada, mas não sentiram necessidade de outras orientações até alguns meses depois, quando David reservou um horário. Quando vieram me ver, David disse que Sue queria fazer sexo com Paul sem preservativos. Ele não estava satisfeito com isso, porque contrariava o acordo que haviam feito. Sue achava bobagem continuar usando camisinha, pois detestava o cheiro do látex, Paul estava esterilizado e eles não tinham contato sexual com outras pessoas. Não havia motivo para continuar usando essas coisas.

Perguntei a David se ele poderia expressar o que estava acontecendo com ele. Qual era o problema de verdade? Ele respondeu que o pensamento de Paul fazendo sexo desprotegido com Sue o deixava horrorizado. Ele achava que, se não houvesse um preservativo separando Paul e Sue, não teria condições de suportar a intimidade deles. Deixar Sue fazer sexo sem preservativo seria, para ele, como se estivesse entregando definitivamente sua esposa para outro homem. Eu o questionei delicadamente nesse aspecto. "Você já não fez isso, se pensar bem? Sue tem um relacionamento sexual com outra pessoa. Está compartilhando sua sexualidade com outro homem, tendo orgasmo com ele. Então o que está realmente acontecendo? O que o está aborrecendo?", perguntei. David se emocionou. Na conversa que se seguiu, ele percebeu que, para ele, o preservativo era o símbolo de um processo de separação. Ele e Sue sempre gostaram de sexo sem preservativos. Ao insistir para que Sue usasse preservativos com Paul, ele achava que de alguma maneira a sua própria vida amorosa com Sue era especial, algo reservado somente para eles. Essa diferença deixaria de existir se Paul e Sue fizessem sexo sem preservativo. Nesse sentido, Paul o substituiria. Para David, deixar que Paul e Sue fizessem sexo sem preservativo também significaria que ele estava abandonando qualquer esperança de algum dia voltar a ter uma vida sexual normal com Sue. Ele acabaria admitindo para si mesmo que ele, marido de Sue, não podia mais cumprir esse papel para ela.

Essa foi uma sessão de fortes emoções para David. Ele falou exaustivamente sobre seus sentimentos e, como consequência, abriu espaço dentro de si para encontrar um lugar de serenidade. Sue estava contente por dar a David todo o tempo de que ele precisasse para se acostumar com a ideia da prática do sexo sem preservativo entre ela e Paul. Ela só faria isso se e quando ele se sentisse realmente à vontade com essa possibilidade. Como resultado desse reconhecimento, David superou sua resistência muito mais rapidamente do que o esperado e finalmente deu sua aprovação para que Sue e Paul fizessem sexo *au naturel*.

Numa sessão seguinte, falamos sobre diversas questões práticas, como "O que devemos dizer a Lucy, nossa filha?". Até esse momento,

Paul e Sue haviam sempre se encontrado num hotel, mas, com o passar dos meses, esse se tornara um exercício dispendioso. Como solução temporária, fora excelente, mas não era sustentável no longo prazo. Sue havia convidado Paul para ir a sua casa algumas vezes, quando David estava fora e Lucy brincava na casa das amigas. Todavia, o contato com Paul havia mudado ao longo dos meses e agora era mais do que uma amizade íntima. De certa forma, Sue estava começando a amar Paul, embora fosse um amor diferente daquele que sentia por David. David era o seu parceiro de vida, seu grande amor e pai da sua filha. No entanto, ela gostaria que Paul estivesse mais presente em sua vida. Ela estava ficando angustiada com o segredo envolvendo Lucy. Imagine se Lucy voltasse para casa mais cedo e encontrasse Paul exatamente no momento em que ele se preparava para ir embora? Como poderiam encontrar um modo de lidar com Lucy e, assim, evitar uma situação desagradável?

O que dizer para os filhos?

A experiência mostra que os filhos aceitam como normal o que seus pais aceitam como normal, mesmo na esfera dos relacionamentos íntimos. Passamos para os nossos filhos muitos valores e normas que aprendemos como fruto da nossa educação, da nossa cultura e sociedade. Nossos filhos são muito sensíveis e sabem exatamente o que está acontecendo conosco, inclusive percebem a tensão entre os pais. Eles aprendem muito mais vendo do que simplesmente ouvindo. Assim, se veem pessoas que se amam abraçando-se, eles aprendem que é normal as pessoas se abraçarem. Se eles veem que amamos mais de uma pessoa e não fazemos nenhuma confusão com isso, também aceitam o amor múltiplo com naturalidade. São principalmente os adultos que fazem alvoroço com relacionamentos alternativos, não os filhos. Pode ser mais complicado quando os filhos têm mais idade, especialmente quando já chegaram à adolescência. Nem todos os adolescentes se sentem à vontade conhecendo os detalhes íntimos da vida amorosa dos pais, principalmente se os pais não são convencionais. A pressão dos colegas pode ser enorme. Enfim, porém, os filhos se preocupam profundamente com seus pais e, se houver uma atmosfera normal, aberta e de aceitação em torno dos relacionamentos íntimos dos pais, até os adolescentes ficarão tranquilos e receptivos com o decorrer do tempo.

David começou a se sentir mais calmo a respeito da relação entre Paul e Sue e a aceitar bem seus encontros regulares. David e Sue também resolveram pedir a Paul que os visitasse de vez em quando, para que Lucy pudesse conhecê-lo de modo natural. Aos poucos, toda a família começou a se habituar ao fato de que Paul fazia parte da vida de Sue.

Nesse meio-tempo, Sue ocupou o quarto de reserva e criou seu próprio espaço, instalando ali uma cadeira confortável, uma estante e um pequeno altar com velas, além de um sofá-cama. De vez em quando, ela se recolhia nesse quarto para meditar ou passar algum tempo com Paul, e Lucy logo aprendeu que esse era o espaço da mãe, onde ela não devia ser perturbada. Para David, essa foi uma excelente solução.

AS MUITAS FACES DO AMOR

Posso compreender o companheirismo.
Posso compreender o sexo comprado à tarde.
Não consigo compreender um caso amoroso.
– GORE VIDAL

O que é o amor? Todo amor é a mesma coisa ou existem diferentes tipos de amor? Não é só Gore Vidal que fica confuso! Tanto as tradições antigas como as pesquisas modernas parecem confirmar que há muitos tipos diferentes de atração e de ligação que definimos empregando a palavra "amor". Por exemplo, os antigos gregos tinham pelo menos três diferentes palavras para amor:

1. EROS ($\xi\rho\omega\varsigma$) – amor-paixão;
2. ÁGAPE ($\alpha\gamma\alpha\pi\eta$) – amor-afeição – afeto ou grande consideração por alguém ou por alguma coisa;
3. PHILIA ($\phi\iota\lambda\iota\alpha$) – amor-amizade e amor leal, muitas vezes mencionado como "amor virtuoso".

A ciência moderna parece concordar até certo ponto com os antigos gregos. Em 2004, a antropóloga e pesquisadora do comportamento humano dra. Helen Fisher propôs que nós, como espécie humana, temos três sistemas cerebrais principais relacionados ao amor:

1. LUXÚRIA – o impulso sexual;
2. ATRAÇÃO – o estágio inicial do amor romântico;
3. APEGO – o vínculo estável com outra pessoa.

Uma das intuições mais profundas, e basicamente também desafiadoras, que podemos extrair do entendimento de que existem diferentes tipos de amor vem do fato de conseguirmos sentir distintas formas de amor por diferentes pessoas ao mesmo tempo. Assim, podemos sentir atração sexual por uma pessoa, amor romântico por uma segunda e um vínculo amoroso estável com uma terceira, tudo simultaneamente. A ciência está nos mostrando que o "multiamor" não é estranho ou errado, mas é simplesmente o modo como nosso cérebro funciona.

A dificuldade existe porque muitas pessoas aprenderam que só é possível encontrar o amor sexual e o amor romântico em relacionamentos monogâmicos. Na verdade, não é exatamente isso que constatamos, como demonstram claramente as estatísticas sobre infidelidade. Sendo assim, esse fato apontaria para uma fraqueza moral fundamental da nossa sociedade? Ou será que a nossa visão do amor se afastou não só da nossa realidade biológica, mas também da nossa realidade cultural?

Tradicionalmente, na Europa e, por extensão, nos Estados Unidos, o casamento, como instituição, não era o lugar para satisfazer às necessidades sexuais. O casamento era primariamente uma construção projetada para garantir que famílias, clãs e tribos pudessem fazer alianças benéficas que criassem fortes laços econômicos ou políticos. Não se esperava que as mulheres necessariamente amassem seus maridos e vice-versa. E quanto às necessidades sexuais? Elas eram satisfeitas de outras formas, desde que o requisito filhos tivesse sido atendido. É óbvio que em geral os direitos dos homens eram muito mais amplos do que os das mulheres quando se tratava de escolhas sexuais.

Apenas recentemente começamos a acreditar que tanto o amor romântico como a paixão sexual devem ser satisfeitos pela mesma pessoa. A ideia de que o amor íntimo só deve ser expresso nos limites de uma relação monogâmica tornou-se o *status quo*. No entanto, cada vez mais pessoas estão começando a questionar a validade dessa sabedoria herdada. Relacionamentos abertos desafiam essas tradições relativamente novas, aceitando como normal a prática de homens e de mulheres que procuram variedade sexual em suas vidas, ao mesmo tempo que mantêm fortes vínculos de amor com o parceiro original. De muitas maneiras, as pessoas que praticam um estilo de vida poliamoroso estão simplesmente reconhecendo que os nossos ancestrais tinham um conhecimento maior em questões de amor do que às vezes lhes creditamos. A diferença é que a maioria das pessoas nos modernos relacionamentos abertos está praticando o poliamor de maneiras que permitem às mulheres, assim como aos homens, a liberdade de enriquecer suas vidas ampliando suas expressões amorosas.

Perguntas que você pode fazer a si mesmo

- Como vejo os diferentes tipos de amor?
- Que acordos eu fiz com meu parceiro sobre amor e sexo? Como vejo esses acordos neste momento?
- Como lido com sentimentos de amor e atração por alguém que não seja meu parceiro?
- O que me permito num relacionamento, e por quê?
- O que significa sexualidade para mim? E para o meu parceiro?
- Com que valores e normas nas áreas do amor, da intimidade e da sexualidade eu fui criado?
- Que valores e normas nas áreas do amor, da intimidade e da sexualidade eu transmiti para os meus filhos?

Sugestões para um relacionamento sexual complementar

- Ouse pensar fora dos padrões. Dê rédeas à sua imaginação e às suas fantasias. Pratique a técnica da troca de ideias com seu parceiro. Seja criativo.
- Inclua seu parceiro no que você quer fazer e façam escolhas juntos para que todos os envolvidos se sintam bem. Esteja aberto aos seus sentimentos.
- Faça experiências. Você só pode conhecer alguma coisa depois de experimentá-la. Lembre-se de que fantasia e realidade nem sempre coincidem.
- Leve em consideração tanto os seus limites como os limites do seu parceiro.
- Experimente com segurança.
- Aprecie e desfrute o que existe entre você e seu parceiro.

11

Quando Mundos se Chocam: Relacionamentos Abertos versus Relacionamentos Secretos – Henry

Você está em uma viagem de negócios e conhece uma mulher incrível. Você não estava exatamente procurando, mas os dois se sentem atraídos um pelo outro no mesmo instante em que vocês se conhecem. Você é casado e concordou com sua esposa que o relacionamento de vocês seria aberto, de modo que não há problema nesse aspecto. Com o passar do tempo, porém, você descobre que sua amante vive um casamento infeliz e que esteve se encontrando com você em segredo. Então, o que acontece quando você mantém um relacionamento aberto e se envolve com uma pessoa que quer ter um caso em segredo? Será que isso lhe convém?

Henry se encontrou nessa situação.

Henry, 49 anos, está tendo uma relação complementar com Sylvia, 41. Henry está casado e feliz com Alice, 45, há quinze anos, e eles concordam com um relacionamento aberto. Eles não têm filhos. O acordo que fizeram lhes dá espaço para expressar e agir de acordo com seus sentimentos por outras pessoas. Henry e Alice estiveram ambos envolvidos em inúmeros relacionamentos relativamente longos durante seu casamento. Eles não têm segredos um para o outro e são abertos e transparentes no que se refere às suas relações.

Sylvia é casada com Nelson, com quem tem dois filhos. Ela exerce uma função administrativa de grande responsabilidade em uma empresa do setor habitacional. Seu casamento vai bem, no que diz respeito a ter uma família, mas fica praticamente nisso. Seu marido é um amigo leal, eles dividem uma casa juntos, mas quase não existe vida sexual entre eles. O marido parece bastante satisfeito com o casamento. Sylvia, contudo, está muito insatisfeita, mas mesmo assim não quer o divórcio. Seus próprios pais se divorciaram quando era adolescente, e ela não está disposta a fazer seus filhos passarem por essa experiência. Então, ela decidiu manter o casamento até os filhos saírem de casa. Nesse meio-tempo, satisfaz-se discretamente com sexo e excitação de outras formas. Quando conheceu Henry, ela havia acabado de desfazer um desses relacionamentos passageiros.

Henry e Sylvia se conheceram num seminário sobre gestão, de três dias de duração. Desde o início, ambos sentiram uma forte atração mútua. O curso era ministrado no próprio hotel e, na última noite, ficou claro para ambos que havia uma forte tensão erótica entre eles. Já na primeira noite Henry lhe falara sobre seu relacionamento aberto com Alice, e Sylvia, por sua vez, contou-lhe sobre sua vida com Nelson.

Sylvia falou sobre sua melancólica situação conjugal e disse que seu marido não tinha conhecimento dos seus casos amorosos. Com relutância, Henry concordou em continuar com a relação, pois realmente gostava de estar com Sylvia; além disso, os acordos conjugais dela eram assunto dela, correto?

Agora, a tempestade passional inicial entre eles começou a amainar e o desejo de Henry de encontrar Sylvia está diminuindo. Quando estão juntos, passam ótimos momentos e Henry realmente gosta da companhia de Sylvia. No entanto, ele está começando a ter sentimentos contraditórios sobre a situação e a sua sensação de desconforto está aumentando. Por um lado, ele se sente muito atraído por Sylvia e pela ansiedade dela de viver e descobrir novas experiências sexuais com ele. Por outro, começa a perceber que certa sensação de desprazer está se insinuando entre eles. Ele não sabe de onde vem isso, mas tem cada vez menos expectativas com relação aos seus passeios e encontros. Mesmo assim, sempre que se encontram, essas preocupações parecem dissipar-se totalmente e ele se diverte. Essas dúvidas, porém, estão começando a incomodá-lo; por isso, ele marcou uma consulta com Leonie, esperando que ela possa ajudá-lo a esclarecer a situação.

Relacionamentos secretos e relacionamentos abertos

As bases dos relacionamentos abertos contrastam com as bases dos relacionamentos secretos. Em um relacionamento aberto, os parceiros não têm segredos. Eles sabem a respeito dos parceiros complementares um do outro, dos amigos com benefícios ou das pessoas por quem estão apaixonados, e conversam honestamente entre si. Além disso, eles abrem espaço para experiências que um e outro podem fazer. Respeito, franqueza, honestidade e aceitação são valores importantes em um relacionamento assim. Na verdade, quase sempre, um relacionamento aberto, sustentável, só pode existir quando tem esses valores como fundamento.

Um relacionamento secreto tem uma base muito diferente. As crenças subjacentes neste caso tendem a ser que a autossatisfação, o gosto pela aventura e a atenção sexual de outro parceiro são objetivos que só podem ser alcançados através do silêncio e da mentira.

A contradição entre os dois sistemas de relacionamento se evidencia quando decidimos manter uma relação complementar estável com alguém que está traindo. Podemos ficar presos entre o respeito aos nossos próprios limites cuidadosamente ponderados e a conivência com a falta de escrúpulos do parceiro que está enganando. Esse dilema acaba criando um tumulto interior, mesmo que consiga evitar turbulências externas. Colaborar com a mentira do outro quase equivale a dar um passo atrás no desenvolvimento pessoal, um recuo para um tempo em que podemos não ter sido muito sinceros em nossa autenticidade. A desonestidade rouba tempo e energia.

Durante a primeira sessão de orientação, trabalhamos para ajudar Henry a esclarecer as bases do seu relacionamento com Sylvia. Ele disse que as principais atrações da relação, além do sexo, são a facilidade com que ele conversa sobre seu trabalho com ela e o fato de que ambos têm o mesmo senso de humor. Ele também gosta da sensação de que ela parece aprender muito com ele, tanto em termos de sexo como de experiência de vida. Isso é diferente do seu relacionamento com Alice, o qual é muito mais nivelado nesse sentido. A jornada deles rumo a um relacionamento aberto foi realizada em conjunto, e muitas vezes Alice está um passo adiante dele, tanto intelectual como emocionalmente.

Em seguida, examinamos o que está incomodando Henry em seu relacionamento com Sylvia. Um dos aspectos com que ele mais se irrita está nas queixas de Sylvia sobre o marido e os seus defeitos. Henry às vezes tem a impressão de que não há nada de bom que Sylvia possa dizer sobre Nelson. Ele questiona essa atitude de Sylvia e pergunta por que ela continua com o marido, uma vez que, pelo que diz, ele não tem nada de bom. Só então Sylvia se recompõe e menciona algumas coisas que aprecia em Nelson. Henry já lhe deixou claro que o fato de falar de forma tão negativa a respeito do marido não a torna mais atraente para ele. Também a incentivou a assumir responsabilidade por seu casamento e a mudar as coisas que a incomodam, ou então a tomar providências sobre o que está errado.

Henry revelou que é uma experiência nova para Sylvia receber esse tipo de informação. Ela costuma ser muito negativa com relação ao marido e expressa isso a todos os amantes. Parece que quanto mais negro o quadro, mais fácil é justificar a traição – para os amantes e para si mesma. É estranho para ela saber que Henry não vai aceitar isso, do mesmo modo que lhe é esquisito ouvi-lo falar da esposa com tanto afeto e admiração. Sylvia não consegue realmente entender por que Henry passa um tempo com ela se a vida dele em casa é tão maravilhosa. Aparentemente, ela só consegue compreender esse comportamento de Henry presumindo que deve haver algo de errado no relacionamento dele com Alice, embora ele lhe assegure que não há nada de errado.

A influência dos nossos valores e de nossas crenças

Presumimos, quase sempre involuntariamente, que as pessoas pensam e sentem como nós. Muitas vezes, vemos a vida através dos filtros das nossas próprias experiências. Podemos perceber isso de modo mais claro quando falamos com nossos amigos, pois os conselhos que nos dão normalmente se baseiam nos seus próprios valores e em suas próprias crenças, e também nas suas próprias expectativas e necessidades pessoais. Eles dizem coisas como "Eu o deixaria se fosse você" ou "Não consigo entender como você ainda pode estar com ele; eu, certamente, não poderia". Muitas vezes, nossos amigos procuram se colocar em nosso lugar, mas baseiam suas reações em seus próprios pontos de vista. As sugestões que oferecem não dão resultado porque, apesar de suas soluções fazerem sentido para eles, elas podem não servir para nós.

É isso exatamente o que está acontecendo com Sylvia e Henry. Sylvia está traindo porque seu relacionamento em casa não vai bem e ela está tentando revigorar sua vida por meio de contato com outros homens. Assim, parece muito estranho para ela que o homem com quem está se encontrando possa ter um relacionamento bom em casa. Para muitas pessoas, a exemplo de Sylvia, isso é impossível. A ideia de que alguém possa estar totalmente satisfeito com seu parceiro ou sua parceira e ao mesmo tempo goste de estar com outras pessoas está fora dos seus quadros de referência.

Henry, por sua vez, está preso na mesma armadilha. Ele supõe que Sylvia vê o mundo como ele. Ele se irrita com a negatividade de Sylvia com relação ao marido porque a relação dele com Alice é muito positiva. Na realidade, ele é louco por sua mulher e ama o relacionamento deles e quer que todos saibam disso, inclusive Sylvia. Ele não vê que o seu comportamento muito provavelmente faz com que Sylvia se sinta muito insegura, desconfortável e até certo ponto julgada.

MORALIDADE IMPOSTA
VERSUS VERDADE INTERIOR

Quando o Tao se perde, há bondade.
Quando a bondade se perde, há moralidade.
– LAO-TSÉ

Um dos conceitos mais fundamentais apresentados no *Tao-Te King* (antigo texto chinês repleto de sabedoria) é o entendimento de que a autoridade moral imposta, externa, normalmente surge quando o senso de autenticidade da própria pessoa se perdeu ou foi reprimido. De acordo com esse texto, a intenção subjacente aos códigos morais não é tornar-nos pessoas melhores, mas, sim, controlar-nos e garantir que nos comportemos de modo a beneficiar os que estão no poder. O fato lamentável é que as próprias pessoas que pregam os códigos morais mais rígidos são muitas vezes os transgressores mais flagrantes. Não é preciso estender a vista para encontrar exemplos notórios disso. Infelizmente, políticos e clérigos muitas vezes praticam o oposto do que pregam. Em nenhum lugar isso é mais evidente do que no campo dos relacionamentos. Quer se trate de um presidente fraudulento ou de um bispo católico que gerou um filho, é bem evidente que as poderosas forças tanto do sexo como do amor simplesmente não são compatíveis com o que as pessoas que detêm o poder pregam às massas.

Então, o que devemos fazer? Ignorar totalmente os códigos de moral? Selecionar dentre o que é oferecido e seguir o que parece correto? Criar as nossas próprias diretrizes morais? Curiosamente, tanto o *Tao-Te King* como muitas propostas atuais de desenvolvimento pessoal nos incentivam a deixar de acreditar no conceito de moralidade. Em vez de confiar em conjuntos externos de regras que definem o que é certo e o que é errado, eles nos orientam a encontrar formas de descobrir as nossas próprias verdades interiores. Encorajam-nos a entrar em contato com a nossa própria bondade e a agir a partir de um lugar de paz e serenidade interior. Ironicamente, toda tradição espiritual organizada enfatiza a necessidade de encontrar a calma interior – seja por meio da meditação, da oração, da peregrinação ou do contato com a natureza – e de agir a partir desse ponto.

Um problema em particular para a pessoa que está pensando na possibilidade de viver um estilo de vida não monogâmico é que, por definição, ela vai ter um comportamento que a maioria dos códigos morais tradicionais do Ocidente condena. A maior parte das pessoas não quer viver uma vida sentindo-se pecadora. Se alguém decide rejeitar os códigos morais vigentes, em geral, há boas razões para isso. Aprender a viver com a realidade de relacionamentos amorosos conscientes, com parceiros múltiplos ou com um único parceiro, de formas que sejam autênticas, congruentes e coerentes, e nos quais todas as partes sejam tratadas com respeito e dignidade, pode ser um caminho desafiador e gratificante de crescimento, consciência e realização pessoal.

Descobrindo valores e crenças pessoais

Pode ser muito útil descobrir os nossos valores e as nossas crenças pessoais. As crenças que herdamos às vezes exercem uma grande influência em nossa vida; no entanto, podemos considerá-las bloqueadoras ou inúteis quando entram em conflito com a nossa própria educação e as nossas experiências. Se isso acontecer, talvez seja proveitoso perguntar-nos, por exemplo:

- O que *eu* realmente penso sobre isso?
- Quais são os *meus* valores e as *minhas* crenças?
- Como *eu* mais gostaria de lidar com essa situação?

No início do relacionamento com Alice, Henry descobriu que era muito difícil falar aos amigos e familiares sobre seu relacionamento aberto. Durante esse período, ele viveu uma vida aparentemente "normal" no que dizia respeito ao mundo exterior. Só depois que seus pais faleceram foi que ele se sentiu livre o suficiente para ser honesto sobre sua escolha do modelo de relacionamento. Alice, por outro lado, teve uma educação muito mais liberal e achava mais fácil ser sincera sobre sua vida privada. Ao longo dos anos, ela realmente ajudou Henry a descobrir sua própria verdade e a expressá-la.

A reação de Sylvia ao ver como o relacionamento de Henry e Alice dava certo foi uma verdadeira revelação para Henry. Agora ele percebe o quanto ele mesmo mudou e também se dá conta de que os seus valores e as suas crenças são bem diferentes de quando era mais jovem. Ao ver a reação de Sylvia, falou com ela longamente sobre o relacionamento dele e sobre os valores que são importantes para ele no momento. Depois de certa confusão inicial, Sylvia expressou sua admiração por Henry e pelo relacionamento aberto com que ele está comprometido; e Henry gostou da sensação de apreço e reconhecimento que Sylvia lhe passou. A partir daí, percebeu que Sylvia começou a falar sobre seu relacionamento com o marido de uma maneira diferente e que passou a procurar formas diferentes para lidar com seu casamento. Henry incentivou Sylvia nesse processo e espera ansioso que o relacionamento deles possa continuar com menos segredos e mais honestidade.

No entanto, em apenas poucos meses, a relação com Sylvia parece ter entrado num estado de marasmo. Tudo indica que ela falou ao marido sobre o contato com Henry, mas omitiu os detalhes. Até onde o marido sabe, Henry e Sylvia se conheceram no seminário e ficaram amigos, mas ele não sabe nada a respeito do relacionamento sexual deles. Ele não perguntou nada e Sylvia não forneceu mais detalhes. Para ela, está bom assim. A situação de Henry, porém, vai ficando cada vez mais desconfortável, pois ultimamente Sylvia vem mentindo para o marido ao telefone na presença de Henry. Henry também percebeu, para seu desgosto, que está sendo um tanto ríspido com ela nos últimos tempos. É quase como se ela não merecesse ser tratada de forma simpática e educada enquanto estiver mentindo para o marido.

Compreendendo melhor os valores, as necessidades e o comportamento dele mesmo, Henry percebeu que seu respeito por Sylvia vem diminuindo. No início, a atração entre eles era tão forte que não lhe parecia tão importante Sylvia manter um relacionamento com ele em segredo. Agora que a relação está um pouco mais calma, a capacidade de Henry de ignorar o seu desconforto com o sigilo diminuiu. A situação simplesmente não é coerente com os valores que ele assimilou durante o processo de abertura do seu próprio relacionamento.

Apesar de tudo isso, porém, ele ainda gosta de estar na companhia de Sylvia. Será que os benefícios superam as desvantagens?

O equilíbrio da roda da vida

É perfeitamente normal ficar inseguro em um relacionamento ou quanto a escolhas que terão um grande impacto em nossa vida. Uma forma de ter clareza numa situação assim é afastar-nos um pouco e examinar a nossa vida a distância.

Para chegar a uma perspectiva mais permanente – e ver os benefícios que podem resultar de escolhas difíceis – voltamos a atenção para resultados e consequências, mas também para os efeitos que a(s) nossa(s) escolha(s) terá(ão) sobre as prioridades gerais em nossa vida. Então, em vez de ficarmos imaginando o que pode dar errado, podemos nos fazer perguntas como:

- Estou fazendo coisas que são importantes para mim?
- A que estou dedicando o meu tempo?
- Como posso ter certeza de que estou fazendo as coisas que realmente quero fazer?

Uma ferramenta que pode nos ajudar a criar uma visão geral dessas prioridades é o exercício "equilíbrio da roda da vida". Numa folha de papel, desenhamos dois círculos, que dividiremos em seções ou fatias, cada uma representando uma prioridade. Uma roda reflete a nossa vida atual; a outra, a nossa vida ideal.

Henry fez esse exercício. Depois de desenhar o círculo "hoje", pedi-lhe que o comparasse com o seu mundo ideal, tendo em mente a pergunta "O que é importante para mim nesse momento?". Quando começou a preencher as seções do círculo do seu mundo ideal, Henry viu que o que realmente queria fazer era dedicar mais tempo aos seus estudos de psicologia. Os estudos eram seu investimento no próprio futuro. Ele também queria passar mais tempo com seus amigos. Ele percebeu que, se quisesse expandir tanto a seção "estudo" como a seção "amigos", se não reduzisse outras coisas, como o tempo com Alice, de fato não sobraria muito espaço para Sylvia. Quando ele preencheu a segunda roda, Sylvia foi a última porção a ser preenchida – e, mesmo assim, o espaço para ela era pequeno. Henry ficou realmente surpreso quando viu seu segundo desenho, pois entendeu que Sylvia não lhe era tão importante quanto ele imaginava. Ela é divertida, o sexo é bom e ela proporciona um pouco de apoio moral, mas qual é a importância dela em comparação com outros aspectos da vida dele? Era assunto sobre o qual pensar.

Perguntas que você pode fazer a si mesmo

- O que é importante para mim num relacionamento? Quais comportamentos eu posso aceitar e quais são inaceitáveis?
- Quais são os meus valores?
- Qual é o grau de importância dos meus valores no contexto de um relacionamento complementar? Eles são essenciais ou eu simplesmente os ignoro?
- Até que ponto eu sou fiel a mim mesmo no meu relacionamento atual?
- O que eu nunca ousaria dizer aos meus amigos/ familiares/colegas sobre meu(s) relacionamento(s)? Por quê?
- O que posso aprender num relacionamento complementar que não posso aprender no relacionamento atual?

Sugestões para relacionamentos complementares

- Procure não fazer suposições sobre o modo como o outro vê o mundo. Compare proativamente os seus pressupostos e as suas expectativas com os da outra pessoa para ver se eles se correspondem.

- Lembre-se de que todos nós somos diferentes e temos o nosso próprio depósito de experiências.

- Tenha consciência das suas expectativas e de como você reage. Você reage ao que está realmente acontecendo ou ao que poderia acontecer no futuro?

- Esteja preparado para descobrir. Pode ser útil ver um relacionamento como uma jornada permanente, em vez de uma meta a ser alcançada. Aproveite a viagem e lembre-se de que as coisas nem sempre acontecem como você pode ter imaginado – elas podem ser melhores!

- Mantenha-se alerta e vulnerável. Cair em buracos e sair deles faz parte da travessia de um território novo.

- Seja agradecido pelo que é e concentre-se em aproveitar o positivo.

12

A Tríade – Mark, Yvonne e Lisa

Você está com seu parceiro há décadas, os filhos cresceram e já saíram de casa. Cada um de vocês tem o próprio emprego e círculo social e ambos são independentes. Emocionalmente, vocês sabem que podem amar mais de uma pessoa, mas nunca conversaram sobre o assunto. Ao longo dos anos, tiveram intimidades com outras pessoas, mas sempre passageiras. Vocês sempre souberam da atração do parceiro por outras pessoas, mas nunca tocaram no assunto. E, então, algo aconteceu, e vocês precisaram conversar. Como consequência, vocês abriram o seu relacionamento e seguiu-se um período intenso em que os desdobramentos foram rápidos e impetuosos. Poderá o seu relacionamento a dois expandir-se verdadeiramente para um relacionamento a três?

Mark, Yvonne e Lisa vêm enfrentando os altos e baixos desse novo território há alguns anos.

Mark, 51 anos, e Yvonne, 53, se conhecem desde a época em que eram estudantes e estão casados há 26 anos. Eles têm três filhos adultos, que já moram em suas próprias casas. Mark e Yvonne são dois espíritos livres que se conheceram num festival de música. Nenhum deles procurava um parceiro na época, pois estavam ambos em busca de crescimento e descoberta pessoal. No entanto, logo se apaixonaram e passaram a morar juntos. Eles continuaram seguindo a própria vida no que se referia a trabalho, amigos e atividades sociais, e em grande parte cada um deixava o outro livre para fazer suas próprias escolhas pessoais. Quando Yvonne ficou grávida do primeiro filho, decidiram se casar. Um casamento formal com as promessas tradicionais não parecia refletir a sua relação ou o seu estilo de vida, então optaram por uma cerimônia contratual menos convencional (uma celebração não religiosa, geralmente realizada ao ar livre, em que os convidados envolvem com fitas as mãos entrelaçadas do casal).

Mark e Yvonne, cada um ao seu modo, sempre se sentiram atraídos por outras pessoas. No entanto, suas vidas ocupadas, bem como as crianças, exigiam toda a sua atenção, por isso tudo o que realmente conheciam era o casamento monogâmico. Além disso, nem Mark nem Yvonne aprenderam a falar abertamente, de verdade, sobre seus desejos íntimos com ninguém, muito menos um com o outro. De vez em quando, Mark se apaixonava por outras mulheres. Nessas ocasiões, ele nunca foi muito além de nutrir fantasias estranhas, que guardava para si. Achava tudo muito confuso e, de qualquer maneira, no que lhe dizia respeito, amor e luxúria eram questões pessoais. Yvonne sempre soube o que estava acontecendo – pois os sinais eram muito óbvios. Quando Mark se apaixonava, nunca ficava totalmente presente, vivia num mundo todo seu. Sua relação com Yvonne sofria um pouco durante esses episódios porque ele se distraía e esquecia as coisas – nada, porém, com que Yvonne não pudesse conviver.

Além disso, Yvonne muitas vezes se sentia sexualmente atraída por outros homens. Ela fantasiava e gostava de flertar e de sentir a química sexual – o que lhe propiciava um estímulo real, que ela aplicava em seu cotidiano com a família. Mark e Yvonne mantiveram esse estilo de vida durante muitos anos e estavam basicamente satisfeitos com a vida como ela era.

Um dia, Yvonne foi um pouco além, quando um de seus flertes se transformou em algo mais. Mark era apenas o terceiro homem com quem ela já havia feito sexo e, depois de tantos anos com ele, ela parecia estar pronta para algo novo – embora não ousasse admitir isso para Mark. Seu novo amante introduziu um novo nível de desafios e descobertas sexuais em sua vida, e suas escapadas furtivas a enchiam de arrepios e excitação; mesmo assim, a atração sexual mútua era realmente tudo o que havia entre eles. No entanto, quando Mark descobriu o que estava acontecendo, enfureceu-se. Ficou chocado ao saber que Yvonne estivera fazendo sexo com outro homem durante dezoito meses. Ele não havia percebido nada! Yvonne estava mais interessada em sexo ultimamente e ele gostava disso, mas não havia pensado em nenhum motivo que justificasse o que estava acontecendo. Ao tomar conhecimento do que havia entre Yvonne e seu amante, tudo finalmente fez sentido para ele. Mark podia perceber que as experiências de Yvonne haviam na verdade beneficiado seu próprio relacionamento. Não obstante, seus sentimentos de ciúme e, sobretudo, o fato de que fora enganado anularam quaisquer sentimentos positivos que ele pudesse alimentar com relação ao ocorrido. Então, quatro anos atrás, eles encontraram Leonie e marcaram um encontro com o objetivo de salvar seu casamento.

Alguns gostam de amor, alguns gostam de sexo

Durante as sessões, Mark e Yvonne aprenderam, acima de tudo, a se comunicar. Além disso, Mark descobriu que seu ciúme se baseava, principalmente, no medo de que o outro homem fosse um amante melhor para Yvonne. Ele também temia que Yvonne o deixasse para ficar com o outro. Quando ele trouxe isso à tona, Yvonne fez questão que ele soubesse que ela o amava muito, como amante e como marido, e que não tinha nenhuma intenção de deixá-lo. Depois de compreender isso, o ciúme de Mark tornou-se muito mais administrável. Mark e Yvonne também aprenderam a falar um ao outro sobre seus desejos sexuais e descobriram que tinham sentimentos e ideias muito diferentes sobre sexualidade.

Para Mark, a sexualidade está profundamente ligada à intimidade e a um sentimento de união de alma. Ele não consegue se imaginar fazendo sexo com uma mulher pela qual não esteja apaixonado e, para ele, a intimidade física só pode acontecer quando há também intimidade espiritual e emocional. Ele tem um forte senso de lealdade para com a esposa e a família e se debate interiormente sempre que seu coração é tocado por outra mulher. Ele se julga com todo rigor quando isso acontece e se sente incompreendido por outras pessoas que, percebendo as faíscas entre ele e outra mulher, concluem apressadamente que ele está apenas em busca de sexo.

Yvonne é diferente. Ela adora sexo e o aproveita por causa do que o sexo representa para ela – um encontro divertido e sensual entre dois adultos consensuais. Se há uma forte atração física aliada ao respeito mútuo, sua energia sexual jorra. Ela também gosta de certo nível de intimidade, mas esse não é um pré-requisito. Por outro lado, ela se sente muito culpada por seu desejo de fazer sexo com outro homem que não seja o marido, pois sua formação católica deixa claro que esse é um comportamento pecaminoso. O catecismo que aprendeu na infância de fato desencadeia um conflito interno quando ela se pergunta se é uma mulher "normal".

E foi assim que Mark e Yvonne tiveram de encarar a realidade de que seu relacionamento monogâmico professo não mais refletia exatamente quem eles eram. A forma do casamento estava começando a criar grande tensão para cada um deles e, por extensão, para o seu relacionamento.

Acordos de relacionamento

*Somente quando você tiver coragem de trilhar
o seu próprio caminho, o seu caminho se revelará para você.*
– PAULO COELHO

Muitos de nós – tenhamos ou não consciência do fato – sentimos que realmente não fomos feitos para uma relação monogâmica. Isso não surpreende, pois, sem dúvida, nem todos nós *somos* monógamos. No entanto, ser não monógamo não é algo que a maioria das pessoas tenha facilidade de aceitar nem é uma condição com que todos se sintam à vontade. Quase todos nós fazemos parte de uma sociedade que ainda defende a ideia de que a monogamia é a única opção para o casamento e para parcerias, e que o casamento é a única maneira de formar relacionamentos estáveis. Assim, quando pessoas não monógamas decidem criar um vínculo estável, ainda optam por se casar porque essa é a única forma de relacionamento legal e socialmente aceita. O casamento inclui o pressuposto de que só teremos relações íntimas amorosas e/ou sexuais com um único parceiro. Esse é um problema real para um casamento entre um ou mais parceiros não monógamos, pois sentimentos por outras pessoas acabam finalmente emergindo e os acordos selados de "um só parceiro" podem se romper.

Quando isso acontece, em geral, não sabemos como – ou temos medo de – falar com nosso parceiro sobre o que sentimos por outra pessoa, especialmente quando há envolvimento sexual. Há muitas razões para isso, mas as duas mais comuns são:

1. Apesar da revolução sexual dos anos 60, quase todos nós temos muita dificuldade para falar aberta e livremente sobre a nossa sexualidade.

2. Se quisermos abrir espaço para sentimentos e vínculos com outra pessoa em nosso casamento, provavelmente teremos de renegociar os nossos acordos do casamento. Isso não é algo que nós, na grande maioria, saibamos fazer, esperaríamos fazer ou teríamos coragem suficiente para fazer, pois o resultado é incerto.

No entanto, as tendências na sociedade são inequívocas. No passado, podemos ter imaginado que trabalharíamos na mesma empresa pelo resto da vida, mas hoje aceitamos que mudanças de emprego e educação continuada são características normais, e a bem da verdade desejáveis, da vida profissional no século XXI. Os relacionamentos não são imunes a essa mudança e o número de divórcios e de novos casamentos comprova o desejo de variedade e de crescimento. Mas um relacionamento precisa terminar apenas por causa da mudança? Ou é possível redefinir um relacionamento à medida que as necessidades e os desejos de cada parceiro se constituem e reconstituem ao longo do tempo?

Antes de Mark e Yvonne casarem, eles conversaram sobre o que cada um considerava importante na relação. Decidiram que no dia do casamento prometeriam dar um ao outro a liberdade de continuar a se desenvolver pessoalmente e que se apoiariam nesse esforço. Concordariam em ser amigos e não seriam posse um do outro. Manteriam sua individualidade e não desejariam dissolver-se um no outro para se tornar uma unidade. Eles prezariam e sustentariam a singularidade de cada um.

Esse acordo de relacionamento deu certo para eles e, com efeito, no decorrer dos anos, ambos se desenvolveram de formas diferentes, bem separadas. Yvonne passou por vários empregos e, finalmente, começou sua própria prática de Reiki e de massagem. Mark trabalhou para diversas multinacionais antes de montar sua própria consultoria em Tecnologia da Informação. Ambos estavam satisfeitos com a forma como suas vidas estavam se desenvolvendo e com a família que haviam criado juntos. Ambos achavam que estavam alcançando o que haviam prometido anos antes, quando se casaram.

Durante as sessões, Mark e Yvonne perceberam que havia chegado o momento de renegociar e renovar o seu acordo de relacionamento. Estava claro para ambos que tinham sentimentos, embora de diferentes tipos, por outras pessoas e que não haviam falado sobre isso quando estabeleceram seu acordo original. Eles queriam encontrar maneiras que permitissem relações com outras pessoas, mas que ao mesmo tempo garantissem que seu próprio relacionamento não seria prejudicado.

Para começar, examinamos as consequências das escapadelas ilícitas de Yvonne. Ela decidiu parar de se encontrar com o amante, porque ela e Mark queriam reconstruir a confiança entre si. Desse ponto em diante, prometeram um ao outro que seriam abertos e honestos com relação aos seus sentimentos para com outros.

Pedi, então, que cada um escolhesse dez "Cartas de Comportamento" de *"O Jogo do Relacionamento"*, cartas que correspondessem aos seus objetivos de relacionamento para o período seguinte. Ambos escolheram Ser Aberto e Honesto um com o Outro. Também escolheram a carta Aceitar o Outro como Ele É e descobriram que para ambos a carta significava que aceitariam as diferenças um do outro e que um não tentaria mudar o outro. Além dessas duas cartas, escolheram Ouse Ser Vulnerável e Partilhe Sentimentos e Questões Pessoais como aspectos que gostariam de ver em seu relacionamento. Eles concordaram que essas habilidades seriam necessárias para poderem falar livremente sobre intimidade e sexualidade.

Seus desafios pessoais apareceram quando Mark escolheu a carta Abandonar Experiências de Relacionamento Negativas e quando Yvonne escolheu Trabalhar sobre o Próprio Desenvolvimento Pessoal. Para Yvonne, isso significava um compromisso prático de ver o que ela poderia fazer para superar as influências da sua formação rigidamente religiosa e de analisar como poderia participar de algum curso ou treinamento com outras mulheres que estivessem passando pela mesma situação. Mark concordou em identificar e comprometer-se com uma prática de desenvolvimento pessoal que lhe possibilitasse estar mais plenamente presente e aprender a libertar-se de dores antigas e de obstruções energéticas. Também concordaram em passar pelo menos duas noites por mês juntos, conversando conscientemente sobre o relacionamento e fortalecendo-o. Terminaram as sessões sentindo-se muito mais felizes e com um senso de compromisso renovado com seu relacionamento.

Vivendo a nossa autenticidade

Mark e Yvonne renegociaram o seu acordo de relacionamento e decidiram dar um ao outro espaço para explorar o que cada um realmente queria na esfera do relacionamento e da sexualidade. Ao tomarem essa decisão, sabiam perfeitamente que precisariam de algum tempo para alterar alguns padrões que haviam fixado no correr dos anos. Quando começaram, descobriram como é difícil se libertar de padrões que incorporamos ainda na infância. Na verdade, a maioria das pessoas só percebe essa dificuldade quando procura lidar com comportamentos de relacionamento profundamente arraigados. As pressões sociais não facilitam em nada esse processo. Podem ser verdadeiros desafios encontrar as nossas verdades interiores e chegar ao âmago do nosso ser. Não é apenas com comportamentos aprendidos que precisamos nos engalfinhar, mas também com incontáveis crenças, convicções, pensamentos negativos e valores rígidos. Além disso, o nosso ego pode definitivamente deflagrar uma grande batalha!

Temos coragem de admitir o que realmente queremos? Ousamos deixar que nossos parceiros, nossas famílias e nossos amigos saibam? Permitimo-nos até mesmo parar e examinar os nossos desejos? Ousamos afirmar a nossa autenticidade? Enfim, para haver alguma esperança de vivermos uma vida baseada em quem somos e não no que os outros esperam que sejamos, precisamos aprender a ouvir o nosso coração. Um aspecto crucial dessa tarefa é aprender a não julgar a nós mesmos, mas respeitar-nos com todas as emoções e os desejos inerentes ao ser humano.

Ser não monógamo de forma aberta, honesta e ética não é algo que, em geral, nossa sociedade aceite ou entenda. É por isso que é tão animador conhecer pessoas que possam nos entender e apoiar se resolvermos percorrer esse caminho com sinceridade. No entanto, nem sempre é fácil encontrar pessoas assim em nosso círculo de amizades e de contatos sociais, por isso muitas pessoas interessadas em poliamor usam fóruns da internet como veículos de apoio. À medida que aumentamos a aceitação de nós mesmos, porém, muitas vezes descobrimos que a resistência por parte dos nossos amigos começa a abrandar. Quando irradiamos felicidade e satisfação com a vida e com as escolhas que fizemos, normalmente as outras pessoas têm mais facilidade para nos aceitar, mesmo que não compreendam ou não concordem inteiramente com nossas escolhas.

Quatro anos se passaram antes de Mark e Yvonne entrarem em contato comigo para agendar outro encontro. Muita coisa havia acontecido com eles durante esses anos, e precisaram de certo tempo para inteirar-me da situação. O primeiro ano depois da renovação do contrato de relacionamento fora de muitas conversas e várias descobertas. Haviam dedicado bastante tempo para falar aberta e honestamente sobre todos os amores e as atrações que haviam mantido em segredo ao longo dos anos. Com isso, muitas coisas se esclareceram. Eles se aproximaram mais um do outro e agora conversavam com mais facilidade. Durante o segundo ano, ficou claro que havia chegado o momento de passar a uma nova etapa no relacionamento. Yvonne decidiu que estava pronta para explorar e desenvolver sua sexualidade e queria livrar-se dos grilhões da sua educação. Ela resolveu participar de um curso específico para mulheres que se encontravam na mesma situação. O curso incluía a oportunidade de as participantes se envolverem sexualmente com homens treinados. Mark a incentivou a participar. Com o desenvolvimento do curso, Yvonne percebeu que também queria liberdade para manter contato sexual com outros homens fora do curso, caso conhecesse alguém que a atraísse. Depois de muita conversa, Mark dispôs-se a apoiá-la em suas explorações sexuais, embora soubesse que nem sempre seria fácil para ele. Essa foi uma etapa instigante para Yvonne, que teve o cuidado de não se entregar a ela com muita pressa, pois não queria pôr em risco seu relacionamento com Mark. No decorrer gradual desse processo, tanto Mark como Yvonne perceberam que o próprio relacionamento sexual deles se beneficiava à medida que Yvonne se permitia viver mais plenamente a sua sexualidade. Agora que podiam falar abertamente, Mark não se sentia mais enganado ou traído, e a confiança entre eles se restabeleceu.

Mark ficara indeciso quanto à inclusão de outra mulher em sua vida, pois sabia que suas necessidades eram diferentes das de Yvonne – ele precisava de intimidade e de uma ligação espiritual, além da física. E então conheceu Lisa. A energia entre eles foi tão intensa que todas as suas reservas e os seus escrúpulos simplesmente se desintegraram. Sua paixão por ela era tão avassaladora que, como consequência, transtornou por completo tanto a vida dele como a de Yvonne.

Lisa e Mark se conheceram em um seminário de que ambos participavam; Mark ficou fascinado por ela no mesmo instante em que se encontraram. Durante o intervalo do almoço, ele estava alvoroçado, por isso levou Yvonne para um lado e disse-lhe que estava interessado em aprofundar seu contato com Lisa. Yvonne achou graça com o efeito que Lisa claramente produziu sobre Mark e compreendeu de imediato que não era um encontro comum. Lisa, 42 anos, é bissexual; e Mark gostou do fato de Lisa ser uma mulher assertiva, independente e muito à vontade consigo mesma. Lisa também se sentiu imediatamente atraída tanto por Mark como por Yvonne, e não teve nenhum acanhamento em demonstrar isso. Yvonne incentivou Mark a convidar Lisa para jantar na casa deles no fim de semana seguinte, pois estava curiosa para conhecer Lisa um pouco melhor e queria saber o que poderia acontecer depois disso.

Uma semana depois, chegou o momento de jantarem juntos. Nesse meio-tempo, Mark e Lisa estiveram trocando e-mails, e quanto mais se conheciam, mais estreitos se tornavam os laços que os uniam. Mark manteve Yvonne a par de tudo. Quando Lisa finalmente chegou, todos tiveram a sensação de que se conheciam havia anos. Eles tiveram uma grandiosa noitada juntos, todos agradavelmente surpresos com as chispas que circulavam entre os três. Yvonne não se sentia apaixonada por Lisa, mas estava bem à vontade com ela. Sua tranquilidade com relação à própria sexualidade havia se aprofundado nos últimos anos, o que lhe permitia estender bastante seus limites em novas experiências. Embora ela nunca tivesse se sentido sexualmente atraída por outra mulher, agora percebia que não se importava absolutamente nada com o fato de estar fisicamente perto de Lisa. Yvonne gostou da ideia de ficar com Mark e com outra mulher ao mesmo tempo, e se perguntava se essa era a oportunidade para que um de seus sonhos se tornasse realidade com alguém que eles talvez pudessem inclusive ver regularmente.

Durante a semana seguinte, Mark e Lisa passaram horas no Skype, e Mark e Yvonne passaram horas conversando. Yvonne estava feliz por Mark estar apaixonado e não se sentia ameaçada porque estava incluída. Os três acabaram passando um fim de semana juntos; eles se divertiram tanto que resolveram passar todos os fins de semana juntos daí em diante. No que lhes dizia respeito, estavam clara e oficialmente envolvidos num feliz relacionamento a três.

Mark e Yvonne não tinham dúvida de que o fato de começarem um relacionamento com Lisa produziria um impacto significativo sobre o seu próprio relacionamento. Os três concordaram que era importante dedicar atenção especial a Yvonne, considerando-se a intensa energia existente entre Mark e Lisa. Passando fins de semana juntos, isso aconteceria naturalmente. Os três se comprometeram a fazer todo o possível para que tudo desse certo para cada um, e os primeiros meses foram um sonho transformado em realidade. Não obstante, depois do quarto mês, nem tudo estava bem. Eles ficaram profundamente confusos, e por isso voltaram a me procurar.

Parece que o problema é que Yvonne deu a entender ultimamente que de vez em quando gostaria de passar um fim de semana sozinha com Mark, mas ele não aceita isso. Ele acha que eles passam bastante tempo juntos durante a semana e diz que se comprometeram a estar com Lisa nos fins de semana. Yvonne não decidiu conscientemente fazer parte da tríade? Isso seria justo com Lisa?

Agora, de repente, Mark se sente entre a cruz e a espada. Ele não quer aborrecer ou magoar Yvonne, mas também não quer decepcionar Lisa. Mark sabe que Lisa realmente gosta dos fins de semana que passam juntos. Para ela é como viver o seu cenário de sonho em que tem relacionamentos com um homem e uma mulher a quem ama muito. Ela detesta ir para casa todo domingo à noite, mas não tem escolha, pois seu trabalho e sua casa ficam longe. E agora? Como eles podem lidar com as diferentes necessidades e os desejos de cada um deles?

As alegrias e os desafios de uma tríade

Um relacionamento em tríade, ou seja, aquele em que três pessoas se amam e se relacionam de modo íntimo, pode ser muito gratificante. A tríade resolve um dos problemas mais difíceis enfrentados pelos casais: a dualidade. Em relacionamentos monógamos, duas pessoas se vinculam profundamente e compartem o nível de intimidade que uma relação de compromisso pode proporcionar. Eventualmente, isso pode levar a tipos de interação certo/errado, será/não será, ter/não ter. Mesmo com as melhores intenções, pode ser difícil não cair nesses padrões, que muitas vezes podem levar à rigidez e a falhas na comunicação, pois defendemos posições fixas. A tríade oferece uma dinâmica completamente diferente. Por exemplo, durante uma interação interpessoal difícil, um terceiro parceiro pode atuar como observador amoroso. A presença dessa testemunha pode ajudar os parceiros que estão interagindo a tomar consciência de suas ações e reações. Essa autoconsciência pode produzir interações mais flexíveis, abertas e receptivas. A abundância que podemos sentir quando não procuramos mais ter intimidade com apenas uma pessoa também pode nos ajudar a relaxar e a simplesmente nos deixarmos amar. Podemos nos sentir mais reconhecidos e valorizados e a nossa própria energia vital pode fluir mais livremente e beneficiar a todos os que estão envolvidos conosco.

Curiosamente, ao participar de uma tríade, muitos descobrem que se sentem mais independentes e livres do que quando formam um casal. Isso acontece tanto num nível prático quanto num nível mais sutil. Na prática, isso significa que se uma pessoa quer passar algum tempo sozinha ou com amigos, ela pode relaxar, pois sabe que os outros dois parceiros dispõem de um tempo para ficar juntos. Em um nível emocional mais profundo, os parceiros também podem descobrir que uma tríade muitas vezes procura o seu próprio equilíbrio energético. Podemos ver a manifestação positiva disso, por exemplo, quando um parceiro, por alguma razão, assume um papel mais forte, dominante. Enquanto com um casal isso pode degenerar numa dinâmica prejudicial, uma tríade se reequilibra quando os outros dois parceiros se apoiam e contrabalançam o comportamento dominante. Dessa forma, cada parceiro pode apoiar os outros consecutivamente para permanecer no poder; e isso pode contribuir para que cada um mantenha sua individualidade. Muitas vezes, as pessoas envolvidas em relacionamentos em tríade descobrem que estão muito mais equilibradas do que muitos casais, tanto intelectual como emocionalmente. Parafraseando um truísmo bem conhecido: um banquinho de três pernas é muito mais estável do que um de duas.

No entanto, a tríade pode ter uma desvantagem, que é evidente quase de imediato: ela é um arranjo mais complexo. Cada parceiro oferece um conjunto diferente de atrações para os outros dois. Aprender a criar formas de obter clareza e harmonia entre três pessoas implica definitivamente mais trabalho do que entre duas pessoas.

Perguntei a Mark e Yvonne sobre os aspectos positivos e negativos da sua tríade. Mark disse que é ótimo o fato de Lisa ser uma boa parceira para debater, pois assim ele pode manter conversas profundas com ela. Às vezes, eles conversam durante horas, e Lisa frequentemente o provoca a ver a vida por outros pontos de vista. Yvonne se delicia vendo

Mark tão feliz. Ela percebe que ele tem muito mais energia, e disso sempre resultam interações positivas. Ela adora fazer experimentos na cama com os dois. Yvonne também gosta de ir às compras com Lisa e acha divertido mancomunar-se com ela e provocar Mark. As duas mulheres criaram um vínculo especial entre si, o que é muito favorável.

Ainda assim, ambas concordam que, no final, Mark é a cola que mantém a tríade unida. Embora Yvonne ache Lisa fantástica, não nutre por ela os mesmos sentimentos que tem por Mark. Yvonne está se perguntando se esse desequilíbrio pode afetar o relacionamento no futuro. Ela também notou que a intensidade da relação pode, às vezes, ser um pouco demais para ela. Perguntei a Yvonne a que exatamente ela estava se referindo, à relação entre ela e Lisa ou à relação entre os três? Yvonne pensou sobre isso por um segundo. "Essa é uma boa pergunta", respondeu. "Às vezes, não tenho mais tanta certeza quanto à minha vida. Por um lado, ainda sinto que Mark e eu formamos um casal e que simplesmente abrimos a nossa relação para incluir Lisa. Nós nos conhecemos há muito tempo e tão bem que é praticamente impossível fingir que formamos um relacionamento novo. Por outro lado, às vezes, penso que esse é um novo relacionamento e que os velhos tempos, quando éramos apenas nós dois, acabaram. A nova relação em tríade é divertida, mas às vezes sinto falta de passar algum tempo apenas com Mark, e gostaria de passar um fim de semana apenas com ele e talvez com um ou dois dos filhos. Quando estamos os três juntos, muitas vezes conversamos demais, nos comunicamos demais e temos demasiada consciência um do outro."

Então perguntei a Mark como ele via a tríade e que relação recebia sua maior atenção no momento. Ele respondeu que a tríade era seu foco principal. A vida com Yvonne estava boa no momento, mas acima de tudo ele esperava pelos fins de semana, quando todos estavam juntos. No que lhe dizia respeito, os três passarem o tempo juntos era o modo de fortalecer a tríade.

As diferentes relações numa tríade

Na verdade, existem quatro relações numa tríade, neste caso, entre Mark e Yvonne, Mark e Lisa, Yvonne e Lisa e os três juntos. Em outras palavras, cada pessoa tem três relações diferentes para manter, e cada relação tem suas próprias qualidades e a sua própria dinâmica.

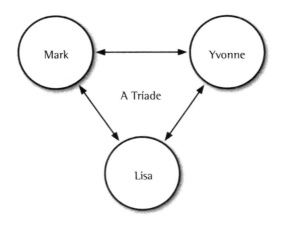

A Tríade

Uma dificuldade comum que muitas tríades enfrentam é o desejo perfeitamente compreensível de que haja igualdade entre essas relações. Isso não é fácil de conseguir e, para ser realista, é simplesmente impossível o tempo todo. Muitas coisas acontecem quando uma terceira pessoa entra num relacionamento com um casal que está junto há muitos anos. A relação preexistente não é igual ao novo arranjo em muitos aspectos. O casal original tem um passado comum, incluindo possíveis filhos, os projetos e os bens compartilhados e os seus laços emocionais. Não é possível simplesmente fingir que essa história não existe. Cada uma das quatro relações terá uma dinâmica própria e será diferente das demais. Acrescente-se a essa complexidade o fato de que a força emocional de cada uma das relações será fatalmente diferente e irá variar em intensidade com o passar do tempo. Cada relação tem seu tipo especial de amor, pois constitui um vínculo exclusivo.

Assim, como podemos conciliar essas desigualdades de circunstâncias e ligações com o desejo de criar uma tríade justa, equitativa e sustentável? Uma maneira é dar um passo para trás e observar a situação como um processo criativo. Em outras palavras, em vez de dizer "Somos uma tríade, o que faremos para que dê certo?", podemos dizer "Estamos no processo de criação de uma tríade viável". Isso é especialmente benéfico quando o ponto de partida é um casal já existente. O fato de duas pessoas casadas decidirem abrir o seu relacionamento para incluir um novo parceiro não significa que a relação original entre eles não existe mais. Pelo contrário – muitas vezes, a relação original e as suas qualidades são o que mais atrai o novo parceiro. Assim, rejeitá-la ou tentar

desfazê-la por causa da nova tríade seria totalmente contraproducente. Pode ser útil iniciar um processo em que nos tornamos conscientes dos padrões e pressupostos que se tornaram autoevidentes na relação
original, e então reexaminá-los, ajustá-los ou alterá-los, se for necessário. Ao fazer isso, podemos levar em conta o novo parceiro e nos empe-
nhar em tomar decisões baseadas também no ponto de vista dele.

O novo parceiro terá de aceitar que, de fato, está se integrando a
uma relação já existente. Não há realmente como evitar esse fato, e às
vezes o novo parceiro se sentirá excluído. Nessas ocasiões, é importante
que haja espaço para reconhecer e expressar esses sentimentos. Às
vezes, o que precisamos fazer é assegurar que incluímos conscientemente o novo parceiro em tudo o que está acontecendo. É uma habilidade que pode valer a pena desenvolver e que requer simplesmente
tomar consciência do que acontece no momento e então oferecer o pouco
de afirmação e reconhecimento a mais que podem fazer toda a diferença.

Pedi a Yvonne e Mark que passassem algum tempo durante a
semana seguinte pensando sobre as diferentes relações da sua tríade
e que encontrassem maneiras de descrevê-las. Também pedi que veri-
ficassem quais eram os seus desejos e anseios para cada uma das relações. Sugeri que compartilhassem com Lisa os detalhes da nossa
conversa e que pensassem na possibilidade de convidá-la para participar
da sessão seguinte. Eles concordaram.

Uma semana depois, uma Lisa exultante me ligou e disse que gostaria de ter uma sessão separada comigo primeiro. Lisa falou sobre os
detalhes de sua vida até então e como sentia sua relação com Yvonne
e Mark. Acontece que Lisa tivera alguns relacionamentos problemáticos
com homens que tinham dificuldades com a bissexualidade dela. Ao
fazer 30 anos, decidira que assumiria o controle da sua vida e não mais
deixaria que outros determinassem quem ela era. Pretendia assumir
totalmente a sua bissexualidade e desfrutá-la. Nos últimos anos, tivera
diversos relacionamentos simultâneos, com homens e com mulheres.
Ela gostava de sexo, mas basicamente não estava mais satisfeita
com ligações passageiras. O que ela realmente desejava muito era intimidade profunda.

Quando ela conheceu Mark e Yvonne, ficou imediatamente fasci-
nada pela abertura e honestidade com que Mark falava da sua relação
com Yvonne. Ela se sentiu atraída por ambos, embora tenha achado mais
fácil interagir com Mark primeiro. No início, ficou preocupada com a

atração mútua entre ela e Mark, porque não queria se interpor entre Mark e Yvonne. Essa preocupação se dissipou quando recebeu o convite de ambos para um jantar. Ela reuniu toda a sua coragem enquanto falava com Mark e Yvonne e, pela primeira vez na vida, contou-lhes o seu sonho de participar de um relacionamento a três. Ficou radiante com a resposta positiva dos dois.

Em pouco tempo, os amigos de Lisa notaram que ela estava feliz e cheia de energia, e começaram a perguntar o que estava acontecendo. Estava apaixonada? Ela já havia decidido que seria aberta e honesta sobre seu relacionamento com Mark e Yvonne e, para sua surpresa, sua sinceridade fora recompensada com respostas em geral positivas, bem como com a inevitável pergunta: "Como vocês se entendem na cama?". Mesmo seus pais lhe disseram que estavam dispostos a deixar suas preocupações iniciais de lado, agora que viam como ela estava feliz. Eles não compreendiam totalmente o que ela estava fazendo, mas a felicidade da filha era a coisa mais importante para eles. Isso tocou Lisa profundamente.

Ao falar das coisas que Yvonne e Mark lhe haviam contado da última sessão comigo, ela disse que ficara um pouco surpresa com a ideia de ter agora três relações diferentes: uma com Mark, uma com Yvonne e outra com os dois. Quanto a ela, estava ocupada com a tríade – ou seja, com a relação dos três juntos. Quando pensou sobre o assunto, percebeu que seus sentimentos por Mark eram de fato diferentes dos sentimentos que tinha por Yvonne. Ela sentia uma ligação espiritual mais íntima com Mark do que com Yvonne. Sua atração e ligação com Yvonne era mais física e social. Lisa gosta da feminilidade e da sexualidade delicada e intensa de Yvonne. Ela admira Yvonne por sua capacidade de ouvir sem julgar e pelo jeito como faz afirmações ou comentários perspicazes e contundentes que constituem para Lisa matéria para pensar. Os sentimentos dela por Mark são diferentes. Mark a desafia; e a carga erótica entre eles é muito forte. Como situação ideal, ela gostaria de passar algum tempo sozinha com Mark para explorar a relação sexual entre eles. Porém, ela só se arriscou a sugerir isso uma vez, pois tem medo de interpor-se entre Mark e Yvonne. A última coisa que ela quer é criar confusão no relacionamento deles. A verdade é que ela acha que Mark e Yvonne têm mais direitos mútuos porque a relação deles é anterior à dela. Além do mais, todos haviam concordado em passar os fins de semana juntos, e ela não queria quebrar esse acordo. Ela entende perfeitamente que é muito importante fazer e manter acordos num relacionamento poliamoroso. Ao mesmo tempo, começou a perceber que não estava sendo totalmente direta e franca com seus próprios desejos e anseios.

Na sessão seguinte, Mark, Yvonne e Lisa usaram uma versão modificada da figura "Roda/Tríade de Conexão" para visualizar suas três diferentes relações.

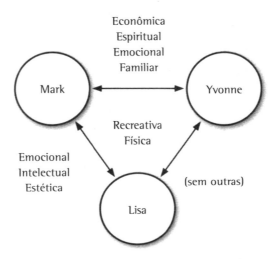

O que chamou a imediata atenção dos três é que a relação entre Yvonne e Lisa se baseia apenas nos aspectos aplicáveis para a tríade como um todo, ou seja, recreativos e físicos. Quando perguntada, Yvonne respondeu que sente que há certo vínculo emocional com Lisa. Ao examinar esse aspecto mais de perto, admitiu que não sentia uma confiança muito grande no que diz respeito à relação entre eles. Ela se preocupa um pouco porque às vezes suas interações com Lisa são um tanto carregadas e exaustivas emocionalmente. Às vezes, ela acha que Mark e Lisa poderiam muito bem ir plantar batatas e deixá-la em paz. Mas quando isso ocorre, desconfia de Lisa e se sente presa. "Mark é um homem fantástico", disse, "e eu não quero perdê-lo". No seu íntimo, ela ouve a própria voz perguntando a Lisa: "Você não vai tomá-lo de mim, vai?". Ela começou a chorar ao admitir que sentia-se realmente insegura quanto ao que estava acontecendo entre Mark e Lisa.

Os três então concluíram que valia a pena examinar mais a fundo para saber o que provocava a desconfiança de Yvonne. Quando ela parou para pensar sobre isso, percebeu que estava confusa. Por um lado, sentia-se insegura quanto ao efeito que a relação entre Mark e Lisa teria sobre a relação entre Mark e ela. Por outro lado, ela admitia que, de certa forma, seria um alívio se pudesse simplesmente despreocupar-se e deixar que Mark e Lisa desenvolvessem sua própria relação sem que ela tivesse de estar sempre presente. De fato, ela teria mais tempo para si mesma. "Na verdade, acho que me esqueci da relação comigo mesma em tudo isso", acrescentou.

Mark e Lisa ouviram atentamente enquanto Yvonne falava. Ficaram realmente surpresos com o que ouviram. Algumas semanas antes, Lisa enviara um e-mail a Mark dizendo como seria maravilhoso se pudessem passar algum tempo juntos, só os dois. Mark respondera que isso estava fora de questão. Sua resposta fora tão firme que Lisa se sentiu culpada pelo simples fato de ter sugerido a ideia. Afinal, eles haviam iniciado conscientemente o relacionamento com os três juntos e aí estava ela querendo algo diferente. Ela aceitou a resposta de Mark, supondo que ele e Yvonne tinham uma experiência de vida significativamente maior do que a dela e também mais habilidade para lidar com um relacionamento aberto. No entanto, sua intuição lhe dizia que alguma coisa não estava bem. Sentia como se a situação não fosse totalmente justa e igual, pois Mark e Yvonne se viam durante toda a semana, enquanto ela somente os via nos fins de semana. Além disso, ela se deu conta de que, mesmo se todos vivessem juntos, ela nunca conseguiria superar todos os anos que Mark e Yvonne viveram juntos. Como ela poderia ser igual? Às vezes, quando via como Mark e Yvonne eram próximos e quanto compartilhavam, ela ficava frustrada e se sentia um pouco excluída. Quando examinou mais de perto, percebeu que às vezes reagia de forma negativa e um tanto áspera com Yvonne, por conta disso. Enquanto falava, compreendeu que não era realmente justo de sua parte fazer isso e pediu desculpas a Yvonne, que prontamente aceitou e lhe deu um abraço.

Mark ficou surpreso, mas aliviado, quando ouviu tudo isso. Ele havia se sentido totalmente responsável por todos nos últimos meses e isso começara a afetá-lo. Afinal, foi ele quem se apaixonou por Lisa. Foi ele quem deu os primeiros avanços. Verdade seja dita, ele finalmente sentiu que fazia parte da ação, depois de anos sendo marginalizado, enquanto Yvonne se envolvia em todo tipo de aventuras.

Mark admitiu que tinha medo das fortes emoções que sentia com relação à Lisa, embora entendesse que estava sofrendo de um episódio agudo de ENR. Ele acreditava que tinha melhores condições de manter suas emoções controladas vendo Lisa durante parte do seu tempo dedicado à tríade; mas isso era um sacrifício. É por isso que ele respondeu tão asperamente à sugestão de Yvonne de que *ela* e Mark deviam passar um fim de semana sozinhos. A ideia de Lisa não estar presente aborreceu-o profundamente.

Yvonne, Lisa e Mark ficaram muito satisfeitos com essa sessão em conjunto. Sugeri que quando estivessem em casa examinassem como gostariam de passar o tempo um com o outro, idealmente, se não tivessem tanto medo do que poderia acontecer. Quem passaria um tempo com quem e quando? Que acordos gostariam de fazer, para que fosse perfeito?

Como resultado, todos concordaram que seria uma boa ideia se, duas vezes por mês, Mark e Lisa passassem a noite de sexta-feira e o sábado seguinte no apartamento de Lisa. Dessa maneira, Yvonne teria algum tempo para si mesma. Nas noites desses sábados, Mark e Lisa iriam para a casa de Mark e Yvonne e todos passariam o resto do fim de semana juntos. Também tentariam garantir que Lisa e Yvonne se encontrassem pelo menos uma vez por mês, sem Mark; e quando algum dos filhos de Mark e Yvonne quisesse visitá-los, Lisa não iria vê-los, para que Mark e Yvonne pudessem passar algum tempo em família.

Três meses depois, eles vieram me ver novamente. Em princípio, estavam muito felizes com a forma como tudo estava fluindo entre eles. As coisas pareciam muito mais tranquilas e Yvonne disse que tinha espaço para voltar a respirar. Esse arranjo lhe ajudava muito mais a lidar com o fato de Mark estar loucamente apaixonado por Lisa.

Mark está muito feliz porque agora pode passar algum tempo sozinho com Lisa. Entretanto, está começando a ver que existe outro lado da moeda. Lisa não hesita em questionar o seu comportamento, especialmente quando estão apenas os dois. A paixão entre Mark e Lisa é muito mais intensa do que entre Mark e Yvonne, mas o número de discussões tem a mesma proporção. Às vezes, Mark fica bastante frustrado com Lisa. Quando está com ela, ele quer aproveitar o tempo que eles têm juntos. Ele não quer perder tempo com brigas e confrontos desagradáveis. Às vezes, ele se pergunta por que Lisa não pode se parecer mais com Yvonne e deixar as coisas como estão, quando não conseguem concordar. Yvonne simplesmente volta ao assunto mais tarde, quando os dois já se acalmaram, em vez de discutir o problema até o fim. Ele sabe que Lisa é diferente, mas está tendo problemas para lidar com as reações veementes dela.

Padrões de relacionamento e interações numa tríade

Todos nós desenvolvemos padrões de comportamento tanto positivos como negativos em nosso(s) relacionamento(s) ao longo do tempo. Isso acontece naturalmente, à medida que vamos conhecendo melhor nosso parceiro e adaptamos a nossa forma habitual de fazer as coisas para criar interações mais suaves e harmoniosas entre nós e nosso(s) parceiro(s). Padrões de comportamento positivos nos ajudam a criar interações energizadas, vivas e prazerosas. Por outro lado, padrões negativos, se nos descuidamos, podem levar-nos a situações disfuncionais e sugadoras de energia. Uma das características peculiares e desafiadoras de uma tríade é que normalmente predominam esses padrões negativos, visto que os padrões desenvolvidos com uma pessoa em geral divergem com a outra. Perda de energia também pode ocorrer quando dividimos a nossa atenção entre os parceiros e depois precisamos nos adaptar às suas respectivas formas, muitas vezes diferentes, de interagir. O segredo para evitar a confusão e a frustração que isso pode criar é manter-se flexível, tolerante e no aqui e agora. A descoberta dos padrões em uma tríade pode ajudar a tornar-nos mais presentes e abertos à realidade de que "a mudança é a única constante". Quando baseamos os nossos relacionamentos nas intenções subjacentes de cada parceiro, e não no modo como interpretamos suas ações, nós simplificamos e energizamos o(s) nosso(s) relacionamento(s).

Cada tríade comporta estruturas de comunicação e de intimidade peculiares. Algumas se baseiam num nível relativamente igual de ligação entre os três parceiros, ao passo que outras se baseiam principalmente na ligação de cada uma das pessoas com as outras duas. Qualquer que seja a forma, porém, cada uma das três pessoas tem algum tipo de relação com as outras duas. Na prática, quase todas as tríades bem-sucedidas descobriram que é importante que cada pessoa se comunique diretamente com cada um dos outros parceiros, e não por intermédio de outro. Além disso, o resultado é melhor quando as três pessoas são autônomas, conscientes de si e dispostas a assumir plena responsabilidade por seus atos. Os benefícios de uma tríade são numerosos, mas para que ela tenha sucesso no longo prazo é preciso que haja disposição para trabalhar intencionalmente na criação de relações saudáveis e conscientes.

Dirigi-me, então, a Lisa. Ela disse que estava encantada com os novos acordos que haviam feito. Ela achava ótimo passar algum tempo sozinha com Mark de vez em quando. Admitiu que gostava não só de discutir as coisas com Mark, mas também de provocá-lo para que saísse da concha. Ela achava difícil, porém, quando ele se irritava e ficava chateado com ela, e muitas vezes sentia que o havia pressionado demais. Mesmo assim, ela nunca se preocupava com suas discussões por vezes inflamadas. Ela estava acostumada a impor-se e a deixar as coisas claras para os outros. Ela me disse que é um tanto belicosa. É que às vezes Mark parece não levá-la a sério, e isso a incomoda.

Lisa também descobriu que o tempo que dispunha para si mesma quando os filhos de Mark e Yvonne estavam visitando os pais era muito oportuno, pois assim podia dedicar-se à reflexão. As discussões difíceis com Mark a fizeram perceber que eles não só tinham uma diferença de idade e de experiência, mas que o relacionamento podia terminar se eles não encontrassem uma maneira mais eficaz para se comunicar. Lisa percebeu que as interações podiam ser mais produtivas porque ela e Mark se comunicavam de uma maneira completamente diferente quando Yvonne estava presente. O modo de ser mais suave de Yvonne, sua atitude descontraída e o respeito pelos outros tiveram um efeito curativo sobre ela e Mark. De alguma forma, suas arestas ásperas são suavizadas quando Yvonne está por perto, e eles riem mais. O relacionamento em tríade se constrói sobre a capacidade de se divertir uns com os outros e de se manter descontraído, e Lisa percebeu que realmente adora participar da tríade e que se sentiria arrasada se ela se desfizesse.

O clima mudou de repente quando Lisa disse tudo isso. Mark percebeu então que, apesar de Lisa ser a mais jovem dos três, ela era a mais corajosa. Ele também estivera se perguntando se o relacionamento como um todo estava em risco. Ele realmente não queria pensar sobre isso, porém, e estava determinado a fazer da tríade um sucesso.

Pedi aos três que fizessem alguns minutos de silêncio para pensar sobre os seus piores medos, anotando-os. Em seguida, pedi que pegassem esses medos e os pusessem de lado. Depois, sem quebrar o silêncio, sugeri que tentassem entrar em contato com suas sensações de amor e serenidade... e, finalmente, que identificassem – e escrevessem – o fator em que depositam sua maior confiança.

Yvonne escreveu que o seu maior medo era que ela e Mark se separassem por não terem mais nada a oferecer um ao outro. Depois disse que sua maior confiança se devia ao fato de ela e Mark estarem juntos durante muitos anos, e que já haviam passado por muita coisa juntos e que no final sempre conseguiram resolver os problemas. Ela tinha uma forte sensação de que, seja lá o que for que acontecesse, sempre encontrariam uma maneira de aproveitar a vida enquanto crescessem como parceiros. Ela também sentia uma forte conexão de alma entre eles e confiava que estaria sempre ligada a ele.

O maior medo de Mark era não conseguir administrar duas relações com duas mulheres diferentes ao mesmo tempo. Ele se debatia com a interação entre Yvonne e Lisa e com sua relação com cada uma delas, e isso o estava esgotando mais do que ele queria admitir. Sua maior confiança estava no fato de que quanto mais velho fica, mais percebe como é realmente humano e falível. Seu desejo de manter esses dois relacionamentos fez com que ele se tornasse mais tolerante e mais capaz de aceitar a si mesmo e as suas imperfeições. Ele acreditava que, enquanto estivesse disposto a permanecer aberto e vulnerável, conseguiria superar os desafios que esses relacionamentos apresentassem.

Lisa escreveu que o seu maior medo era de que o relacionamento terminasse. Ela estava totalmente grudada em Yvonne e Mark e indescritivelmente feliz por ter tanto um homem como uma mulher em sua vida. Ela tinha muito medo de que a situação implodisse se as coisas começassem a dar errado. Sua maior confiança estava em sua relação consigo mesma. Ela sabe que é uma mulher forte e autônoma e que gosta de desafios, mas ali estava ela no meio de um grande desafio. Ela escolheu estar nessa situação por sua livre vontade. Ela sabia que, independentemente do resultado, sempre estaria mais forte e mais inteligente para encará-lo.

Cada um dos presentes ficou tocado pela sabedoria e profundidade das suas respostas. A tensão na sala deu lugar à paz. Cada um decidiu continuar a buscar a melhor maneira de se ajudarem uns aos outros a processar esses medos. Algumas semanas mais tarde, Mark me ligou e relatou que a última sessão desencadeara uma conversa muito produtiva entre os três. Haviam reexaminado o que cada um escrevera e falaram sobre como poderiam se ajudar a superar o que seus medos haviam revelado. O mais importante, disse, era que haviam percebido o valor de cada relação individual e também aceitado que, em última análise, cada relação precisava se manter por seus próprios méritos. Se, por algum motivo, uma das relações não desse certo, eles trabalhariam na busca de uma solução que não pusesse em perigo as outras relações. Isso lhes proporcionou uma enorme sensação de liberdade e alívio e reduziu a pressão sobre a tríade. Combinaram que cada um contribuiria para a tríade com o que fosse melhor para eles como indivíduos; e que o compromisso implícito para os três era crescer – pessoalmente e em grupo. Também concluíram que, deixando algum tempo livre para cada um deles, inclusive para Mark, para que ficassem sozinhos, teriam melhores condições de fazer escolhas baseadas na sua própria sensação interna do que é melhor.

Mark riu quando me contou que no final da conversa Yvonne pulou e disse: "Já chega de papo! Vamos nos divertir e aproveitar o que temos em comum!".

Coragem não é ausência de medo;
ao contrário, é ser capaz de sentir medo
e ainda assim seguir o coração.
– DAVID DEWULF

TRIOS E TRÍADES:
PASSADO E PRESENTE

Simone de Beauvoir, Anaïs Nin, Pablo Picasso, Salvador Dalí: todos são figuras históricas bem conhecidas, e todos, de uma forma ou outra, estiveram envolvidos em relacionamentos não convencionais constituídos de três pessoas. Seja qual for o termo – *ménages à trois*, trio ou tríade –, a combinação de três pessoas num relacionamento emocional e/ou sexual faz parte da história humana. Com efeito, as esculturas e os desenhos nos antigos templos do subcontinente indiano e do Extremo Oriente não deixam dúvidas de que a prática de rituais sexuais entre três pessoas existia desde tempos remotos. Em que consiste a atração desse arranjo de três? Se manter e alimentar um relacionamento de duas pessoas já é bastante trabalhoso, por que alguém desejaria aumentar essa complexidade? Certamente, deve haver benefícios importantes na "constelação de três" para superar as inevitáveis dificuldades de um relacionamento tão complexo e não convencional. Quais são, exatamente, esses benefícios?

Quando se pergunta quem se beneficia numa tríade, muitas pessoas responderiam "o homem, é claro!". Essa resposta muitas vezes se baseia em dois pressupostos comuns: primeiro, que a tríade é composta de um homem e duas mulheres; segundo, que o objetivo fundamental do arranjo é proporcionar mais oportunidades sexuais para o homem envolvido. No entanto, se examinarmos mais de perto relacionamentos concretos entre três pessoas, e de longa duração (em oposição a ligações sexuais de curta duração), o quadro que emerge é bastante diferente. Provavelmente uma das configurações em tríade mais comuns envolve pelo menos uma pessoa, se não duas, que até certo ponto é bissexual. Isso faz sentido porque, se alguém é bissexual, então a tríade é uma forma de relacionamento que proporciona uma situação em que ambos os lados da sua natureza sexual podem encontrar expressão.

Sendo assim, há benefícios para a saúde emocional e física geral dos envolvidos numa tríade em comparação com a situação dos parceiros que formam um casal? Muitas pessoas que compõem tríades responderiam com um sonoro "sim". Para entender o porquê, pode ser interessante considerar primeiro um antigo texto taoista parafraseado como "A melhor configuração sexual é aquela entre duas mulheres e um homem". Esse texto também leva em consideração o cenário oposto, isto é, dois homens e uma mulher, mas alerta que "dois Yins podem colaborar, mas dois Yangs irão competir". Uma interpretação dessa porção do texto é que essa dinâmica energética tem mais a ver com as qualidades pessoais masculinas/femininas das pessoas envolvidas do que com seu sexo específico. O texto diz ainda que cada pessoa pode aprender a assumir total responsabilidade por sua energia sexual ao mesmo tempo em que desfruta uma disponibilidade muito maior de excitação e fluxo de energia. De fato, constatações na prática dizem que o nível de energia que se cria quando três pessoas se envolvem sexualmente é muitas vezes maior do que a gerada pelo contato entre duas pessoas. Quando essa energia é utilizada conscientemente, como nas tradições taoista e tântrica, pode ser uma fonte poderosa de combustível para desenvolvimento pessoal e espiritual.

A dinâmica emocional de uma tríade é de muitas maneiras definida pelo arranjo que as três pessoas criaram. O arranjo poliamoroso tradicional tinha o homem no centro, ou seja, um marido e duas mulheres, em que as mulheres eram subservientes ao homem. Esse é um cenário com que, sem surpresa nenhuma, muitas pessoas hoje não se sentem à vontade, porque reforça a opressão patriarcal. No entanto, a versão moderna desse arranjo – uma tríade – é algo muito diferente. Na tríade, os três parceiros, sejam eles homens ou mulheres, são iguais.

Isso pode criar uma dinâmica única para estimular o crescimento, o desenvolvimento e muita diversão. A razão para isso é simples: em um relacionamento de dois, é muito fácil prosperar o comportamento codependente. Isso muitas vezes pode assumir a forma de controle, criar dificuldades para estabelecer limites claros e abrigar uma série de outros comportamentos problemáticos.

É muito fácil para um casal cair nesses padrões de interação prejudiciais que, se não forem tratados, podem muitas vezes levar ao colapso e ao fracasso de um relacionamento. Quando uma terceira pessoa está presente – mesmo que simplesmente como testemunha –, muitas pessoas descobrem que é muito mais fácil romper o ciclo de padrões destrutivos e escolher maneiras saudáveis de interagir. Quando feito com amor, humor e alegria, esse processo pode incentivar e estimular a criatividade, o crescimento e o desenvolvimento. Não é de estranhar que tantos artistas, escritores e outras pessoas criativas e apaixonadas achem essa forma de relacionamento tão gratificante.

Perguntas que você pode fazer a si mesmo

- Que acordos de relacionamento meu parceiro e eu fizemos um com o outro? Ainda estou satisfeito com eles?
- Quais são as diferentes relações que tenho? Quais são as diferenças entre elas?
- Que concessões eu estou preparado a oferecer em meu(s) relacionamento(s)?
- Como dou a entender ao(s) meu(s) parceiro(s) que estou assumindo responsabilidade por minha parte do(s) relacionamento(s)?
- Como procedo para ter tempo para reflexão e para cuidar de mim?
- Quais são as vantagens que uma tríade poderia me oferecer?

Sugestões para tríades

- Perceba as várias relações dentro da tríade. Observe a dinâmica diferente que existe em cada relação e dedique a cada uma a devida atenção.
- Seja aberto e honesto com seus parceiros sobre suas necessidades. Lembre-se de que eles querem o melhor para você, mas, por outro lado, nem sempre são obrigados a satisfazer as suas necessidades.

- Entenda a sua tríade como uma jornada de descoberta. Não é algo que a maioria das pessoas aprendeu a fazer, por isso todos aprenderão durante a caminhada.

- Faça acordos claros com cada um dos integrantes e reavalie esses acordos regularmente. Esteja preparado para alterá-los se a situação o exigir. Pessoas e circunstâncias podem mudar com o tempo.

- Usufrua o amor em dobro que você recebe. Lembre-se: você é uma pessoa de muita, muita sorte!

Posfácio –
Vivendo de Amor

*A única decisão importante que cada um de
nós pode tomar é a de acreditar ou não
que o universo é amistoso.*
– ALBERT EINSTEIN

A antiga disciplina espiritual e religiosa tibetana Bon contém a crença de que o modo como pensamos influencia tudo o que fazemos. As crenças Bon afirmam que compreender e transformar os nossos pensamentos é o segredo para superar um dos maiores obstáculos na nossa vida – o medo. Muitos praticantes da psicologia moderna defendem essa concepção e a levam ainda mais longe, sugerindo que o único pensamento transformador mais poderoso que podemos ter é que o amor, não o medo, é a melhor perspectiva de vida. Esse conceito corresponde bem aos novos métodos que se orientam para a solução (em contraste com os que se concentram no problema) que vêm sendo desenvolvidos nos últimos anos nas áreas do desenvolvimento organizacional e também pessoal. Essas soluções e visões de vida baseadas no amor nos impelem a ver o mundo como uma aventura contínua, alegre, estimulante e divertida, cheia de oportunidades de crescimento e desenvolvimento. Pessoas em número cada vez maior estão optando por viver a sua vida com base nesses paradigmas positivos e consequentemente são muito mais felizes e bem-sucedidas.

À medida que desenvolvemos uma vida pessoal baseada no amor, cada vez mais pessoas estão descobrindo que queremos estabelecer vínculos mais próximos, mais profundos e mais íntimos com os outros. Relacionamentos abertos e poliamor fazem parte dessa consciência. Ao mesmo tempo, muitos de nós que sentimos esse desejo também queremos nos unir a um propósito maior e participar da criação de um mundo melhor tanto para nós mesmos como para os outros. Assim, para um número crescente de pessoas, existe relação direta entre criar relacionamentos íntimos sustentáveis, autênticos e amorosos e ajudar a criar soluções para os muitos desafios com que o nosso mundo se defronta. As habilidades necessárias para conduzir a nossa própria vida pessoal de amor podem efetivamente ser de grande utilidade para amar também o nosso mundo.

Esperamos que este livro tenha alcançado o seu objetivo como fonte de informação e de inspiração e que possa incentivar o desenvolvimento de relacionamentos felizes, realizadores e sustentáveis para benefício de todos nós.

Leonie e Stephan
Amsterdã

Agradecimentos – Stephan

Este livro é fruto de um esforço coletivo inspirado por muitas pessoas, tanto vivas como históricas. Meus sinceros agradecimentos vão para:

LEONIE LINSSEN – Quando encontrei Leonie pela primeira vez, creio que tive a mesma sensação de alguém que, depois de anos de escavações, finalmente encontra o ouro. O entusiasmo, o conhecimento, a competência e persistência de Leonie e, acima de tudo, sua dedicação para qualificar-se são simplesmente incríveis. Para completar, é divertido trabalhar com ela, que também demonstrou uma paciência fora do comum durante todo o nosso processo criativo. O fato de eu ter encontrado uma nova e maravilhosa amiga é realmente a cereja do bolo.

VICTORIA STAHL – Meus sinceros agradecimentos a uma mulher maravilhosa que, pelo menos aos meus olhos, deve ser uma das melhores editoras do mundo.

Equipe da Findhorn Press – THIERRY BOⳄ
WEEKE foram profissionais, pacientes e inⳄ
durante um processo criativo que se estendeu aⳄ
visto. Uma editora fantástica!

AUDE FERRIÈRE, DAMIAN KEENAN, RICHARD CROOKⳄ
muito a Aude pelo vivo e luminoso projeto da capa que aⳄ
ções inglesa e holandesa do livro. Damian deve ser o *desigⳄ* Ⳅs
paciente do planeta. Obrigado por sua persistência! E Richard, seus
desenhos são elegantes e concisos. Simplesmente perfeito.

SANDRA, CAROL, FRANZI, VICTORIA, GRIETJE – Muito obrigado pela
ajuda na preparação e revisão da cópia para edição.

MARJA DUIN – A sempre alegre Marja, da Archipel, nos deu as orientações essenciais que nos permitiram estruturar o livro em forma narrativa.
Descobri também que ela é uma talentosa tradutora inglês-holandês,
além de brilhante editora.

PESSOAS POLI – Comunidades poliamorosas, reais e virtuais, nos Estados
Unidos, no Reino Unido, na Holanda, na Suécia e na Alemanha forne-
ceram-me informações valiosas sobre a vida de pessoas reais que lidam
com situações reais. Continuo impressionado com a forma como, diante
de uma oportunidade, esses homens e mulheres se apoiam e se incentivam mutuamente em sua busca comum para viver uma vida mais rica,
coerente e autêntica.

MONIEK, FRANZI, JOUKO, HILKKA – Pela apreciação clara, honesta e
firme, bem como pela fantástica amizade.

LAO-TSÉ e todos os outros taoistas (tanto mortais como imortais). Por sua
disposição em compartilhar ideias, explorações e sabedoria sobre o mis-
terioso funcionamento do Tao.

MIEKE – Minha amada companheira que vive comigo há 32 anos, que
me apoia, me incentiva e gentilmente me desafia. Ela demonstra conti-
nuamente o que é o amor.

Stephan Wik

Agradecimentos – Leonie

Ao escrever este livro, ao longo dos anos, muitas pessoas me inspiraram. Outras me forneceram um rico material para pesquisa. Não é possível agradecer a todas, mas eu realmente gostaria de citar algumas:

STEPHAN WIK, meu coautor – Obrigada por seu entusiasmo e estímulo incessantes, por sua receptividade às sugestões e por seu modo crítico, porém estimulante, de questionar. Apesar de termos decidido, a meio caminho do nosso projeto, recomeçar tudo de novo, você manteve a esperança, a alegria e o otimismo. O processo de criação em sua companhia foi uma festa, e sem você o livro nunca teria passado de um sonho. Nessa caminhada, ganhei um amigo.

MEUS CLIENTES – Agradeço-lhes a franqueza e a confiança ao longo das nossas sessões e, acima de tudo, o que aprendi com vocês. Cada pessoa e cada relacionamento são diferentes, e eu vejo isso repetidamente.

É um privilégio para mim o fato de ser c⌐
construção da vida amorosa de vocês e vê-los
eu tenho o trabalho mais agradável do mundo, e gr⌐
se transformou em realidade.

Os anfitriões, recepcionistas e convidados do Castelo Sl⌐
Esse é o silencioso e inspirador centro de retiro onde conheci ⌐   ⌐
onde a ideia deste livro nasceu e onde todos os capítulos foram es⌐ ⌐os.
Obrigada pelo apoio, pelas nossas conversas e pelas muitas perguntas
que fizeram, as quais nos incentivaram a oferecer explicações mais
claras.

PETER GERRICKENS – Pela criação e publicação dos seus jogos de orientação. *O Jogo do Relacionamento* se tornou uma ferramenta indispen-
sável no meu trabalho. Você foi um incentivador da minha prática de
aconselhamento e deste livro, e eu realmente me deliciei com as nossas
conversas maravilhosas. Obrigada por seu apoio e pelos sábios conselhos. Além disso, seus oportunos comentários sobre o texto original me
levaram a suprimir e reescrever seções substanciais. Maravilha!

LOES KOOT, meu grande colega – Muito, muito obrigada por sua confiança em mim como *coach* de relacionamento, por suas ponderações e
pelas sugestões sobre as "perguntas". Com isso, o livro ficou completo.

LONNEKE ALBERS – Obrigada por sua leveza de ser e por sua visão
suave e amorosa da vida, e por todos os livros que você me emprestou.
Seus comentários me possibilitaram expor o contexto para o leitor de
forma bem mais clara.

MARJA DUIN da Archipel Publishers – Obrigada pela editoração do texto,
por suas perguntas e observações críticas e pela tradução de parte do
texto em inglês. Foi sua a ideia de incluir dez "histórias" que nos ajudaram a superar o impasse em que nos encontrávamos. Dez se transformaram em doze e você se entusiasmava cada vez mais à medida que elas
surgiam, uma após outra. Seu apoio foi fundamental e reforçou a nossa
crença de que estávamos no caminho certo.

CHRISTEL, a primeira mulher na minha vida – Um grande "muito obrigada" por seu entusiasmo e espírito empreendedor contagiante e por
acreditar em mim. Nossos encontros sempre foram muito divertidos. Fico
feliz por nossa amizade!

ADRIETTE e YVONNE – Que mulheres incríveis eu tenho como amigas! Obrigada por todas as nossas conversas íntimas, muito especiais, e por nossa amizade. Espero poder desfrutá-la com vocês por muito tempo ainda!

MARGA, minha sempre jovial parceira de dança e de viagens – Sua compaixão pelos menos afortunados entre nós é um exemplo para o mundo. Se todos tivessem o amor que você tem, o mundo seria um lugar diferente.

LION, a mulher mais pura e coerente que conheço – Obrigada por todos esses anos de amizade que temos partilhado. É bom ver que o tempo só estreita esses laços. Eu sempre me sinto à vontade com você.

PETRO, JOKE, MARC, ANJA, KAREL, GE, KARIN, YVONNE, VIVIENNE, ALBERT, LOES E JEANETTE, meus colegas orientadores – Obrigada pelas reflexões, perguntas oportunas e sugestões que recebi de vocês durante nossos encontros. Elas me ajudaram a me conhecer melhor e, assim, a trabalhar com maior eficácia como orientadora de relacionamento e escritora. Obrigada pelas risadas!

JACQUELINE LANCÉE, minha supervisora – Respeito-a profundamente por sua capacidade de observar com clareza, por seu conhecimento e por sua sabedoria. O fato de você ver a minha especialidade sem nenhum preconceito é um verdadeiro presente para mim.

WIES, a mulher e amiga mais importante da minha vida – Seu entusiasmo e seu temperamento me dão energia. Você está sempre presente nos momentos mais importantes da minha vida. Obrigada por seu apoio e seu amor.

HANS, o meu amor da infância – Obrigada por todas as coisas que aprendi com você, pelo apoio e por me apresentar ao Satsang. Com isso tudo, ficou claro para mim: Tudo é amor.

TRUUS e WIM LINSSEN, meus pais – Sou imensamente agradecida por seu inabalável entusiasmo e por seu apoio. É muito bom ter pais que me apoiam e se orgulham de mim, especialmente porque o que faço nem sempre é aceito pela sociedade. Amo vocês.

MIEKE WIK – Por seu apoio e sua suavidade, pela paz que você irradia e pelo espaço que nos tem oferecido. Um agradecimento especial por suas habilidades culinárias em nossos encontros, as quais propiciaram a Stephan e a mim tempo e espaço para o nosso processo criativo.

E por último, mas não menos importante:

KOOS VAN WEES, minha companheira de vida, minha colega, meu tudo. Plena de confiança, você me deixou seguir em frente com este projeto. Ele me tomou muitos fins de semana durante os quais, de outro modo, teríamos ficado juntas, e ainda assim você nunca reclamou. Com você, posso ver e sentir como é importante ser aceita com amor – base do meu trabalho. Sem o seu amor e seu apoio, este livro nunca teria acontecido.

Leonie Linssen

Fontes de Inspiração e Outros Recursos

Website de *Amor sem Barreiras*

Acesse o website, em inglês, de *Amor sem Barreiras* em loveunlimited.eu. Ali você pode baixar um subconjunto de cartas de *O Jogo do Relacionamento* para usar como ferramenta de análise do seu próprio relacionamento. Há também um fórum *on-line* para leitores deste livro.

Websites dos autores

SITE DE LEONIE: www.veranderjewereld.nl
SITE DE STEPHAN: www.wujicentre.com

Websites úteis

LOVING MORE: www.lovemore.com
POLYAMORY FAQ: www.xeromag.com/fvpoly.html
PRACTICAL POLYAMORY: www.practicalpolyamory.com

Fóruns de poliamor

community.livejournal.com/polyamory
forum.polyweekly.com
www.polyamory.com

Jogos de treinamento

PETER GERRICKENS, *Het Relatiespel (O Jogo do Relacionamento)*, ISBN: 97890-74123-181

PETER GERRICKENS, *Het spel van Verlangen (O Jogo do Desejo)*, ISBN: 97890-74123-211

Livros

CHIA, MANTAK, *The Multi-Orgasmic Couple*, HarperOne, Londres, 2001.

COVEY, STEPHEN, *The 7 Habits of Highly Effective People*, Deseret Book Company, Nova York, NY, 2004.

JAHNKE, ROGER, *The Healing Promise of Qi*, McGraw-Hill, Nova York, NY, 2002.

KINGMA, DAPHNE ROSE, *The Future of Love: The Power of the Soul in Intimate Relationships*, (Doubleday, NY, 1999) *http://daphnekingma.com.*

KATIE, BYRON, *I Need Your Love – Is That True?*, Three Rivers Press, Nova York, NY, 2006.

MCGRAW, DR. PHIL, *Relationship Rescue: Repair Your Relationship Today*, Vermillion, Nova York, NY, 2002.

POSTMA, ANNEMARIE, *The Deeper Secret, What does life want from you?*, Watkins, Londres, 2009.

ROSENBERG, MARSHALL B. *Nonviolent Communication: a Language of Life*, Puddledancer Press, Encinitas, CA, 2003.

SMEDES, LEWIS B., *Forgive and Forget: Healing the Hurts We Don't Deserve*, HarperOne, Nova York, NY, 1986.

STONE, HAL AND SIDRA, *Embracing Your Inner Critic: Turning Self-Criticism into a Creative Asset*, HarperOne, San Francisco, CA, 1993.

TEYBER, EDWARD, *Helping Children Cope with Divorce*, Jossey--Bass, Hoboken, NJ, 2001.

WIK, MIEKE AND STEPHAN, *Beyond Tantra*, Findhorn Press, Findhorn, 2005.

WILE, DCUGLAS, *The Chinese Sexual Yoga Classics*, State University of New York Press, Albany, NY, 1992.

GRÁFICA PAYM
Tel. (011) 4392-3344
paym@terra.com.br